De kleine
KATTEN
Encyclopedie

ALGEMENE DISTRIBUTIE CENTRALE

Fotografie
Isabelle Français

Verder foto's van
Dr. Herbert R. Axelrod, Victor Baldwin, Paul Casey, Cora Cobb,
Donna J. Coss, Barry B. Dowe, Jal Duncan, Jack B. Fischer,
Dorothy Holby, Brian Kahof, Gillian Lisle, Roger Michael,
Pete Miller, Ray Paulsen, Robert Pearcy, Ron Reagan,
D.H. Shagam, Vince Serbin, Skotze and Lucas Photography,
Sally Anne Thompson.

Foto rechts: Black Devon Rex

Foto's omslag
Voorzijde: boven: Colorpoint Shorthair, foto Isabelle Français;
linksonder: Korat, foto Robert Pearcy; rechtsonder: Longhair
Scottish Fold, foto Isabelle Français
Achterzijde: Oriental Shorthair, foto Isabelle Français

© 1991 T.F.H. Publications, Inc. U.S.A.
© 1993 Nederlands Taalgebied Ars Scribendi b.v.,
Harmelen, Nederland
© Deze uitgave Algemene Distributie Centrale, Eke, België

Vertaling: Vertalerscollectief: M. Roggema
Zetwerk: Intertext, Antwerpen
Lars De Valk & Peter De Greef

ISBN 90-5495-051-X

Titelpagina: *Zwarte Devon Rex, van Mary Theresa en Joel Singer*

De kleine
KATTEN
Encyclopedie

Andrew De Prisco
en
James B. Johnson

Inhoudsopgave

De Vissende kat; Platkopkat; Geoffroy's kat; Iriomote kat; Jaguar; Jaguarundi; Junglekat; Kodkod; Luipaard; Bengaalse kat; Leeuw; Marmerkat; Margay; Bergkat; Noordelijke lynx; Ocelot; Pallaskat; Pampakat; Poema; Roestvlekkat; Woestijnkat; Serval; Sneeuwpanter; Spaanse lynx; Temminck gouden kat; Tijger; Tijgerkat.

Voorwoord

Je kunt kattenhaters nooit overtuigen want er zijn zoveel goede redenen om een kat te haten. Echte kattenhaters worden verblind door de glazige ogen van de kat met hun diepzwarte pupillen, en vrezen de goed gescherpte klauwen van de kat – ze zien het als zwaarden van burgerlijke ongehoorzaamheid die zomaar krabben in bedden beplaste petunia's.

Kattenhaters in het bezit van petunia's hebben een hekel aan deze luie vrijheidsstrijders die gekenmerkt worden door eeuwig nietsdoen, domme invallen en slechte buien. Kattenhaters in het bezit van een hond zetten zelfs vaak de tuinslang op deze eeuwige vijanden van hun goed getrainde viervoeter.

Katachtige huisgenoten zijn ontroerend maar onaantastbaar, stiekem en neerbuigend, en ze spreiden kalm een gebrek aan dankbaarheid ten toon, vermengd met een snufje kwaadaardigheid.

Ze spugen en zijn kwaadaardig en spottend, met een eigen willetje – de vlooienbalen verslinden hulpeloze prooien, jonge dieren, kanaries en muizen – onschuldige dieren die zich tenminste hebben aangepast aan de mens.

Waarom hebben mensen een hekel aan katten? Welke eigenschappen van zichzelf herkennen mensen in de kat? De tactloze manieren van sex bedrijven? Zonder reserves, met veel lawaai, zonder ooit moe te worden... het zijn sensuele dieren vol erotiek. Het zijn luie, afstandelijke rommelmakers. Ze zijn fel, arrogant, koppig, onafhankelijk: wat moet het heerlijk zijn om een kat te zijn! De kat is schaamteloos, terwijl de mens zondig is.

Historisch gezien is de mens zeer inconsequent geweest in zijn houding ten opzichte van de kat – van de heilige leeuw tot de opgejaagde panter. Moeten wij ons dan verbazen over het wantrouwen en de afkeer die de kat voelt tegenover de menselijke soort?

Mensen die het niet helemaal begrepen hebben behandelen de gevoelloze kat alsof het mensen zijn, zodat ze er een hekel aan kunnen hebben als hen dat zo uitkomt. Terwijl we de kat aan banden leggen (soms letterlijk), koesteren we aan de andere kant zijn afhankelijkheid en kinderlijk gedrag, en we interpreteren zijn motieven en zijn daden. In psycho-analytische wanhoop, pogen we de kattengeest te begrijpen, hem te decoderen en encoderen, hem in een hokje te duwen – en hem dan tam te maken, te trainen, te verzorgen en te kammen.

Mensen kunnen het niet altijd vinden met katten, omdat beide soorten nieuwsgierig en koppig zijn. Katten doen echter niet de minste moeite om de mens te begrijpen. Ze zijn er tevreden mee anders, vaag en onverschillig te zijn... Haat vraagt veel te veel energie voor een kat – onverschilligheid kost de minste energie.

Fanatieke kattenhaters en -liefhebbers blijven de kat ondermijnen of juist begrijpen. Ondanks de onverschilligheid en het gebrek aan enthousiasme van de kat, vinden wij het leuk te denken en te schrijven over de kat. Deze haat-liefde verhouding fascineert de mens en lokt het schrijven én kopen van boeken uit. Of u nu thuis hoort in het kamp van de liefhebbers of de haters, wij hopen als kattenliefhebbers dat u deze kattenencyclopedie zowel de moeite waard als leuk om te lezen zult vinden.

De bronnen voor dit boek zijn de onderzoekingen die we hebben gedaan naar de katten die we kennen, de kattenliefhebbers die we heben lastiggevallen, de kattenhaters die we hebben gelynchd, en de mede-auteurs die we hebben geraadpleegd.

A.D./J.J.

Opdracht

Voor onze ouders,
Louie en Doris
Jim en Barbara
En voor de speciale katten in ons leven,
Puffy, Tiffany, Pumpkin (red) en Kitty.

Andrew en Jim.

De auteurs willen speciaal de fotografe Isabelle Français bedanken, voor haar geweldige talent en voortdurende toewijding aan haar werk. Ook speciale dank aan Deirdre Connelly voor haar deskundige adviezen.

Tevens brengen wij met trots de exclusieve schilderijen van wilde katten van John R. Quinn, een geweldig artiest en mens, onder uw aandacht.

'Zei je big of bil?' zei de Kat.

LEWIS CARROLL

Waarom een kat?

Individualisten, die niet gelijk lopen met het huishouden waarover zij zonder uitzondering de scepter zwaaien, zijn meer regel dan uitzondering. Katten blijven onvoorspelbaar maar zitten vol routines; ze zijn uit-bundig en aanhankelijk maar zeer onafhankelijk. Als een combinatie van de on-

Deze puber brengt alle nuances van zijn katten-persoonlijkheid aan het licht en neemt een schaduwrijke plaats in. Bombay.

schuld van een pasgeborene, de nieuwsgierigheid van een puber en de onverschilligheid en geblaseerdheid van een oudere, hebben katten de mens altijd gefascineerd.

Het observeren van de kat prikkelt de nieuwsgierigheid van de mens op vele verschillende niveaus: fysiek, psychisch, en instinctief. Het uiterlijk van de kat, zowel van de tamme als van de wilde katten, is uitzonderlijk efficiënt, elegant en perfekt. Vertrouwend op zijn zintuigen en instincten is de kat in staat om te communiceren met anderen van zijn soort en met de mens.

Het unieke van de katachtigen is niet gereserveerd voor de groten: de leeuw, de tijger en de poema. Integendeel: we zullen zien hoe alle katten, of ze nu vijf of 500 pond wegen, in principe hetzelfde gedrag vertonen. Het zijn de ontzagwekkende instincten en gedragspatronen van de wilde katten die veel mensen ertoe overhalen een tamme kat te nemen. Het merendeel van de menselijke bevolking kan de majestueusheid of charme van de grote katten niet weerstaan, zoals elke dierentuinhouder zal kunnen getuigen. Veel in het katachtige gedrag komt bij alle katten voor, zoals we zullen zien.

De jaguar is niet geamuseerd door of onder de indruk van de ethologische bewerkingen en verbale aanleg van de mens – hij blijft afstandelijk.

OVEREENKOMSTEN MET DE LEEUW EN DE LYNX

Het territorium van de kat, zonder huurovereenkomst of akte, is onaantastbaar; het heilige bezit wordt bepaald door de kat omdat het
toevallig staat waar hij staat – het is niet per se het huis van de tamme

*Blauw-ogige langharen hebben een lange geschiedenis van
het aanvallen van wilde dieren in keramiek, zonder daarbij
hun eigen veiligheid in de gaten te houden.*

kat of de landengte van de wilde kat. Hoe laat het is overdag of 's
nachts, zijn behoefte aan ruimte, en waar hij op dat moment zin in
heeft, bepalen allemaal ongeveer het territorium van de kat. Het doel te
overleven, voor hemzelf en zijn soort, heeft te maken met deze inherente strijd.

Hoewel tamme katten niet met dezelfde ecologische behoeftes te maken hebben als de wilde katten hebben ze nog steeds sterke territoriale instincten. In het wild moet het mannetje zijn territorium bepalen om te overleven, om zijn bron van voedsel en bescherming te houden. De leeuw verdedigt op unieke wijze zijn territorium als het heiligdom van zijn trots, zijn vrouwtje en zijn jongen. Ronddwalende mannetjes uit de buurt zijn meer of minder agressief naar gelang de afstand van huis. Tamme katten verdedigen twee gebieden als hun eigendom. Het eerste gebied, het huis zelf, is het kasteel van de kat; als hij er dichtbij is schiet zijn agressiviteit omhoog. Het tweede gebied is vaag bepaald door de kat zelf: het is elk gebied dat hij bezoekt op weg naar en van gebied nummer een. Deze plaatsen verdedigt de kat al dan niet, afhankelijk van zijn bui op die bepaalde dag en de grootte van de binnendringer op dat moment.

Het boze gebrul en de grauw van een leeuw of jaguar die zijn terrein verdedigt brengen de omringende bergen aan het schudden van angst; evenzo brengen het gegrom en het gesis van twee mannetjes die op de

Het uiten van de basisregels. Een groep vrouwtjes-leeuwen stelt gemaande voorbijgangers gerust over hun voor-huwelijkse verwachtingen.

Hoe goed uw kat zijn ideeën en verwachtingen kan uiten varieert van ras tot ras. De Somali, de langharige neef van de Abessijn, bloost vaak te hard om zijn stem te kunnen laten horen.

stoep van de buren liggen te rollen de omringende brievenbussen aan het rammelen. Zulke uitbarstingen die je haren te berge doen rijzen – katten houden erg veel van drama – zijn net zo ritueel als een ceremonie in het antieke Griekenland of een professionele worstelwedstrijd. De aanvallende kat zal de haren op zijn rug en zijn staart opzetten, zijn kop naar voren strekken, zijn oren naar buiten spreiden, grommen, huilen, kwijlen, spugen en blazen. Zijn tegenstander doet dan op zijn beurt een goede imitatie van zijn nu verwrongen en lelijke katachtige aanvaller. Direct oogcontact, wat normaal gezien wordt vermeden in de kattenwereld, wordt intenser en brengt de woede van het mannetje over. Het gerollebol begint doordat de katten pootje voor pootje naar elkaar toelopen, tot zij vlak tegenover elkaar staan; zij maken zich dan klaar om te springen, en blijven doodstil staan. (Dit doodstil blijven staan is ongetwijfeld voor het dramatisch effect, terwijl beide katten de volle dreiging in de gaten houden van het spugen en grommen van de tegenstander. Druipende bekken, zwaaiende staarten, onbeweeglijk gestaar, en dan springen de katten op, klauwen, bijten, grijpen, halen uit en slaan toe. Dit gerollebol wordt herhaald tot een (verstandige maar verslagen) kat besluit niet weer in de 'ring' te komen.

De vrouwtjes-katten, die een minder uitgebreid territorium hebben dan de mannetjes, verdedigen hun gebied ook, maar zij zijn verstandiger en voorzichtiger dan de onnadenkende mannetjes uit de buurt. Vrouwtjes zullen zich houden aan een min of meer overeengekomen schema van hetzelfde gebied met andere katten om mogelijke onenigheden te ontwijken.

Een duttende tabby die 's middags even de ogen sluit.

De Europese wilde kat, die ook de wilde boskat genoemd wordt, sluit zich af in de boom van zijn keuze. Ondanks de gelijkenis met de tamme kat en zijn slaperige rust, is deze wilde kat zeer agressief.

Net als de grote katten vechten buurtkatten liever niet, hoewel ze er goed voor zijn uitgerust dat wel te doen. De kat heeft veel liever rust en vrede dan commotie en een neus vol schrammen. Katteneigenaars houden rekening met de sterke territoriale instincten van de kat als er een nieuwe kat (of hond, pas op wat je zegt) in het huishouden zijn intrede doet. Het huis, het belangrijkste territorium van de kat, zal niet met liefde worden gedeeld door uw kat. Uiteindelijk zal de oudere kat een beetje toegeven en een paar centimeter aan het nieuwe huisdier toegeven. In vele gevallen zal de oudere kat wrevel koesteren tegenover het nieuwe dier en hem nooit helemaal accepteren. Vaak laten katten hun dominantie of ondergeschiktheid zien op manieren die te subtiel zijn voor een onwetende mens om te begrijpen. (De mens heeft de niet af te leren neiging het gedrag van een dier vanuit zichzelf te verklaren.) De kat tot huisdier maken kan wel eens een van de meest bewonderenswaardige en paradoxale prestaties van de mens zijn. De kat heeft echter slechts gedeeltelijk toegegeven aan het verzoek van de mens. Deze 'huis'kat heeft veel van de onafhankelijkheid en desinteresse in hiërarchie van zijn wilde voorvaderen behouden. De leeuw is de enige uitzondering hierop. Hij jaagt weliswaar alleen, maar verblijft in een vastgestelde gemeenschap met een hiërarchisch systeem.

Op wacht en zijn prooi aan het besluipen. Het jachtluipaard jaagt alleen of met zijn tweeën.

In tegenstelling tot de hond, die afstamt van sociale dieren, is het menselijk concept van hiërarchie de kat vreemd. Katteneigenaars zullen zich waarschijnlijk niet beschouwen als de baas in hun huishouden. Honden begrijpen het bestaan in groepen en passen goed binnen die beperkingen. Maar de kat beschouwt van jongs af aan alle wezens op zijn pad als 'mede-katten' – een benadering zonder onderscheid van dit zeer onderscheiden dier. Hierdoor komt het dat wilde en tamme katten minimaal (of helemaal niet) reageren op training. Circusleeuwen treden op met grote minachting, en een nog grotere afkeer, voor hun dubieuze werkzaamheden. Honden daarentegen leven om hun menselijke bazen te plezieren. Katten beschouwen mensen niet als hun meesters en onderschrijven het gehoorzaamheidsritueel niet.

Maar toch houden vele eigenaren vol dat hun kat een bal terughaalt of op commando opzit. Anders dan honden die een bal ophalen, die werken voor de voldoening van hun meester, halen katten een bal op omdat het leuk is. U bent echter verplicht om door te gaan met het gooien van de bal, en hem te pakken van waar de kat hem maar terugbrengt, zolang de kat het wil, en alleen mee te doen als de kat dat wil.

De onafhankelijkheid van tamme katten, die ze hebben van de grote katten, is een beetje minder geworden door het samenwonen met de mens. De mens, met zijn dwangmatige eenvoud, ontlokt kinderlijke

In de Bengaal heeft de mens alleen de vacht van de luipaardkat gevangen, terwijl deze bedreigde wilde katten-soort rustig achterblijft in de jungles van Azië.

De Singapura heeft een intelligent, moedig karakter, en past zich snel aan aan Westerse manieren.

gewoonten en afhankelijkheid aan de kat. De felheid en meedogenloze onafhankelijkheid van de kat is langzamerhand verdwenen in de loop van het proces van tam worden, en zijn verwisseld voor blikjes eten, een wollen kussen, en een gebreide trui. Daarnaast heeft de kat nu een familie die de zijne is en een huishouden vol mensen die verplicht zijn aandacht te schenken aan elke bui die hij heeft.

Ongeacht het aantal eeuwen dat de kat de grot, pagode of flat van de mens al deelt, een kat blijft toch een kat – een dier waar de mens ondanks zichzelf weg van is.

Het gedrag van tamme katten lijkt veel op die van hun wilde tegenhanger als we kijken naar de manier waarop hij jaagt en zijn prooi achtervolgt. Hoewel relatief weinig katten vandaag de dag nog werk kunnen vinden als muizenjagers, zijn z'n jachtinstincten nog steeds actief en die beïnvloeden de manier waarop het huisdier het dagelijks leven beschouwt. Als hij een blad besluipt dat danst in de wind of een zakenbrief die van een bureau valt, wordt het lichaam van de kat meteen tot concentratie gedwongen. De goed gebouwde kat heeft het lichaam van een atleet, maar wel een atleet die meer op de sprint is ingesteld en op een snelle run over de vloer dan op een marathon. Net zoals de leeuw liever geen antilope achtervolgt die per vergissing aan zijn klauw ontsnapt is, houden tamme katten niet echt van veel beweging. Jonge katten, de elegante en slechts tijdelijke uitzonderingen, spelen wel urenlang, want ze zijn te jong om de vele dutjes te waarderen.

Wat een kat wil doen en wat hij kan doen zijn twee zeer verschillende dingen. Hoewel katten liever geen lange afstanden (of zelfs korte afstanden) lopen, zijn hun lichamen ontworpen op snelheid en beweging. De buigzaamheid van hun wervels en hun bewegelijke sleutelbeen zijn met name verantwoordelijk voor de ongelofelijke rencapaciteiten van de kat. De plaatsing van de schouderbladen van de kat langs zijn

Spring nooit tenzij je het zeker weet. Voor katten komt het allemaal op de timing aan.

Als hij drie maanden oud is, ontwikkelt deze blue point Siamees een gevoel voor gras.

borst stellen de gewrichten in staat verder te reiken en hoger te komen tijdens het voortbewegen. De buiging van de ruggegraat, samen met de verlenging van het schoudergewricht, zorgen ervoor dat het jacht-luipaard hogere snelheden kan bereiken dan welke gehoefde Arabier dan ook, ondanks zijn geringere afmetingen.

Als de tamme kat niet zo'n kleine borstholte had zou hij het marathons lang kunnen volhouden. Zoals Darwin al dacht, zijn katten dus gemaakt voor snelheid, niet voor uithoudingsvermogen, zoals de constructie van hun poten al aangeeft. De botten van de poten van de kat zijn dunner en lichter dan die van andere dieren van ongeveer hetzelfde formaat; ze zijn ook smaller en korter. In tegenstelling tot gehoefde

dieren plaatsen katten niet de zool van hun voet plat op de grond. De rudimentaire eerste tenen staan hoger op de enkel; de middelste twee tenen zijn de langste. Voor voortbeweging hoeft slechts de bal van de voet op de grond geplaatst te worden. De evolutie heeft ook het renmechanisme van de kat aangepast door de middenvoetsbeentjes te verlengen en de voetbeentjes te vereenvoudigen om ze sterk te maken en beter tegen de invloed van een schok bestand te zijn.

Misschien wel een van de meest dramatische overeenkomsten tussen wilde en tamme katten zien we in het paringsritueel. Dit fascinerende aspect wordt verder besproken in het hoofdstuk over voortplanting.

IN DE STILTE VAN DE DAG

De kat als huiskat is werkelijk meer een sporter dan een jager. Hij bepaalt de regels voor de achtervolging, stelt het 'jachtseizoen' vast en bepaalt het mogelijke spel. Zonder de noodzaak om te jagen om in leven te blijven worden de lol en omstandigheden deel van de achtervolging. Katten die worden gehouden als knaagdier-verdelger zien hun rol beslist anders dan de Terriër die voor dezelfde redenen wordt gehouden. De hulp van de kat aan de boer is toevallig, in tegenstelling tot de hulp van de hond, die opzettelijk is. Gelukkig voor de boeren vinden katten het

De leeuw mag een dutje doen waar en wanneer hij maar wil
– 'het is fijn om koning te zijn!'

leuk te jagen op muizen en ratten; voor een kat is de achtervolging en misschien de vangst op zich de moeite waard. Terriërs vinden het naar de andere wereld helpen van deze plagen leuk omdat het hun bazen pleziert, niet per se henzelf.

Tamme katten, die 14 tot 18 uur per dag slapend doorbrengen, hebben een onuitsprekelijk respect voor stilte. En hun stevigheid en hun

Vogels zien er niet zo uitdagend uit vanaf deze hoogte. In bomen klimmende huisdieren veranderen net zo snel van idee als de wind waait.

ontwikkelde spierstelsel stelt hen in staat langere tijd absoluut stil te staan. De grote katten blijven zonder uitzondering urenlang statisch staan, en gebruiken effectief geduld als een beter wapen dan rennen. Evenzo zullen katten thuis alles achtervolgen dat de stilte en rust doorbreekt. De uitgebreide staat van inactiviteit en de starende blik is heilig in de familie van katachtigen. Beeldhouwers, schilders en dichters

Stilte en slaap zijn voor alle katten van essentieel belang. Deze twee-kleurige Scottish Fold zou elke Engelse dichter kunnen inspireren tot iets moois.

zijn al heel lang verliefd op de concentratie van de kat. T. S. Eliot heeft het over de 'diepe meditatie' van de kat en houdt vol dat: 'zijn geest bezig is met een verzonken overpeinzing... in de gedachten van zijn... onnoembare, noembare, diepe en ondoorgrondelijke opvallende naam...' Wij houden het op de onverklaarbare, onaardse verering van de kat voor inactiviteit.

Minder door honger gedreven dan door een automatische hekel aan het doorbreken van de wetten van absolute stilte, moet de kat de muizige delinquent wel onderdrukken. Natuurlijke selectie heeft ervoor gezorgd dat de kat speciale instincten heeft om de knaagdieren te vangen, hoewel vogels, insecten en reptielen ook de stilte doorbreken. Deze laatste worden minder instinctief benaderd en vormen vaak een minder grote uitdaging voor de aanvallende kat. Katten die op vogels jagen doen dit omdat ze bewegen en omdat het leuk is. Het gefladder en gekwetter van kwelende kwelers trekt de aandacht van elke gezonde kat en zorgt dat hij zijn oren in de nek legt. Alleen de staart verraadt de bevroren stand van het dier, omdat die aan het uiteinde trilt van onhoudbare opwinding. Het achtervolgen van insecten (en een enkel reptiel) gebeurt spontaner; er worden van tevoren weinig gedachten gewijd aan de plotselinge aanval op een voorbijkomende tor of watervlo. De uitgespreide klauwen aan naar buiten staande poten verpletteren soms door wurgen, onthoofden of lam maken de gemene plaag – eenvoudigweg om zijn beweging te stoppen. Slimme insecten doen alsof ze dood zijn. Ik heb eens een bidsprinkhaan, waarvan wordt gezegd dat hij de slimste van alle insecten is, een versnelde doodscene uit King Lear zien doen toen hij mijn loerende korthaar zag – mijn kat en ik waren tot tranen toe geroerd – en de bidsprinkhaan was belezen genoeg om te weten dat katten zijn vrijgesteld van de wetten ter bescherming van hun soort.

De kat, de volmaakte jager in het koninkrijk der dieren, heeft nog steeds de aangeboren neiging op voedsel te jagen. Sommige katten brengen uur na uur door met het jagen op, mishandelen van, doden en/of eten van muizen; anderen zullen nog niet met hun ogen knipperen als

Vogels kijken is een universele katten-hobby. Het gefladder van de vleugels van het roodborstje brengt de staart van deze onopzettelijke voyeur aan het bewegen en zijn tanden aan het knarsen achter het glas.

er drie blinde muizen over elkaar struikelen op hun etensbord. Er zijn verschillende theorieën die al deze gedragsreacties verklaren. Jonge katjes beginnen hun instinct van het jagen op prooien te ontwikkelen vanaf de derde week. Moeders kunnen deze respons vaak ontlokken door het nest van levende prooi te voorzien. Hoewel sommige vrouwtjes op de boerderij dit routineus doen, raden wij niet aan de dierenwinkel te bezoeken om de moeder te voorzien van een verse voorraad levende prooi. Wanhoop niet als de moeder het klauwend grijpen naar baby-muizen niet aanmoedigt. Die respons kan later komen als een betove-

Katten zijn van nature buitenmensen en leren de wetten van moeder natuur uit de eerste hand, met een beetje voogdij van moeders en eigenaars. Maine Coon-jong.

Wilde katten hebben goede overlevings-instincten en zijn uitstekend met hun klauwen en tanden.

rend knaagdier met zijn staart in de richting van de kat zwaait of eenvoudigweg als de kat honger heeft.

De jonge kat heeft meestal tijd nodig om het verloop van de jacht te leren. Wachten, stil blijven en wachten, is de eerste stap; dit aspect van het jachtinstinct van de kat is kenmerkend voor het geduld en de intelligentie van het dier. Daarna leert de kat te sluipen: ineengedoken in het gras nadert de kat stap voor stap de gesignaleerde (en liefst niets vermoedende) prooi. De spieren samengetrokken in voorbereiding, de staart plat (hoewel het puntje heen en weer zwaait), de oren plat tegen de kop, en met uitstaande nagels beweegt de kat zich voort met nauwkeurige stappen en dan springt hij naar voren. Als hij succes heeft grijpt de kat zijn prooi met zijn klauwen. Als de jacht verder vervolgd moet worden (bijvoorbeeld als de kat mist) moet de kat op de prooi gaan jagen, wat meer energie kost dan de kat wil gebruiken. De dodende beet, het laatste instinct dat de kat krijgt, vindt plaats in de nek van de prooi, waarbij hij de ruggegraat breekt en het knaagdier doodt. Sommige katten gaan de buit ook nog opeten, anderen spelen slechts met hun prooi, en weer anderen lopen er bij weg, blij met het tijdelijke

herstel van de aanbeden stilte. Gedragswetenschappers geven aan dat veel katten niet over de laatste drempel van de fatale beet stappen, en zulke katten degraderen zich tot het spelen met of het toetakelen van hun vangst.

Katten thuis – een muisloos thuis – doen hun best de stilte te bewaren en achtervolgen dus elk object dat een gevaar oplevert voor deze gewenste staat van stilte. Natuurlijke stilte veronderstelt rust. Het ongehoorzame geritsel van papier of cellofaan is de vreselijkste zonde die er bestaat. Sommige katten-onderzoekers menen dat zo'n geluid hen doet denken aan wilde prehistorische muizen die een hol aan het graven zijn onder de grond. Waarschijnlijk schuilt er wel enige waarheid in die mening. Evenzo zorgt het duwen van een vinger of object in een kartonnen doos voor het activeren van het instinct van de kat om de kop van een piepend knaagdier te grijpen. Minder pseudo-wetenschappelijke theorieën zijn gebaseerd op de niet te stillen nieuwsgierigheid van

*Vorige pagina: Alles wat zacht en rustig is stelt een rustig huiselijk koninkrijk zeker. Amerikaanse Curl. **Onder:** Abessijn, gepreoccupeerd met het geluid van kauwende geluiden van gigantische muizen van vroeger.*

de kat en zijn plezier om te spelen. Wij weten zeker dat onze katten onverschillig staan tegenover prehistorische knaagdieren en even onverschillig tegenover gedragswetenschappers.

Het begrijpen van de geest van de kat, zijn voorkeur voor stilte en rust, heeft te maken met een waardering van harmonie. In het grotere ecologische beeld behoudt de wilde kat in zijn eentje het noodzakelijke evenwicht. De ideale woonomgeving is voorzien van bescherming en een voedselbron, en van maar één kat. Het evenwicht tussen prooi en jager wordt ruimschoots in stand gehouden door de kat. De noodzaak zich voort te planten en de soort in stand te houden maakt sociaal gedrag en onderbreking van de eenzaamheid noodzakelijk.

__Onder:__ Een Burmees katje in sabelkleur, de 'originele' kleur van het ras. __*Volgende pagina:*__ *De Colorpoint korthaar durft anders te zijn en lijkt op de Siamees met een kleurrijke draai.*

Een paar Siamese tweelingen die tips over de verzorging uitwisselen.

Deze Oosterse kat met zijn korte staart heeft behoorlijk wat vrienden gemaakt in het Westen. Deze Japanse Bobtail leeft in harmonie met zijn eigenaar.

'La vie en rose' op elke toets. Dit bluesachtige Franse exemplaar is een Chartreux.

ATONALE HARMONISCHE EENVOUD

Bij tamme katten wordt het leven bepaald door harmonie. Het bepalen van territoria, bezittingen, taken etc. is voor de kat de manier om met zijn omgeving in harmonie te komen. Hoe vreemd het ook klinkt, de kat is niet helemaal tam, lang niet zo tam als de hond of het paard. De idiosyncrasieën en rare gedragstrekjes die eigenaars zien en vaak bewonderen zijn voorbeelden van het totale gebrek aan aanpassing van de kant van de kat. Door het zorgen voor een evenwichtige omgeving voor de kat, met voldoende voedselvoorraad, een plek om te slapen, beweging etc., vermindert het asociale gedrag van de kat. Als hij van jongsafaan wordt opgevoed, groeit de volwassen kat waarschijnlijk op afhankelijk van zijn menselijke kennissen en zal het een aanhankelijk dier zijn.

Eigenlijk is zo'n affectie vreemd voor katten. Waar grote katten in het wild vaak worden afgeschilderd als dieren die elkaar verzorgen zijn deze gebaren eigenlijk bedoeld voor de voortplanting, het equivalent van flirten en voorspel bij de mensen. Jonge honden verschillen van jonge

*Behandelen met zachtheid. Katjes van vier weken oud zijn fragiel en
gemakkelijk bang; zij zijn ook niet zo voorzichtig met hun nagels. Siamese
jongen.*

katten in hun directe reactie op wat een mens doet. Jonge katten zijn
dieren die slechts willen overleven en zij vinden uw gegrijp en geknuffel
niet essentieel om te overleven. Katten beseffen nog steeds niet dat
mensen voor hen zorgen; zij verwachten goede zorg en voorzieningen,
alsof ze zeggen 'Ik heb er niet om gevraagd tot huisdier te worden
gemaakt, dus je lost het zelf maar op'.

Dit betekent niet dat katten (sommige katten) genegenheid en goede
zorg niet waarderen. Veel katten zijn zo demonstratief en op knuffelen
gespitst dat het haast honden lijken (een zeer groot compliment voor het
honden-geslacht). In het wild leren katten te overleven door niemand te
vertrouwen, behalve zichzelf; daardoor is affectie zelfs onder elkaar niet
gewoon. Te verwachten dat een kat zich verwaardigt te voldoen aan wat
de mens leuk vindt om hem een dienst te bewijzen, door hem zelfs
affectie en intimiteit te laten zien, is natuurlijk dom en vooringenomen
van de lezer/eigenaar. Omdat katten de huizen van de mens blijven

delen is het waarschijnlijk dat met onvoorwaardelijke liefde en goede wil sommige barrières geslecht zullen worden. De mens moet zich hoe dan ook blijven toeleggen op het 'opvoeden' van de geest van de kat; helaas houdt de kat zich slechts bezig met uiterlijke factoren. De gehoorzaamheidstraining van katten zal natuurlijk nooit die van de hond benaderen maar dit heeft meer te maken met het gebrek aan samenwerking van de kant van de kat dan door zijn gebrek aan intelligentie. Zijn eigendunk en de ondoordringbare mentale diepten van de kat – zo goed gekenschetst in de afbeelding van een peinzende volwassen tijger – maakt het trainen (of overtuigen) van de kat tot een bijna onmogelijke taak. Te proberen de tamme kat op te voeden is naar onze mening een middeleeuws idee dat geen succes zal opleveren – zijn de individualiteit van de kat en zijn veerkracht niet de belangrijkste redenen waarom wij er zo weg van zijn? Waarom zou je knoeien met iets perfects?

Katten zijn een uitdaging: zij zijn beslist te ingewikkeld om helemaal te begrijpen, en toch benaderen ze het leven als zo iets eenvoudigs dat je er jaloers op zou worden; ze handelen desinteresse en verveling af met

Veel katten zijn vriendelijk tegenover hun eigen soort, vooral als ze samen worden opgevoed. Dit zijn twee Japanse Bobtails.

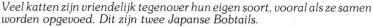

een halve blik, maar blijven toch spinnen; hun goed ontwikkelde overlevingsinstincten ondersteunen hun grote intelligentie, maar toch weigeren ze te gehoorzamen aan het meest elementaire commando.

Liefhebbers van honden concluderen al snel dat katten gewoon dom zijn, waarbij ze wijzen op hun gehoorzame retriever die dood speelt op het kleed. Verdedigers van de katachtigen nemen als vanzelfsprekend aan dat hun kat te slim is om op zijn rug te rollen en er levenloos uit te zien alleen om een mens te vermaken. Honden zijn weerzinwekkend volgzaam, vanuit het gezichtspunt van de katten, en geven mensen te veel macht. De inherente discretie van de kat is cruciaal voor het overleven van de soort; de individualiteit van de kat en zijn gebrek aan groepsinstincten laten de (zelfbepaalde) superioriteit aan andere huisdieren duidelijk zien.

Toch zijn katten toegewijd aan het begrijpen van de mens en aan het

'Bagage', een witte tamme korthaar, houdt van het gezelschap van veel goed-bedoelende Husky's.

*Een ongeduldig jong katje tussen de bloemen – een jonge blauw met witte
tweekleurige Amerikaanse Curl die door een bloemenbed trapt.*

actief pogen te communiceren. Het is niet ongewoon voor de familiekat
interesse te tonen in de dagelijkse bezigheden, of in elk geval interesse te
veinzen. Dat katten nieuwsgierig zijn hoeft niet eens gezegd te worden.
Het absolute ontzag van een jonge kat voor de wereld rondom hem
moet de nieuwe eigenaar niet verbazen, want (helaas) beschouwen de
meesten van ons het gekwetter van de vogels 's ochtends, de beweging
van de bomen, en de schaduw van de zon als gewone dagelijkse
gebeurtenissen.

De rustige Chartreux observeert de menselijke gewoontes van zijn eigenaar, maar houdt ze goed geheim.

Waar 'kat-kijken' een liefhebberij is van veel mensen, is mensen-kijken een nog amusanter hobby voor katten. Wij mensen zijn al te snel met het lachen om hoe menselijk onze katten kunnen zijn. Deze deftige kleine bonten wezens nemen welbewust menselijke neigingen en gewoonten over. Veel vrouwtjeskatten spreiden hun achterste op een beschamend ondamesachtige manier, anderen slapen of eten met een bijzondere maar bekende (of te bekende) charme. Katten begrijpen zeker meer van mensen dan wij van hen, hoewel ze aanzienlijk minder boeken publiceren.

Boven: *Twee op de kast zittende Engelse kortharen hebben het over de twee-voetige dingen die ze hebben gezien.* **Onder:** *De Pers is wijs en tijdloos en heeft al eeuwenlang het huis en haard met de mens gedeeld.*

DE TAAL ONTCIJFEREN.
Herhaaldelijk heeft de mens de kattentaal geprobeerd te ontcijferen;
hoewel het succes daarvan nogal varieert is de ernst waarmee dat
gedaan wordt, altijd bewonderenswaardig. We voegen ons bij de talrijke
mensen die het fout hadden door onze favoriete kattengebaren, bedoelingen en gewoontes op te sommen en te interpreteren.

*Bij het creëren van nieuwe rassen, permutaties en mutaties van kleur en
vacht, ervaart de mens gelijksoortige veranderingen in de katten persoonlijkheid. Dit is een unieke en aanhankelijke Oosterse korthaar.*

Spinnen is een exclusieve functie van katachtigen, ten minste van de
meeste katachtigen. De rode lynx is de enige kat ter wereld die deze
familieschat niet deelt. De oorsprong van het spinnen in het lichaam van
de kat is door de eeuwen heen op verschillende manieren verklaard.
Vele vreemde en charmante legendes maken de herkomst tot een vaag
geheim. Vandaag de dag hebben de geleerden een andere, en zeker
minder fantasievolle, hypothese om het fenomeen te verklaren. De
valse stembanden van de kat, de twee membraan-vouwen achter het

Spinnen gebeurt geduldig, onopzettelijk en in en uit en...

Actief van lichaam en geest verbergt de Exotische korthaar nooit het feit dat hij iets van plan is. Het karakter van het ras reflecteert het temperament van beide voorouders, de Pers en de Amerikaanse korthaar.

strottehoofd, trillen waardoor het spinnen wordt geproduceerd. Tamme katten zijn in staat te spinnen bij het in- en bij het uitademen, terwijl wilde katten alleen spinnen tijdens het inademen. Net als de stemmen van de kat verschillend zijn qua toon, volume en gebruik, kan het spinnen ook variëren. Sommige katten spinnen constant, andere spinnen slechts zelden. Het is waarschijnlijk dat de katten die minder vaak spinnen minder sociaal zijn en minder vriendelijk tegenover gasten. Traditioneel werd het spinnen gezien als een aanwijzing dat de kat tevreden was, maar de kat kan ook spinnen om welwillendheid over te brengen of zelfs een vraag om menselijke aandacht of tussenkomst. Zieke katten kunnen spinnen om hun behoefte aan uw zorg duidelijk te maken. Tussen twee haakjes, het allereerst gebruikt de kat het gespin om aan zijn zusjes en broertjes duidelijk te maken dat het voeden is begonnen. Een ander echt kattengeluid is de grom. Tamme en wilde katten delen deze soms niet zo subtiele aanwijzing dat iets ze niet aanstaat en dat ze van plan zijn aan te vallen. Jonge katten leren van hun moeders te grommen, doordat vrouwtjes vaak grommen om de meestal verspreide aandacht van hun jongen te vangen. Grommen wordt vaak gevolgd door blazen en spugen, het meest asociale en gemene wat een kat kan doen en wat altijd werkt, en het antwoord op een onmiskenbare dreiging. Alle katten blazen en spugen. Zelfs de poema, de enige wilde kat die niet kan brullen, kan een behoorlijk indrukwekkend beeld van tanden, spuug en een uitgesproken sss laten zien en horen.

Er zijn veel theorieën over de oorsprong van het gesis van de kat; waarschijnlijk is het voor de kat een manier om zich te beschermen. De slang sist en spuugt ook, en overtuigt zijn banggemaakte en natte aanvaller meestal om zich terug te trekken. De kat doet waarschijnlijk de

Met name de moeder is verantwoordelijk voor de opvoeding van het jong en het gebruik van het juiste katten-vocabularium. Miauw-les van de Colorpoint korthaar en een Siamees jong.

Een duidelijk voordeel om te kunnen blazen!

Zo effectief als het dramatisch is, nemen de automatische verdedigings-mechanismen van de kat bezit van het dappere of juist angstige dier – vacht omhoog, nagels uit en een overtuigend geblaas.

benadering van de slang na, een bewezen methode, door te blazen, te spugen, de oren in zijn nek te leggen (om zijn kop een meer slangachtig uiterlijk te geven) en met zijn staart te zwaaien – daarbij hopend dat zijn halfachterlijke aanvaller laf en onopmerkzaam genoeg is om te vluchten en zijn vacht en vlooien niet op te merken.

Te veel nep-biologie kan vermoeiend zijn, zelfs voor de meest aandachtige kat.

    Hoewel wij nooit de geslepenheid of ijver van de katten-soort betwisten, zijn er bepaalde factoren die overwogen moeten worden. Niet alle slangen zijn giftig; niet alle slangen sissen; en maar weinig giftige slangen sissen. Er zijn dierentuinen vol legitieme voorbeelden van soorten die iets nadoen voor bescherming of voortplanting: de niet-giftige slang doet ijdel de dodelijke slang na; de zeer eetbare vlinder doet de grotere en bittere koningsvlinder na; bepaalde geslachtsdelen van de orchidee doen die van de vrouwtjeswesp na (om mannelijke wespen aan te trekken voor de pollen); en de heiligschennende bidsprinkhaan jaagt op niets-vermoedende insecten door een orchidee na te doen (niet te verwarren met de al genoemde echte orchidee die iets nadoet, natuur-lijk). Katten die slangen nadoen of naäpen is echter een beetje verge-

'Miauw', mauwt een Tonkinees. De Tonkinees kan het beste communiceren – mensenpraat is een tweede natuur voor vele katten.

zocht. In plaats van het kattengedrag te verklaren met menselijke redeneringen kunnen we simpelweg stellen dat de kat kan blazen omdat hij dat kan. Toegegeven, dit haalt de spanning uit zijn gesis, maar niet het 'gif'.

Miauw, mauw, maw, mur: de meest gewone van alle kattenroepen is de miauw. Dit is net zoiets als het geblaf van een hond en is waarschijnlijk minder irritant. Toch is een massa atonaal miauwende, jankende agressieve katten (waarschijnlijk katers) die hun stemmen gebruiken op een warme zomeravond – of er nou volle maan is of niet – een behoorlijke nachtmerrie. De miauw is de meest actieve vorm van communicatie van de kat; het kan een behoefte om te eten aangeven, om te drinken, om weg te gaan; het kan eenvoudigweg helpen om

Miauw!

eenzaamheid te verdrijven of verveling; het kan ook helemaal niks
betekenen (en waarom zou het ook?). Jonge katten miauwen al zeer
jong en vertrouwen op hun miauw om de aandacht van de moeder te
krijgen.

De uiting zoals die eigenlijk wordt uitgesproken bevat niet minder
dan drie lettergrepen: mi-a-ou. De meeste volwassen katten zijn in staat
om alledrie de lettergrepen uit te spreken plus de acceptabele varianten
van het woord; jonge katjes moeten eerst worden opgevoed voor ze
voorbij het onverdragelijke mhm kunnen komen, dat te enthousiast
klinkt en te scherp en hoog van toon. Een minderheid prefereert een
twee-lettergrepig mi-a, mi-a. Deze tongdraaiende, openmondige, ex-
tremistische katten hebben traditionelere methoden van opvoeden nodig. Er is ook een trend te bespeuren om de laatste -ou te beklemtonen.
Maar echte katten onderschrijven de drie-lettergrepige school, goed
beklemtoond op de middelste a lettergreep.

Tijdens het paringsproces verandert de uiting van het vrouwtje van
mi-a-ou echter altijd in een meer woest mmMEEHKXCHOOWRR8RREE-
OOUOUOUou(elk aantal varianten en lettergrepen is acceptabel),

Zelfs de straatkat met de minste pretenties ontwikkelt een eigen dialect.

Een gelukkige katten-glimlach en een hartelijk 'hallo!' geven de aanhankelijkheid aan van deze Japanse Bobtail. De rassen met een gedeeltelijke staart en de staartloze rassen, kunnen niet te afhankelijk zijn van dat ontbrekende lichaamsdeel om uitdrukking te geven aan hun gevoelens.

omdat het paringsritueel een uitzondering is op de dagelijkse katten-etiquette. Het hoofdstuk over voortplanting in dit boek zal deze onna-volgbare, niet te spellen uiting in groter detail bespreken.

Behalve deze veel onthullende vocale aerobics hebben de meeste katachtigen zeer expressieve staarten – ten minste, die katten die staarten hébben, hebben zeer expressieve staarten. De Manx, Japanse Bobtail, Cymric en Amerikaanse Bobtail zijn de vier staartloze katte-soorten van de familie. Bij de katten met een staart is dit behoorlijk lange apparaat eigenlijk een barometer van het besluitvormingsproces van het dier, als katten ten minste beslissingen maken. De staart van de kat

Als een kat geen staart heeft, maakt dat het er niet gemakkelijker op wat betreft zijn evenwicht, hoewel het weer een duidelijk voordeel is om vogeltjes vanuit het gras te pakken te kunnen nemen. Japanse Bobtail van Marilyn Knopp.

zwaait of trilt als hij opgewonden is en een mogelijke tweestrijd onder ogen ziet: 'Zal ik naar buiten gaan, of niet?'; 'Zal ik die stomkop die aan mijn oor trekt zijn hoofd eraf bijten of zal ik dat niet doen?'; 'Zal ik het nieuwe waterbed openkrabben of zal ik gaan slapen?'; 'Zal ik die muis opeten of hem een tijdje mishandelen?' etc. Al deze conflicten in de kop van de kat komen eruit via de staart.

Het zwaaien met de staart is ook handig bij het balanceren van de kat. Zijn een-poot-per-keer looppatroon langs een rand, hek, of railing heeft wel eens een correctie naar rechts of links nodig, en de staart doet dit uitstekend. Zwaaien met de staart is echter niet nuttig in de achtervolging van vogels op het gras in de voortuin, behalve als u het niet te vaak maait en de kat zijn zwaaiende staartpunt kan verbergen.

Lichaamstaal van de kat is, net als die van de mens, een belangrijke manier van communiceren. Katten die er zin in hebben zijn zeer expressief met hun eigenaars en zullen hun bedoelingen duidelijk maken. Een kat die op zijn buik rolt als u de kamer binnenkomt doet

Boven: *De Russian Blue zwaait met zijn staart om zijn enthousiasme te tonen.* **Onder:** *De volle staart van de Somali zwaait tevreden voor bezoekers.*

daarmee een subtiele maar uitdagende mededeling. Dit heerlijke D. H. Lawrence-gebaar toont de kwetsbaarheid van de kat en is een zekere indicatie van het vertrouwen van de kat. Een gelijksoortig maar wat actiever gebaar is, als de kat tegen uw benen strijkt. Deze vriendelijke uitwisseling is net zo gewoon als 'hallo' of 'goedemorgen' maar raakt nooit het cliché-niveau van onze wereldlijke ochtendgroet. Daarbij letten katten erg op geur-uitwisselingen, waarbij ze vrienden en vijanden aan de geur herkennen; tegen uw benen strijken is een wederzijdse uitwisseling van lekkere geuren.

De kat begrijpen – zijn taal, zijn buien, en zijn instincten – is zeer belangrijk voor onze rol als goede eigenaren. Er was eens een baby-sitter bij mij thuis die geen katten had, en die vier uur lang niet van mijn bank kwam – absoluut doodsbang, bang voor de kleinste beweging – terwijl mijn 'bedreigende' zes maanden oude blauwogige angora luid spinde, en genoot van het gezelschap van haar vriendin. Dit waar gebeurde verhaal illustreert hoe wij de communicatieve processen van

Een zilver tabby laat vol vertrouwen zijn buik zien.

Niet elke mens kan zomaar een kat zoals deze Singapura met open armen verwelkomen.

onze katten als normaal beschouwen, namelijk: iedere gek kan een vriendelijk gespin onderscheiden van een grom, of niet?? Maar toch is niet iedereen geschikt om katteneigenaar te zijn; de gevoeligheid en goedgehumeurde tolerantie die ervoor nodig zijn, zijn speciale karakter-trekken die alleen echte kat- mensen hebben.

Bent u zo'n persoon? – lees dan door, U bent een liefhebber...

Links:
*Een paar
camperende
Balinezen
in een
zachte
roze tent.*
Onder:
*Een jonge
witte
Cymric in
kado-
papier.*

Welke kat?

De meeste enthousiaste liefhebbers van katten zullen verklaren dat een eigenaar niet zijn kat uitkiest, maar dat de kat zijn eigenaar uitkiest. Het bezoeken van een nest wriemelende bonte, met hun staart zwaaiende jonge katten (pardon, Sfynx- en Manx-mensen, eigenlijk) kan inderdaad een zaak zijn van het goedkeurende katje dat knipoogt om u een hint te geven. Natuurlijk zijn er altijd algemene dingen om in de gaten te houden: sommige mensen houden alleen van langharige katten, anderen van kortharigen; sommigen hebben een hekel aan witte katten en vallen voor tabby's; sommigen houden van veel bont, anderen niet; sommigen houden van lange staarten, anderen van helemaal geen staart.

De enorm grote oren en zijde-achtige vacht van de Cornish Rex maken dit dier tot de keus van veel katten-liefhebbers.

Gemberkleurig is een algemene voorkeur, net als grote oren, stompe neusjes, nieuwsgierige uitdrukkingen op het gezicht, blauwe ogen, groene ogen, blauwe en groene ogen, blauw-groene ogen. Zoveel katten en kleuren en tinten er bestaan, zoveel menselijke voorkeuren zijn er... het is zelfs zo dat de menselijke voorkeur de belangrijkste reden is voor het creëren en veranderen van het katten-universum.

Het concept van fokken met katten is door de mens bedacht, door de mens ondersteund, en door de katten getolereerd (door de meeste katten ten minste). Katten, veel meer dan honden, zijn zowel vol veerkracht als weerstand ten opzichte van het gepruts van de mens. De anatomische structuur van de kat blijft in principe eigenlijk hetzelfde van ras tot ras. Vergeleken met de hond zijn de aanpassingsverschillen van de kat op zijn best subtiel te noemen. De wereld van de tamme kat kan

Vorige pagina: *Eeuwenlang het selecte gezelschap van koningen, blijft de Siamees liefhebbers betoveren. Dit is de eerste kaneel-lynx-point Siamese kat in de Verenigde Staten, die door sommige registers wordt beschouwd als een Colorpoint korthaar.* **Boven:** *De Amerikaanse korthaar voldoet aan ieders verwachtingen van een 'gewone' kat – stoer, aanhankelijk, en gewoon mooi om te zien.*

niet wedijveren met de klassieke hondenvergelijking. Toch hebben we geluk dat de fokkers niet hebben geprobeerd zulke verschillen te bereiken, omdat het resultaat waarschijnlijk vreselijk zou zijn.

Historisch gezien is de kat slechts zeer weinig veranderd. Etsen en weergaves van de kat in de kunst van het oude Egypte laten dieren zien die verrassend veel lijken op onze katten van vandaag. In plaats van elkaar in de haren te vliegen om te bewijzen dat hun ras eigenlijk de kat is zoals afgebeeld op de muur van de tombe zouden kattenmensen samen de continuïteit (en bijna perfectie) van de 'onverwoestbare produktie' van de katten, zoals Ambrose Bierce het zei, moeten waarderen...

De Egyptische Mau, met een zilverkleurige vacht, is een efficiënte en inventieve raskat.

FIT, FITTER, FITST

Geen losse relaties meer, schietende pistolen en kleiner wordende bossen, huiselijk overleven in een cementen gemeenschap; de zich overal mee bemoeiende mens bepaalt onnadenkend het lot van de katachtigen over de hele wereld. Dat de wereld overbevolkt is met tamme katten is een algemeen bekend feit. Sinds de veertiende eeuw is er geen tekort aan katten meer geweest voor de behoeften van de mens. Alleen al in de Verenigde Staten laat men bijna acht miljoen katten per jaar inslapen... Slechts ongeveer een derde van de katten die in huis worden opgenomen, blijven ook werkelijk de rest van hun leven daar. Deze statistieken, in 1989 door de Humane Society of the United States naar buiten gebracht, moeten zowel potentiële katten-eigenaars als kattenbezittende kattenliefhebbers aanspreken.

De beslissing om uw jonge kat te laten steriliseren of castreren is een eenvoudige. Als u niet van plan bent met uw kat te fokken, laat hem dan steriliseren. De kat bevrijden van sexuele lasten en frustraties, die de mensheid zo regelmatig plagen, is werkelijk een dienst; niet bijdragen aan de enorme overbevolking van katten is echter het werkelijke doel.

Er is een anti-conceptiepil beschikbaar voor het moderne vrouwtje dat nog niet klaar is een familie te beginnen. Misbruik van dit hulpmiddel heeft geresulteerd in negatieve neveneffecten, en ook in een hogere kans op baarmoederziekten. Een advies van de dierenarts is aan te raden voor eigenaars die deze mogelijkheid willen onderzoeken. De meeste dierenartsen willen wel de tijd nemen om de vooruitzichten van anti-conceptie te bespreken en zullen zulke vragen vertrouwelijk behandelen, zodat de kat waar het over gaat (en haar eigenaar) geen slechte reputatie krijgt. De mens moet de verantwoordelijkheid accepteren voor de overbevolking van tamme katten. Bedenk dat de wilde katten maar een keer per jaar paren terwijl tamme katten drie keer per jaar 'krols' worden. De mens forceerde in de loop van het domesticeren van de 'koning van de jungle' per ongeluk twee jaarlijke cyclussen extra, waardoor er mogelijk drie keer zoveel katten worden geproduceerd als anders het geval zou zijn. Tamme mannetjes-katten, net als mannetjes in het wild, net als mannetjes van wat dan ook, willen zich instinctief op een regelmatige basis voortplanten. De mens moet een verantwoordelijke rol aannemen in deze wereld met 'te veel katten'.

Een ongewenste worp van zelfs de mooiste raskatten is een hartbrekende gebeurtenis. Fokkers en liefhebbers moeten een thuis zoeken voor de worp voor ze het paren plannen. Deze mand vol blauwogen bevat Siamezen en Colorpoint kortharen .

Hiermee willen wij niet zeggen dat elk mens een kat zou moeten bezitten, of dit eigenaarschap verdient. Omdat slechts een derde van de katten die uit een asiel komen feitelijk hun hele leven in het huis van die eigenaren blijven heeft kennelijk niet iedereen de impact van het bezitten van een kat onderzocht en de verantwoordelijkheid die ze nemen, begrepen.

Bepaalde feiten over katten moeten, hoewel ze zo logisch lijken, worden benadrukt. Jonge katten worden bijna zonder uitzondering grote katten (we hebben gehoord dat sommige jonge katten honden worden maar wij hebben te weinig gegevens om deze zeer zeldzame gevallen te ondersteunen).

Hoe hypnotiserend het staren van een zwerfkatje ook is, toch moet de beslissing een kat te adopteren realistisch en intelligent benaderd worden. Amerikaanse korthaar.

Hoewel het niet de juiste manier is om een jonge kat vast te pakken, spreken het vertrouwen en de liefde in de ogen van deze Exotische Korthaar boekdelen.

Pasgeboren en jonge katten hebben een geheel eigen aantrekkingskracht en ze kunnen een minderwaardige katten-bewonderaar zo betoveren dat die zich toelegt op het eigenaarschap. En daarnaast worden katten behoorlijk oud. Vijftien tot twintig jaar kan worden beschouwd als de gemiddelde levensduur voor een tamme kat. Twee Engelse tabby's werden zelfs, zo wordt verteld, 34 en 36 jaar oud. Het aanschaffen van een kat is een beslissing waar zeker goed over nagedacht moet worden, om latere gedachten van spijt te voorkomen. Waar zal ik over tien jaar zijn en is er dan plaats voor mijn kat?

De verplichtingen die het bezitten van een kat met zich meebrengen worden meestal beschouwd als eenvoudiger dan het bezitten van een hond. De meeste huisbazen staan katten toe in hun huizen, maar het is wel nodig dit uit te zoeken. Lees uw huurovereenkomst in elk geval grondig door. Een verstekeling dag na dag verbergen wordt al snel erg vervelend. Sommige huiseigenaren sluiten een compromis door een maandelijkse som voor huisdieren toe te voegen aan de maandelijkse huur.

Links:
*Birmaanse jonge
katjes in een zeer
huiselijke scène.*

Onder: *Kastanje
Oosterse kort-
haar.*

DE KAT IN HUIS

De verantwoordelijkheid van de eigenaar begint vóór het feitelijke eigenaarschap. Potentiële katteneigenaars moeten hun redenen om een kat te willen, en de tijd die ze hebben om met een kat door te brengen, en het soort kat dat ze willen, evalueren. Eeuwenlang hebben katten de mens voorzien van het eenvoudige plezier van hun gezelschap. Terwijl

Bengaalse katjes passen goed in elk huis.

de mens constant probeert zijn vinger te leggen op de betekenis van het leven en het bestaan, heeft de kat op zijn schoot gezeten, of op zijn schouder, om hem te vertellen dat hij het nooit zal weten. (Slim genoeg hebben de katten dit soort antwoorden exclusief voor zichzelf gehouden.) De redenen van de mens om een kat te willen zijn door de generaties heen niet veel veranderd. Soms heeft de mens de kat aan zich gebonden om te delen in zijn dagelijkse krachtinspanningen en werk, maar dit is nauwelijks de reden waarom de mens in de twintigste eeuw de kat kiest als zijn gezelschap. Katten hebben met succes de bedes van de mens weerstaan om hem te helpen zijn dagelijkse taken te vervullen, op de werkende kattenbevolking na die muizen vangt in de

De Amerikaanse Curl werd ontwikkeld van een mutatie in de vorm van het oor die voorkwam bij boerderijkatten in de Verenigde Staten.

De Siamese rassen behoren tot de meest tolerante katten die zich het gemakkelijkst aanpassen. Colorpoint korthaar.

schuren voor boeren. Maar het bewaken, jagen, graven, trekken, vechten, en dingen vinden hebben ze overgelaten aan honden en andere welwillende gehoorzamende dieren. Het jachtluipaard is het enige katachtige zwarte schaap gebleken, want hij is met succes gebruikt door de mens als een jager op groot wild; de waardering van de mens wordt hypocriet als hij zich omdraait en op zijn hulp-kat jaagt met zijn eigen wapens. Terwijl de kat nooit enige functie van de hond heeft vervuld of zal vervullen, vindt de mens het nog steeds nodig om een kat aan zijn zijde te hebben. De minder geknuffelde katten, de boerderijkatten en buitenkatten, zijn uniek omdat zij werken voor hun dagelijks brood – en misschien minder verwachten van de mens. Onze enigszins arrogante katachtige huisgenoten verwachten een overvloed aan aandacht, respect, en zorg, en zullen waarschijnlijk niet zo verheven zijn als hun nederige neven op de Dag des Oordeels.

Een eigenaar moet beslissen of hij genoeg tijd heeft om aan een katachtige huisgenoot te besteden. Hoewel katten aanzienlijk minder accomodatie eisen dan tegenhanger de hond en sommige andere potentiële huisdieren, stellen ze wel bepaalde eisen aan de eigenaar. Een eigenaar moet zich van deze eisen bewust zijn en bereid zijn te gehoorzamen aan de tussenkomst van de kat.

Het is van groot belang het hele huishouden in ogenschouw te nemen als men de aanschaf van een kat overweegt. Iedereen in het huis moet bereid zijn de nieuwe kat een deel van zijn of haar leven te laten zijn. Kinderen en honden, die aan de volwassenen zijn toevertrouwd, verdienen speciale aandacht. Jonge kinderen behandelen de nieuwe kat vaak als hun pop of rammelaar, ze slaan hem en grijpen hem zonder zich af te vragen hoe de kat dat vindt. Dit gedrag is niet wreed, ten minste opzettelijk wreed, hoewel het effect van een mishandelde Balinees of pop hetzelfde is. Kinderen moeten leren de kat met het respect te behandelen dat hij verdient en hem te beschouwen als een levend iets, niet als een levenloos ding vol zaagsel. Hoewel katten niet de adem uit een kind zuigen, zoals een misleidende anti-katten theorie eens beweerde, kunnen ze een kind laten stikken door op zijn gezicht te gaan liggen. Katten moeten buiten de kinderkamers worden gehouden. Katten bedoelen het niet kwaad maar vinden het gezelschap en de warmte

Katjes kunnen al dan niet betoverd worden door tropische vissen. Dit toekomstige redactielid van het tijdschrift voor tropische vissen-liefhebbers is een jonge Somali.

Open en wederzijds aanhankelijk loopt dit duo van kat en hond regelmatig samen rond.

van het kind prettig. Katten hebben de neiging tot contact van gezicht tot gezicht; veel katten zoeken en 'kussen' het gezicht van hun eigenaar. Over honden moet ook worden nagedacht. Sommige rassen honden accepteren katten wat gemakkelijker. De belangrijkste regel hier is de dieren van jongs af aan samen op te voeden. Als er een volwassen hond is in het huishouden, kan het verstandig zijn voor een volwassen kat te kiezen, omdat een oudere kat zich beter kan verdedigen dan een jonge kat. Denk niet dat grote honden niet van katten houden en kleine honden wel. Veel grote honden, zoals Deense doggen en Pyreneeërs houden van katten terwijl sommige minder grote en kleine honden een duidelijke afkeer hebben van katten (Maltesers en Pekinesen zijn mogelijke schuldigen). Goed aan elkaar gewende honden en katten moeten in staat zijn een huishouden te delen zonder grote problemen en de klassieke uitdrukking 'vechten als kat en hond' is zowel een cliché als niet waar.

DE AANTREKKINGSKRACHT VAN KATTEN

De overtuigde en welwillende potentiële katteneigenaar moet nu beslui-
ten wat voor soort kat hij wenst of verdient. In de wereld van de
raskatten zijn drie basis-types verkrijgbaar: het huisdier-soort, het fok-
soort en soorten voor de tentoonstelling. De minst dure en best verkrijg-

*De Japanse Bobtail is een goed luisterende kat met een
groeiende aanhang.*

bare van deze soorten is gelukkig de meest populaire: de echte huisdier-
katten zijn dieren voor die eigenaars die niet de bedoeling hebben met
ze te fokken of ze te showen. Mensen die in de raskatten-wereld willen
gaan als fokker moeten een dier kopen dat een gewaarmerkte stamboom heeft, geregistreerd door het daarvoor bestemde lichaam. Potentiële participanten in tentoonstellingen moeten dieren van show-kwaliteit kopen, geregistreerde katten die dichtbij de standaard voor perfectie
kunnen komen.

Een kat zo verbluffend en veeleisend als de Pers 'laat zich niet negeren'.

Huisdier-katten zijn de enige die geen registratiepapieren hebben en niet perfect zijn. Zowel katten voor het fokken als show-katten hebben papieren en onveranderde 'delen' nodig. Een vrouwtjes fok-kat kan talloze jongen produceren van show-kwaliteit, hoewel ze zelf niet van show-kwaliteit hoeft te zijn; de kwaliteit zit in de genen!

De voorkeur van de eigenaar speelt de grootste rol in het bepalen van het geslacht van de kat, en in de keuze van het ras, natuurlijk. De eerdere overwegingen worden geheel irrelevant als men simpelweg

Vorige pagina: *De Maine Coon, een echt Amerikaanse raskat, valt op tussen de stevige langharige rassen.* **Boven:** *Deze kampioen langhaar kan bogen op een kleurrijke geschiedenis van tentoonstellings-successen.*

kiest voor een raskat omdat die alles overwinnen – ook stambomen. Eveneens de keus van mannetje of vrouwtje hangt af van de bedoeling van de eigenaar. Eigenaars die een raskat willen, zullen waarschijnlijk een vrouwtje willen zodat ze de ervaring kunnen hebben thuis een worp te hebben, en van jonge katten die ze kunnen verkopen of houden. Het temperament en karakter van het mannetje zijn vaak anders dan die van het vrouwtje. Mannetjes zijn meestal wat opener en ongeremder; vrouwtjes hebben de neiging wat verlegen en gereserveerd te zijn. Hoewel het mannetje groter wordt dan het vrouwtje is de grootte maar zelden een echt punt van overweging.

Onafhankelijk van de uitstekende planning voor de aankoop van een nieuwe kat, zorgt de neiging toevallig mooie dingen te ontdekken vaak voor de beste aankoop; veel eigenaars zijn geadopteerd door een zwerfkat terwijl ze bezig waren over de 'goede' kat te beslissen. Hoewel niet elke zwerfkat die uw tuin inwandelt de gewenste perfecte kat hoeft te zijn, hebben veel eigenaars hun meest geliefde katachtige gezelschap op deze manier verkregen. Dit zorgt dat een groot deel van deze vaak zo moeilijke beslissingen voor u genomen wordt.

Hoewel vele katten- adviseurs aanraden een jonge kat te kopen in plaats van een volwassen kat zijn er een aantal belangrijke overwegingen. Over het algemeen geven volwassen katten minder werk dan jonge, ze vragen minder discipline (behalve als ze daarvoor van een stel lomperikken waren), en zijn minder actief en nieuwsgierig. Jonge katten vragen vooral als ze heel jong zijn bijna constante aandacht en zorg. Ze zijn natuurlijk wel makkelijker te vormen en het is gemakkelijker ze goed en fout aan te leren. Volwassen katten hebben hun manier van doen al

De individuele situatie zal bepalen of men een jonge of volwassen kat aanschaft; de keuze tussen de geslachten is slechts een zaak van persoonlijke voorkeur.

De volwassen Maine Coon heeft een aanzienlijke hoeveelheid verzorging nodig, hoewel het een schoon dier is dat goed voor zichzelf zorgt.

bepaald, zonder te letten op uw redeneringen of regels: hun manier is de enige manier. Sommige mensen kiezen voor een volwassen kat als ze jonge kinderen hebben. Jonge katten worden vaak geknuffeld en/of mishandeld door hele jonge peuters. Maar toch zijn zowel jonge als volwassen katten geweldige huisdieren als ze goed worden opgevoed en worden behandeld met eerlijke zorg.

Katjes uit dezelfde worp zijn vaak toegewijde maatjes voor elkaar. Mensen die denken over het adopteren van twee katten kunnen overwegen een knap koppel Maine Coons te kopen, zoals deze.

De beslissing een of twee katten te nemen is een belangrijke. Wij bevelen iedereen aan ten minste twee katten te nemen. Vooral als de eigenaar zijn zinnen heeft gezet op een uiterst exotisch ras is het uitnodigen van een 'gewone' kat om het huis te delen een positieve manier om de overbevolking van katten om te buigen. We moeten trouwens de verschrikkelijk grote kattenliefhebber waarschuwen dat er wetten zijn over het aantal katten dat een huishouden mag hebben. Uw deel van het overbevolkingsprobleem op u nemen door elke maand drie dozijn zwerfkatten te adopteren zou wel eens niet goed ontvangen kunnen worden door de gezondheidsraad, uw buren, uw echtgenoot en/of uw hond.

Boven: *De Abessijn is razendsnel naar de toppen van de populariteitslijsten gestegen. Deze uitgebalanceerde schitterende kortharen hebben een groeiende aanhang in Amerika en Europa.* **Onder:** *De Himalaya of Colorpoint langharige Pers is een opvallend maar trots ras langharige katten. Voor diegene die een toegewijde katten-partner nodig heeft, kan de Himalaya niet over het hoofd worden gezien.*

WELKE PERFECTIE HEEFT U HET LIEFST?

De selectiviteit van het fokken met raskatten, het onderhoud en de vooruitgang van de rassen is in overeenstemming met de huisregels van Moeder Natuur. Net als de locale katten van Burma die uiteindelijk dezelfde trekken kregen – een ras, zo u wil – heeft de mens een paar dozijn rassen vastgesteld van de tamme kat. Katten zijn in het wild ook selectief en zullen zich niet voortplanten met elke kater die voorbijkomt. Verantwoordelijke fokkers werken aan de verbetering van hun katten en

Boven: *Selectief fokken heeft glamoureuze katten als de Ragdoll voortgebracht. De wonderbaarlijke Ragdoll heeft altijd blauwe ogen en heeft al dan niet als handelsmerk witte wanten.* **Volgende pagina:** *De Colorpoint korthaar kan van de Siamees worden onderscheiden door zijn dunne lynx markeringen.*

zullen niet meedoen aan het gedachteloos knoeien met verschillende rassen voor 'nieuwe leuke creaties'.

    Met de tientallen kattenrassen die er al bestaan en de honderden kleuren die daarin beschikbaar zijn, lijkt de creatie van nieuwe rassen nogal frivool. Hoewel sommige eigenaars beweren dat bijvoorbeeld Siamese katten beter gezelschap vormen dan welke raskat of welke kat

dan ook, is de waarheid dat elke kat, als hij sociaal wordt gevormd en vooral goed wordt opgevoed, in staat is geweldig gezelschap te zijn voor zijn eigenaar. Toch is het niet onze bedoeling om de scheppers van nieuwe rassen een standje te geven, of de ontwikkeling van nieuwe raskatten tegen te gaan. Liefhebbers van katten, die kunnen bogen op een duidelijke waardering voor schoonheid, zijn een veeleisende en verstandige groep mensen die variatie en stimulansen nodig hebben, net als de katten zelf, denken we.

Het semi-exclusieve broederschap dat raskatten bezit wordt met de dag groter. In de Verenigde Staten, de smeltpot van de rassen van de wereld, is het bij uitstek modieus om een raskat te bezitten. Amerika heeft geen 'natives' (zelfs de Indianen moesten hier vele manen geleden vandaan trekken) en is als zodanig opgebouwd uit gemengde rassen of etnische Amerikanen. Italiaanse Amerikanen, Ierse Amerikanen etc. – Amerikanen houden allemaal vast aan hun individuele achtergrond. Het past daar op een of andere manier bij dat deze mensen niet zomaar een kat willen bezitten, maar een raskat, met een stamboom, een Welke kat? duidelijk bepaalde katachtige. Amerikanen die trots zijn op hun achtergrond vragen dan om een kat van een even pure oorsprong.

'Jury, kijk maar! Ik ben tenger, o zo tenger.' Een schitterend tengere Oosterse korthaar wordt onderzocht op een tentoonstelling.

Schotse Amerikanen en Schotten zijn allen trots op hun kilt-dragende kat, de Scottish Fold.

Het is een klein onderdeel van de yuppie-trots en authenticiteit om met een geaffecteerde gaap te zeggen: 'Ja, ja, dit is een ras-Abessijn'. Natuurlijk zijn Amerikanen niet de enigen met zulke ideeën – Engelse en Canadese kattenliefhebbers zijn ook extreem trots op hun raskatten. Groot-Brittannië heeft zeker de meeste ras-huisdieren behouden en gepromoot dan welk land dan ook.

Het ras van uw kat kiezen is een opwindende en geestverruimende onderneming. Er bestaan meer dan veertig soorten raskatten waar de potentiële eigenaar uit kan kiezen. Waar grootte nauwelijks het overwegen waard is bij de keuze van een ras moeten lengte van de vacht, karakter, en voorkeuren wel allen overwogen worden. Kattenrassen variëren van een gladde en dikke vacht tot een lange, welige vacht (tot helemaal geen vacht). De karakters van rassen variëren aanzienlijk; sommige rassen zoals de Siamees en Burmees zijn uitbundig en houden van plezier, terwijl andere rassen, zoals de Himalaya en de Chartreux serieus en nadenkend zijn, en niet toegevend aan veel speels gedoe. Sommige rassen zijn zeer vocaal en energiek; andere zijn rustig en onverschillig. Misschien is het het meest de moeite van het overwegen

waard of het uiterlijk van het dier u bevalt. Afgezien van het karakter van
een ras, als een potentiële eigenaar het uiterlijk en de uitstraling van het
ras niet betoverend vindt, zal zijn karakter nauwelijks een kans krijgen
zich te ontplooien. Een liefhebber kan wel houden van het warmhartige
temperament van een Sfynx maar schrikken van zijn vreemde uiterlijk;
het is trouwens niet zo ongewoon dat de kat zijn niet zo enthousiaste
eigenaar binnen 24 uur voor zich wint. Het is ook waar dat niet alle
exemplaren van een bepaald ras nou echt het karakter hebben zoals dat
standaard beschreven staat. Meer dan bij welk huisdier dan ook is de kat
door en door een individu en kan hij best helemaal niet voldoen aan de
voorkeuren of afstandelijkheid die van zijn ras verwacht worden – en dat
is nog een reden om van katten te houden.

Vorige pagina: *De Sphynx is het enige geaccepteerde ras van haarloze katten. Hij werd ontwikkeld door Canadese fokkers eind jaren zestig.* **Boven:** *De Engelse korthaar, een sterk en veerkrachtig dier dat thuishoort in Engeland, is iets kleiner dan de Amerikaanse tegenpool, de Amerikaanse korthaar. Beide rassen komen in alle voorstelbare kleuren voor.* **Onder:** *Nog twee blauwe schoonheden. Dit zijn langharige Russian Blue katten, die Nebelung heten. Dit elegante experimentele ras biedt alle charme van de Blue met een lange, enkele vacht.*

Omdat in dit boek ook de verschillende soorten wilde katten besproken worden is het niet meer dan normaal dat wij het hebben over de
mogelijkheid om een wilde kat als huisdier te hebben. Over het algemeen zijn ocelotten en margays de meest gehouden wilde katten. Het
bezitten van zulke dieren wordt door negatieve feiten afgeraden, niet

*Groenogige zilver tabby Amerikaanse korthaar. Deze echt Amerikaanse
kat verdeelt zijn affectie gelijkmatig over zijn menselijke familieleden. Als
ras houdt de Amerikaanse korthaar ook van het gezelschap van andere
katten.*

minder dan de feitelijke aankoop van een leeuw of poema, wat trouwens bijna overal illegaal is. Het is ten eerste noodzakelijk uit te vinden
wat de lokale of landelijke verordeningen zeggen over het houden van
een wilde kat. In de meeste gebieden is, als het bezitten van zo'n dier is
toegestaan, een vergunning noodzakelijk en het invullen van vele formu-
lieren. Het is moeilijk deze dieren te krijgen en hun lage aantallen in het
wil zouden genoeg moeten zijn om zelfs de zeer grote liefhebbers te
weerhouden. Deze dieren te moeten ontdoen van hun nagels en slagtanden slechts om ze als huisdier te kunnen houden draagt nog bij tot de
afkeer van het bezit. Wij houden erg van de ocelot en de margay, net als

Alle allure en schoonheid van een wilde kat in een tamme kat: de Bengaal.

van andere wilde katachtigen die in dit boek besproken worden. Toch kunnen we het bezit van dit soort dieren niet aanmoedigen omdat het schadelijk is voor de katten en vaak ook voor de mensen die er mee te maken hebben. Dierentuinen hebben, hoewel velen er niet van houden, veel betere accomodatie voor deze dieren; als u van de ocelot en margay houdt moet u ze maar bezoeken in de dierentuin – net als wij!

Ocelots wegen ongeveer vijftien kilo en worden door mensen wel gehouden als huisdieren. Gelukkig is deze twijfelachtige gewoonte tegenwoordig minder geworden; helaas geldt dat ook voor de aantallen van de ocelot.

Sommige rassen, die minder bekend en moeilijker te fokken zijn, kunnen niet worden gekocht bij een dierenwinkel. Cornish Rex.

DE UITEINDELIJKE KEUZE

Er zijn drie mogelijke bronnen waar u een kat vandaan kunt halen: van de plaatselijke dierenwinkel, van een kattenfokker, of van een dierenasiel. Elk van deze bronnen kan voor de juiste kat betrouwbaar zijn. Omdat een dierenwinkel niet elk soort kat kan hebben in elke mogelijke kleur worden fokkers een waardevolle bron voor katteneigenaars. Dierenwinkels kunnen potentiële eigenaars helpen bij het vinden van goede fokkers van rassen die zij zelf niet hebben. Voor diegene die een 'gewone' kat zoekt, dus één van gemengd ras of een zwerfkat, is een asiel een goede keuze omdat de katten vaak gesteriliseerd en gevaccineerd zijn.

Als u een showkwaliteit of fok-kwaliteit raskat wilt hebben kan een fokker uw enige keuze zijn. Dierenwinkels hebben verschillende ras-katten maar die zijn vooral bedoeld voor het bestaan als exquise tamme katten. De prijzen die worden gevraagd in dierenwinkels zijn over het algemeen lager dan wat een fokker u zal vragen voor zijn beste katten. Onthoud dat fokkers hun katten met het hoogste potentieel in de showring of fokwereld willen zien zodat hun reputatie als fokker groeit en verbetert. Er is weinig reden voor hen om hun kampioen alleen bij u thuis rond te laten lopen en er knap uit te laten zien zodat de hoofden van uw bezoekers zich omdraaien. De basisregel is hier ongetwijfeld: pas op! Wees nooit bang vragen te stellen aan de verkoper. Hij moet u antwoord kunnen geven en ook documentatie (stamboom- en verkoop-papieren). Er zijn kwakzalvers en kwakzalver-dierenwinkels (en ook slechte dierenasielen). Neem geen genoegen met minder dan het beste – als de verkoper niet kan voldoen aan uw eisen, ga dan verder naar de volgende.

Jonge Japanse Bobtails pogen te ontsnappen.

Als u het dier of nest van uw keuze vindt, onderzoek hem (of haar) dan zorgvuldig. De vacht moet veerkrachtig zijn en er gezond uitzien; de ogen moeten helder zijn en de oogleden zonder schilfers. Kale plekken op de vacht kan op ringworm duiden. De neuzen mogen nat en koud zijn, maar niet lopen. Er moet gelet worden op tekenen van diarree. Het dier moet alert en vol animo zijn. Het gehoor en gezicht kan worden getest door het verfrommelen van papier, het rammelen met sleutels of door eenvoudigweg te bewegen en met de kat te praten.

Als alle katten aan deze gezondheidscriteria voldoen, kies dan diegene die u er het leukst uit vindt zien. Kleuren kunnen variëren en patronen ook; de vacht van een kat kan donkerder of lichter worden als ze ouder worden.

De meest ideale mannier om uw laatste aankoop mee naar huis te nemen is in een draagmand. Deze zijn verkrijgbaar in verschillende

Onder: *Toekomstige eigenaars moeten de essentiële signalen van een gezond jong katje leren onderscheiden: glanzende vacht, heldere ogen en neus, alertheid. Maine Coon jong.* **Volgende pagina:** *Buigt u zich maar eens over dit spectaculaire nieuwe ras, de Amerikaanse Curl met zijn gebogen oren. Naast de gedurfde persoonlijkheid van het Curl-ras, dragen zijn oren zeker bij tot zijn charme.*

Onder de langharige kattenrassen valt de Birmaan op door zijn uitzonderlijke kleuring, die te zien valt bij alle vier de Siamese points, en door zijn altijd aanwezige witte wanten.

Rechts: *Voor vervoeren en tentoonstellen is het handig een kat te laten wennen aan een reismand.* **Onder:** *Exemplaren van een ras moeten in alle opzichten op elkaar lijken.*

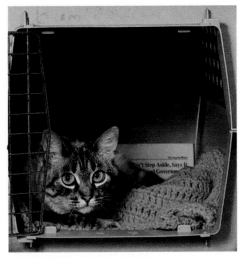

maten, soorten, kleuren, etc., bij de meeste dierenwinkels. Het is verstandig om er zo snel mogelijk een aan te schaffen omdat u hem nodig heeft voor bezoeken aan de dierenarts, het dierenpension, de shows etc. Als u geen tijd hebt een kattenreismand te kopen voor u de kat koopt, neem dan een zachte handdoek mee om de kat in mee te dragen. Dit maakt het makkelijker om de kat vast te houden en u te beschermen tegen zijn afschrikwekkende en bange klauwen. Zorg dat de kat zich veilig voelt in uw armen, wees vriendelijk en praat zacht, want dit is het begin van een leven dat u samen zult delen.

Boven: *Het zorgen voor smaakvolle accommodatie is een uitdaging voor elke eigenaar. De Cymric, de langharige versie van de Manx, heeft een redelijke eigenaar nodig.* **Onder:** *Een trio Noorse boskatjes.* **Volgende pagina:** *Vage kleuren en pastels – de Javaanse kat past in elk huis of tegen elke achtergrond. Een lange vacht en pluimstaart onderscheiden het ras van de Siamees en Colorpoint korthaar.*

Verzorging en Voeding

De vragen en verlangens van onze katachtige huisgenoten zijn uiteraard heel belangrijk. Maar dat de buitenlevende familieleden van onze kat afzondering, de warmte van boomholtes en grotten, en de romantiek en vrijheid van een heldere sterrenhemel prettig vinden wil niet zeggen dat elke potentiële katteneigenaar zelf-gemaakte grotten en hemellichten moet creëren of binnenshuis wildernissen moet cultiveren. Vergeleken met andere huisdieren is de verzorging van een tamme kat niet duur maar moet wel smaakvol zijn.

De kat voorzien van een acceptabel en waardevol, fijn binnenhuis-leven hangt mede af van de omgeving van het huis. 'Katten hebben ook katten' heeft een striptekenaar eens in zijn strip gezegd. Katten hebben hun omgeving goed door en reageren erop. Een jonge kat voor de eerste keer thuisbrengen in een leeg appartement of juist in een huis vol met goed afgestofte spullen die hij niet aan mag raken is niet eerlijk en ook ondoordacht. Het is niet de eerste goede stap richting het verantwoordelijk bezit van een kat. Het is beter om een kat vrij rond het grootste deel van het huis te kunnen laten rondlopen, zonder een superzenuwachtige eigenaar die bang is voor een ongeleide klauw en zonder gevaarlijke objecten die elke stap tot een gevaarlijke maken. In het bijzonder jonge katten hebben voortdurende en consequente begeleiding nodig. Daarnaast moet de kat zich ook kunnen terugtrekken. Noodzakelijke accomodatie voor de kat in huis is een etensbak en een drinkkom, een kattebak, een krabpaal en een mand. Katten, die unaniem elegante wezens, accepteren vaak alleen de eerste accomodaties en laten de paal en de mand links liggen, omdat ze die overbodig of verachtelijk vinden. Terecht klagen vele eigenaars, nieuwe of door de wol geverfde, dat hun kat zijn krabpaal niet gebruikt en aan alles blijft krabben en/of dat hun kat nog nooit heeft geslapen (en dat ook nooit zal doen) in de mand die daarvoor is bedoeld door de eigenaar. Hoewel er enige aansporende maatregelen genomen kunnen worden zijn som-

De natuur zorgt goed voor de accommodatie van jungle- en bos-katten. Afstandelijk en trots maken leeuwen hun bed op rotsige hoogten, waarvandaan zij hun koninkrijk kunnen overzien.

mige katten nu eenmaal niet te overtuigen, hoe perfect, mooi of lekker ruikend het voorwep uit de dierenwinkel ook is.

Als we naar de krabpalen kijken hebben veel schrijvers en onderzoekers hun ideeën al gespuid. Sommigen geloven dat de kat het object waar hij aan gaat krabben vooral uitkiest op de geur ervan. Heel vaak is de meest geliefde geur die van de meest geliefde persoon, vaak degene die hem voedt en voor hem zorgt. Eén eigenaar, wiens kat het liefst de geur van de buurman rook, vertelt dat na een bezoek vande buurman, de kat zonder uitzondering het kussen waarop de buurman had gezeten uitkoos als object om aan te krabben. Maar niet alle eigenaars ervaren

Druppende kranen en koud roestvrij staal houden deze blauwe Engelse korthaar bezig. Voor een kat zich bij u thuis kan voelen, moet hij waarschijnlijk op elke denkbare plaats zitten en/of dromen.

meestal krabt. Als dit ook niet werkt was waarschijnlijk het materiaal of de geur de verkeerde keuze, en na nadere overdenking kan dan een alternatief worden geprobeerd – wees niet beledigd als de geur uw eigen was, want deze ontdekkingen zijn maar voorstellen en geen conclusies.

Katten 'maken hun eigen bed' en in geen enkel bed dat de kat heeft gemaakt zal hij weigeren te slapen. In tegenstelling tot honden hebben katten het niet nodig (en willen het misschien ook niet) dat de eigenaar een hoek vrijmaakt en daar een mand neerzet, het dier erin legt en zegt 'dit plekje is helemaal voor jou'. Net als leeuwen die stevig neerstrijken op een goed-geplaatste, zelf uitgezochte heuveltop hebben katten ook het liefst hoge plaatsen, omdat ze zich hoog veiliger voelen. Rust en warmte hebben ook een duidelijke voorkeur; dus een gezellige plek, niet verpest door menselijke bemoeienis en kennis. Hoewel het niet handig is om de mand bovenop het fornuis of koelkast te plaatsen zouden deze plekjes – die vaak worden gekozen om een dutje te doen – zeker verpest worden door de mens of door te veronderstellen dat de kat daar slaapt.

Warm en gedurfd, maar onveilig en onconventioneel. Deze Amerikaanse korthaar moet zich naar een meer acceptabele plaats voor een dutje verplaatsen.

Toch is een poezemand uitstekend omdat die voorkomt dat meubels lelijk worden en omdat losse haren, die zijn losgeraakt door het zichzelf verzorgen, binnen de perken blijven, omdat de kat dat vaak doet op de plek waar hij slaapt. Door goed te kijken waar de kat het liefst slaapt (binnen redelijke grenzen) en dan slim een locatie voor de mand uit te zoeken kunt u vaak een deal sluiten met uw kat. Zoals de noodzaak dat voorschrijft zijn volharding en geduld de sleutels tot succes. Vaak kan uw kat overtuigd raken als u de mand op een hele rare plaats neerzet en zal hij erin slapen – of in elk geval er in de buurt.

Reismanden, verkrijgbaar bij dierenwinkels, kunnen vaak comfortabel twee katten vervoeren, op voorwaarde dat de katten goed met elkaar kunnen opschieten.

ZIN IN EEN SLACHTING?

Zonder wroeging over de mishandeling van een mus of muis laat een goedgevoede en goed opgevoede Siamees zijn half-flauwvallende eigenaar de bewegende buit zien. De noodzaak om rustverstoorders uit de

Hoewel katten vaak houden van het gekietel en geknars van gras en groenten, is als het op eten aankomt, rood vlees de favoriete keuze.

Rechts: *Tamme en wilde katten zijn allebei carnivoren bij uitstek, vleeseters dus.* **Onder:** *Drie zeven maanden oude Russian Blue katjes benaderen een verpakking droogvoer.*

buurt te vangen en binnen te halen, ingegeven door katten-wetten van sereniteit, overwint de sluimerende instincten, de volle magen, en het afkeurend gekokhals van de eigenaar. Het jachtinstinct van de kat, zo onsterfelijk als de rat, is nog steeds zichtbaar bij tamme katten, tot schrik van muizen en muisvrezende mensen.

De kat is een eersteklas carnivoor. Alle carnivoren hebben een dieet nodig dat voornamelijk gebaseerd is op vlees, en de katteneigenaar moet dit feit beschouwen als een voorwaarde voor een goed katten-

dieet. Natuurlijk bevat vlees veel proteïne en vetten, maar katten hebben ook koolhydraten, vitamines en mineralen nodig. Weten wat deze verschillende voedseltermen precies betekenen en hoe belangrijk ze zijn draagt enorm bij aan het begrip van de verantwoordelijke eigenaar voor zijn kat en diens voedings-behoeften.

De wilde katten jagen op hun voedsel. Hoewel de meeste katten een voorkeur hebben voor verschillende soorten prooi, is voor katten de prooi die beschikbaar is ook de prooi die gevangen en gegeten wordt. Door de variatie in soorten prooi is het noodzakelijk dat de kat geen te vaste voedselbehoefte heeft: waar het vlees van het ene soort bepaalde aminozuren bevat en weinig vetten kan een ander soort weinig van diezelfde aminozuren bevatten en juist relatief veel vet. Het kan zijn dat de wilde kat langere tijd van slechts een soort moet leven, om wat voor

Ondanks de jachtinstincten en pure kracht van de poema is deze reusachtige kat geen kieskeurige eter. Bijna overal waar hij voorkomt vormen mannetjes-herten het dieet van de bergleeuw.

Goede voeding en uitgebalanceerde diëten zijn noodzake-
lijk voor het goed verzorgen van jonge katten. Deze
Himalaya-katten zo groot als een theekopje willen graag
gezond groot worden.

redenen dan ook. Natuurlijk is het eten van één prooisoort lange tijd achter elkaar net zo onwaarschijnlijk als het ongezond is; toch komt het voor. Daarnaast leven katachtigen uit vele arme gebieden over de hele wereld van een menu dat grotendeels bestaat uit rijst, granen en/ of soortgelijke produkten. Deze katten hebben niet echt een gezond uiter-lijk, maar ze overleven wel. De kat is dus – en moet dat ook zijn – een dier dat zich in alle omstandigheden weet aan te passen en, boven alles,

Jonge katten in het wild zijn afhankelijk van hun instincten en hun moeder om een goed dieet binnen te krijgen. Een dierentuin-oppasser is effectief tussen-beide gekomen door dit tijger-jong de fles te geven.

niet te kieskeurig is. Verzorging en Voeding Toch worden eigenaars er constant toe aangezet, door de variëteit aan kattenvoedsel die beschik-baar is en door de katten zelf, een lichte kieskeurigheid van de kat niet af te straffen. Veel katten hebben rare of zelfs bizarre lievelingskostjes: wortels, yoghurt, kwark, kiwi, zoutjes enzovoort. Toegeven aan de buien van de kat, die lijken op die van een zwangere vrouw, moet nooit een gebalanceerd eetpatroon vervangen, noch uw eigen balans versto-ren.

De laatste jaren hebben enige dierenrecht-groepen strikt vegetari-sche diëten voorgesteld voor de tamme kat. Hoewel de bedoelingen goed waren zijn deze diëten niet toereikend gebleken voor de behoeften van de kat. De eigenaar die tegen de consumptie van vlees is moet bedenken dat een kat die vlees eet zo natuurlijk is als het bestaan van het dier dat hij eet. Met andere woorden, te proberen zo'n vitale pilaar van het menu van de kat als vlees eruit te halen is onmogelijk en ongezond.

Eén opmerking over koolhydraten: katten in het wild eten geen planten, de primaire bron van koolhydraten, eenvoudigweg omdat ze geen verteringskanaal hebben dat in staat is gebruik te maken van koolhydraten. Als katten dit element wel nodig hebben, hoe komen ze er dan aan? Katten eten hoofdzakelijk herbivoren, planteneters. Als de kat zijn prooi opeet, eet hij ook maag en darmen en de inhoud daarvan, wat in het geval van herbivoren beslist vol planten zit. Katten kunnen deze gedeeltelijk verteerde koolhydraten geheel benutten en doen dat ook. Sommige katten eten kennelijk gras, en sommige onderzoekers geloven dat dit een poging van de kat is in zijn koolhydraat-behoefte te

Melk is een goede bron van proteïne en calcium, maar moet slechts in beperkte mate aan de volwassen kat worden gevoerd, omdat niet alle volwassen katten genoeg enzymen hebben om de melkprodukten goed te kunnen verteren.

De goede voeding van elke kat wordt duidelijk in de veerkracht en glans van de vacht. Deze Ragdoll wordt beslist goed gevoed.

voorzien. Anderen geloven echter dat gras dient als braakmiddel of haarbal-opwekkend produkt. Geen enkele studie is afdoend, maar de meeste autoriteiten geloven dat het eten van gras de eigenaar geen zorgen hoeft te baren. Overdreven of zeer regelmatig gras eten zou echter wel moeten worden onderzocht door een dierenarts.

Vitaminen en mineralen, waarvan vele soorten niet erg veel voorkomen in vlees, krijgt de kat binnen op dezelfde manier. Katten in het wild eten bijna hun hele prooi op. Daardoor krijgen ze organen binnen, zoals de lever en de hersenen, die veel vitaminen en mineralen bevatten. Katten eten zelfs de vacht of veren van de prooi, die niet erg voedzaam zijn, maar dienen als vezelrijk voedsel. (De opvallende en enige uitzondering is de rode lynx, die zijn prooi 'plukt'.) In veel gevallen zal de kat als de prooi klein is ook de botten eten, waardoor hij een aanzienlijke hoeveelheid calcium en vitamine D binnen krijgt.

Het belangrijkste in de voeding van de kat is het evenwicht. Hem voorzien van een variëteit aan vleesprodukten, met toegevoegde koolhydraten, vitaminen en mineralen, is de beste manier om zeker te weten dat de kat een juist eetpatroon heeft. Voor de eigenaar van een kat in

De glans van de vacht van de Chartreux ontstaat door goed eten, goede verzorging en goed fokken.

deze moderne wereld is het voeden gemakkelijk gemaakt. Fabrikanten van kattenvoedsel hebben enorme hoeveelheden geld en tijd gestopt in het creëren van het gezondste, meest voedingsrijke produkt. Natuurlijk zijn er uitzonderingen, en u kunt in elk rek wel een slecht produkt tegenkomen. Dierenartsen kunnen goed advies geven over het beste voedsel voor uw kat. De meeste dierenwinkels hebben voedingsprodukten van goede kwaliteit, en uw plaatselijke dierenwinkel-eigenaar zal u graag adviseren bij de aankoop. Maar de verantwoordelijke bedrijven zullen ofwel de informatie over de voedingswaarde van de inhoud op hun produkt zetten ofwel de katteneigenaar die ernaar vraagt heel goed kunnen voorzien van dit soort informatie. Verantwoordelijke eigenaars lezen de ingrediëntenlijst van de produkten die zij hun lievelingen te eten geven.

Katten zijn gevoelige wezens met sterke instincten. De Manx doet het al eeuwen goed in de menselijke leefwereld, wat zijn levendigheid en goede gezondheid ten goede is gekomen.

Een groenogige Maine Coon heeft de overweldigende vacht die karakteristiek is voor het ras. Glans van de ogen en kwaliteit van de vacht hangen vooral af van goede voeding en verzorging.

Boven: *Van de grootste Siberische tijger tot de kleinste tamme kat, alle katten hebben water nodig. Vers water is essentieel voor het overleven van alle levende dieren.* **Onder:** *Na een uitgebreid maal rust dit leeuwen-jong tevreden uit.*

ETENSFUNCTIES

Om te begrijpen waarom een bepaalde hoeveelheid of soort voedsel wordt aanbevolen, is het belangrijk de functie te begrijpen die het eten vervult voor de kat. Over het algemeen zorgen voedingsmiddelen voor drie essentiële processen: weefsel-opbouw, cellulaire energie en isolatie van het lichaam.

In de hulp bij de opbouw van weefsel zorgt voedsel voor de essentiële bouwstenen waaruit alle cellen zijn gemaakt. Door het proces van vertering wordt het voedsel afgebroken in zijn meest elementaire componenten, en deze vitale kleine stukken worden dan weer samengesteld volgens de structuur van het weefsel dat zij moeten gaan vormen. Bijvoorbeeld, aminozuren (stikstofhoudende organische deeltjes) zijn de bouwstenen van proteïnen. Als de kat vlees eet van een ander dier worden de proteïnen van dit dier afgebroken in hun componenten

Katjes doen enthousiast na wat hun moeder doet. Dit zilver Amerikaanse korthaar jong is met succes gespeend onder het toeziend oog van de moeder.

Effen witte Manx, verscholen in een driehoekige mand.

aminozuren. Deze worden dan weer opgebouwd op een identieke manier als de andere proteïne-weefsels van de kat.

Waar het lichaam in staat is vele van de noodzakelijke stoffen zelf samen te stellen, moeten vele andere direct uit het voedsel worden verkregen. Deze noodzakelijke stoffen zijn van levensbelang voor het goed functioneren van de lichaamsorganen. Zonder hen zouden de organen steeds verder verschrompelen en zou de kat binnen korte tijd sterven. Soms is de energie die nodig is voor het verteringsproces en het syntheseproces ook het produkt van voedingsmiddelen, en dat brengt ons op voorziening twee.

Elke cel, en op zijn beurt het hele lichaam, heeft energie nodig om te kunnen leven. Beweging, het denken, ademhaling, en ook de vertering zelf zijn onmogelijk zonder energie. Op het moment dat voedsel wordt afgebroken door het proces dat bekend staat als oxydatie, komt er energie vrij. Deze energie wordt gebruikt door het lichaam voor de inspanningen zoals zojuist beschreven en ontelbare andere. Voedsel-energie die niet nodig is op een bepaald moment kan worden opgeslagen in het lichaam, en daardoor voorziet voedsel ook in energie voor gebruik op een later tijdstip. Dit staat bekend als opgeslagen energie of energie-reserve. Deze energie wordt opgeslagen als een vetlaagje dat net onder de binnenste huidlaag ligt. Als het nodig is kunnen de vetcellen waaruit de laag bestaat worden afgebroken, waardoor de niet gebruikte energie wordt vrijgelaten. Maar het vetlaagje is meer dan

Door de vooruitgang in moderne huisdieren-wetenschap bestaat er geen twijfel meer over hoe u uw kat moet voeden. Dierenwinkels bieden een ruime variëteit aan kant en klare voeding die speciaal voor uw kat is samengesteld.

alleen een opslagruimte van energie-reserves, en dat brengt ons bij de derde en laatste functie van voedsel.

Het vetlaagje, het resultaat van onnodige energie, dient als lichaams-isolatie, zowel warmte- als contact-isolatie. Het vetlaagje beschermt tegen verlies en winst van warmte en kou, en is dus van essentieel belang bij het reguleren van de temperatuur van het lichaam. Dit beschermende warmte-laagje helpt het lichaam ook bij het absorberen van de schokken die het lichaam in een normaal bestaan te verduren krijgt; het beschermt de spieren, botten en organen tegen kneuzingen en ander letsel.

Het is duidelijk te zien in deze korte en algemene uitleg dat de rol die het voedsel speelt breed en noodzakelijk is. Als we daarmee een stap verder gaan kunt u makkelijk begrijpen waarom het essentieel voor zijn gezondheid is dat u uw kat voorziet van een goede voeding. Voedsel is niet slechts voedsel. Elk voedingsmiddel is afhankelijk van een ander, omdat het het lichaam voorziet van specifieke hoeveelheden gegeven bouwstenen; en elke voedingsgroep draagt op zijn eigen manier bij aan de goede gezondheid van de kat.

Een experimenteel ras dat bekend staat als de wilde Abessijn, die lijkt op de erkende Abessijn, maar kennelijk qua uiterlijk dichter bij de oorspron-kelijke bewoners komt. Deze kat heeft vele fokkers enthousiast gemaakt en andere juist afgestoten.

Een vol gezicht in perfecte balans met het lichaam geeft de Amerikaanse korthaar een onovertroffen ras uiterlijk.

Boven: *De anatomie van de kat is meer ontwikkeld op springen en snelheid dan op uithoudingsvermogen en voortdurende inspanning. De gemiddelde tamme kat kan vele malen zo hoog springen als zijn eigen hoogte.* **Onder:** *Discipline moet al beginnen als de kat jong is. Te veel eigenaars zijn zo verliefd op hun katten dat ze – in plaats van het dier te corrigeren – op zoek gaan naar hun automatische camera's.*

CONDITIONELE CONDITIONERING

Beweging is essentieel om geestelijk en lichamelijk het beste te bereiken in een kat. Katten, die levendige en instinctieve jagers, halen hun bewegings-uren voornamelijk uit ontdekkingstochten. Katten hebben geen wandelingen aan een riem nodig, en geen enkele kat heeft tot nu toe veel lol gehad in een loopwiel zoals dat door knaagdieren wordt gebruikt. In feite gaan wandelingen aan een riem lijnrecht in tegen de kattennatuur. Beperking, dwang: nooit! Katten vragen vrijheid, een complete en onvoorwaardelijke vrijheid. Hoewel de getrainde hond in rap tempo achtjes draait en het paard en de hamster allebei hun rondjes draaien zoals het hoort heeft de kat overtuigender inspiratie nodig om zijn mechanismen te motiveren. Ontdekkingstochten, spanning, uitda-

Gedrags-wetenschappers zijn het erover eens dat spel een belangrijk aspect is voor de ontwikkeling van veel levende wezens. De kat is daar geen uitzondering op. De regels van het spel gelden voor voetbal en het leven, voor tijgers en voor mensen.

Ondanks de aangeboren nieuwsgierigheid van uw kat en fascinatie voor de wereld buiten, gaat een verantwoordelijke eigenaar ervan uit dat de kat binnen hoort, behalve als er op hem gelet wordt.

ging en een duidelijk afgerond spel maken de katten-gevoelens wakker. Het is gewoonlijk een moeilijk besluit voor een eigenaar zijn kat te laten rondzwerven. Men zou kunnen concluderen dat rondzwerven, dat ontdekkingen behelst, essentieel is voor de kat op zijn best. Dit is zeker niet het geval, omdat de welwillende eigenaar voor de noodzakelijke stimulansen voor de kat kan zorgen in zijn eigen huiselijke omgeving. Een huis waar het grootste gedeelte voor de kat verboden toegang is, zal niet voldoen, maar een toegankelijke omgeving laat de kat een goed territorium voor ontdekking en verovering.

Katten zullen zonder uitzondering hun vrijheid niet graag opgeven en zullen het vooruitzicht binnen te zijn opgesloten niet op prijs stellen: katten hebben meestal een hekel aan deuren (behalve doorzichtige of rookglazen deuren). Sommige katten zijn getraind om aan een riem te lopen, maar deze katten zijn uitzonderingen, ze zijn inconsistent en meestal maar tijdelijk bereid tot medewerking. In tegenstelling tot honden, die de bedoelingen van de mens als goed en acceptabel zien, zullen katten niet wijken voor deze poging de kat aan een riem te leren lopen;

Boven: *Zelfs als zwemmen niet tot de top tien van favoriete bezigheden van uw kat behoort, is open water echt gevaarlijk voor de tamme kat. De meeste katten kunnen van nature zwemmen, hoewel ze het niet zo lang vol kunnen houden.* **Onder:** *Op onderzoek in hun huis, deze twee witte Manx katjes.*

Zelfs het kleinste katje kan het gevogelte uit de buurt in de war maken.

meestal zijn het echter de kinderen die hun verstijfde en geïrriteerde, zich aan de stoep vastgrijpende jonge kat over de weg aan het trekken zijn. Ouders zouden ze beter moeten leren. Dus wij bevelen het leren lopen aan een riem niet aan als een avontuur dat de moeite waard is of goed als bron van beweging voor de kat.

Afhankelijk van het aantal vierkante meters 'zwerfgebied' in huis en natuurlijk de muizen achter de muren zal de mate waarin de eigenaar zijn kat zal moeten amuseren verschillen. Ideaal gezien brengen alle eigenaars tijd door met het spelen met hun kat. Een bolletje wol achterna zitten, kauwen op een propje papier, en dergelijke afleidingen verhogen de band tussen kat en mens en maken de ervaring voor de kat om een mens te bezitten leuker. Hoewel katten die alleen in huis leven aanzienlijk meer aandacht van hun eigenaar nodig hebben om een goede lichamelijke conditie te houden dan katten die buiten mogen rondzwerven, worden binnen-katten aanzienlijk minder door een auto geraakt...

Hoewel speeltijd u veel tijd kost, is rondzwerven weer gevaarlijk voor uw kat. Voorkomen dat de duivenmelker uw 'bloeddorstige jager' opjaagt en hem in zijn vijver jaagt is een terechte zorg in sommige gemeenschappen. 'Buiten' zit vol eindeloze en onvoorspelbare kat-verwondende en kat-hatende eenheden. Parasieten zijn een plaag in het bos. Auto's een groot gevaar. Honden bijtgrage vijanden. Konijnen-vallen happen zonder onderscheid in elke onwetende bonten voorbij-ganger. In principe zijn katten vergeleken met het staal en cement waar onze twintigste-eeuwse wereld uit bestaat ongetwijfeld te zacht en te weerloos. En ondanks dat het lijkt alsof de kat de wereld om hem heen beschouwt, is hij niet in staat te denken, te beslissen, en te verklaren. Instincten kunnen een verloren kat niet redden van piepend rubber of staal en kunnen ook niet het pad bepalen dat het verst van de gevaarlijke snelweg ligt.

De verantwoordelijke katteneigenaar moet ook de schade aan het milieu overwegen waartoe katten in staat zijn. Het aantal bedreigde vogelsoorten is aanzienlijk, en er worden constant nieuwe soorten toegevoegd aan de lijst. Katten jagen ook wel op kippen, konijnen en

Een goed bedoelende Scottish Fold brengt de keuken-gans in de war. Het veilig maken van uw huis voor de kat betekent ook breekbaer dingen van hen weghouden.

andere kleine dieren, en uw buren die deze dieren hebben zullen niet zo blij zijn – duizenden katten zijn doodgeschoten door boze diereneigenaars. En duizenden anderen zijn gedood eenvoudigweg omdat ze katten waren.

De menslievende katteneigenaar moet bedenken dat miljoenen katten worden gedood door de overbevolking aan katten. Uw niet gesteriliseerde vrouwtje of niet gekastreerde mannetje vrij laten rondzwerven is onverantwoordelijk en zeer wreed.

De burger die gehoorzaamt aan de wet moet zich realiseren dat het in sommige gebieden echt verboden is voor de kat om rond te zwerven. De eigenaar wordt dan verantwoordelijk gesteld en de kat wordt in de kattengevangenis gegooid en misschien ter dood veroordeeld (negen keer?).

Dat rondzwerven en jagen deel uitmaken van de natuur van de kat lijdt geen twijfel. Toch is het in grote delen van deze moderne wereld onmogelijk voor de kat om te overleven. De hiervoor genoemde 'onverwoestbare machine' is zeker verwoestbaar door meer dan alleen tegemoetkomende auto's. De eigenaar moet de verantwoordelijkheid willen dragen de kat te laten rondzwerven, gebaseerd op de hier gesuggereerde overwegingen en zijn eigen sterke gevoelens. Als een laatste redmiddel kunt u de kat voor uw huis aan een riem leren lopen.

Boom: krabpaal door de natuur gemaakt; eenrichting ladder voor ongeorganiseerde vluchten; goede ontsnappingsmogelijkheid voor aanstormende honden en andere enge aanvallers.

Behalve als u hem anders vertelt, zal uw kat (of katten) alle meubels in huis opeisen als persoonlijk eigendom. Op de favoriete stoel van hun eigenaar zitten twee Havana Browns.

KATTEN VERZORGEN

Kammen en borstels dragen noodzakelijkerwijs bij tot de dagelijkse verzorgings-sessies van de kat. Alle katten, lang- en kortharig, verzorgen zichzelf elke dag twintig keer. Toch moeten eigenaars nog regelmatig aandacht besteden aan de vacht van hun kat. Tamme katten zijn zonder uitzondering kleine, makkelijk op te pakken dieren die makkelijk op een tafel gezet kunnen worden, of – misschien wat prettiger – op de schoot van de eigenaar. Eigenaars die kiezen voor het laatste moeten wat haar op hun broek of rok niet erg vinden. Een kat op een tafal uw kleren vrij van haren houden en de spanning ook wat lager houden. Leg wit papier of een laken op de tafel om hem te controleren op parasieten en andere

Het verzorgings-instinct van alle katten is sterk: de kattenfamilie is ijverig en grondig in de procedures. Schoonmaken en natmaken van de voorpoot zorgt bij deze lynx voor een handig washandje.

onwelkome gasten, en ook om de uitgevallen haren op te vangen. Omdat de meeste katten van aandacht houden, en jonge katten in het bijzonder, moet met de kamsessies worden begonnen als de kat nog jong is, zodat hij kan wennen aan het ritueel. Regelmatige sessies moeten prettig zijn voor zowel de kammer als de gekamde, en zijn gezond. Het wordt al snel een gewoonte.

De langharige kat. Als de kat comfortabel zit, begin dan de kamprocedure door de vacht stevig te kammen in de natuurlijke richting, zodat vuil, huidschilfers en andere zaken aan de oppervlakte losraken.

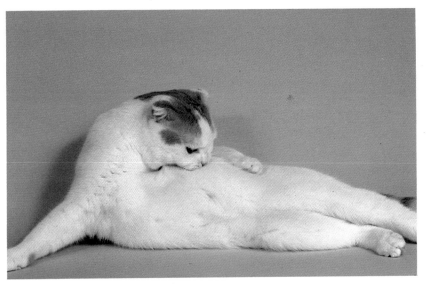

Katten wassen zich vaak wel twintig keer per dag. Deze Scottish Fold wringt zich in bochten om zeker te weten dat de hele vacht schoon is.

Als dit is gebeurd, moet u de kat laten staan als hij dat nog niet doet en de ondervacht op dezelfde manier als het bovenste gedeelte kammen. De kat die op schoot zit wil misschien wel op zijn rug gaan liggen zodat de eigenaar zijn buik kan kammen. De staart, de kop en de binnenkant van de poten moeten allen geborsteld en gekamd worden, voorzichtig en rustig, omdat dit de meest gevoelige delen van de kat zijn. (Het gebruik van een tandenborstel wordt in sommige katten-literatuur aangeraden.)

Borstel de hele kat nu nog een keer, deze keer tegen de natuurlijke ligging van het haar in. Dit helpt uitstekend om de dode vacht te verwijderen. Borstel de kat nog eens met de richting mee. Nu het borstelen klaar is moet de kam op dezelfde manier worden gebruikt: eerstmet de richting mee, dan ertegen in, en dan weer met de richting mee. Indien gewenst kunt u het ritueel herhalen met een fijne kam zodat het uiteindelijke resultaat helemaal piekfijn is. Als al het kammen klaar is kunt u de vacht een laatste stevige borstelbeurt geven. Het moet de kat nu worden toegestaan de laatste beetjes zelf te doen.

In tegenstelling tot de Himalayakat en de Pers, heeft de Birmaan een lange vacht die niet klit. Katten zonder een dikke ondervacht hebben wat minder verzorging nodig, hoewel lichte dagelijkse borstelbeurten de vacht van elke kat een gezond uiterlijk geeft.

Jonge katjes begrijpen instinctief het belang van goede verzorgings-gewoonten.

Als u het gezicht van een kat kamt, moet u dat zacht en langzaam doen.

De kortharige kat. De vacht die uit kort haar bestaat vraagt aanzienlijk minder tijd en geborstel dan die met lang haar. Toch draagt dagelijks kammen bij tot de algehele gezondheid van de kortharige kat. Terwijl de kat comfortabel op de tafel staat of zit, begint u voor aan de bovenkant en werkt naar de achterkant, waarbij u het hele bovenlichaam stevig borstelt in de richting van het haar met het liefst een zachte natuurharen borstel. Laat de kat staan en borstel het onderlichaam op dezelfde manier. De staart, de kop en de binnenkant van de poten moeten allen voorzichtig en zacht geborsteld en gekamd worden, omdat deze tot de meest gevoelige delen van de kat behoren.

Nadat de hele kat geborsteld is kan het proces eventueel met een middelmatige of fijne kam herhaald worden. Daarnaast helpt het borstelen en/of kammen tegen de richting in – waarbij echter altijd wordt geëindigd met de richting mee – om de vacht schoon en netjes te houden. Ook kan als extraatje een zeem of zijden lap worden gebruikt om de vacht te laten glanzen. Net als bij de langharige kat moet men de kortharige nu ook toestaan (want wie kan hem stoppen) zijn vacht zijn eigen persoonlijke behandeling te geven.

HET BAD

Een grote meerderheid van de tamme katten leeft hun hele leven zonder ooit de wereld van het bad te betreden – en hun eigenaars zijn hen zeker dankbaar, omdat het baden van een kat een hel kan zijn. Het bad heeft echter wel zijn rol in de katten-wereld. Showkatten in het bijzonder hebben baden nodig, net als die katten die hun weg gevonden hebben naar de achterkant van een stinkdier of de onderkant van een stinkend

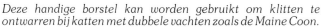

Deze handige borstel kan worden gebruikt om klitten te ontwarren bij katten met dubbele vachten zoals de Maine Coon.

vuilnisvat. In de meeste gevallen voldoet een droog bad, en die worden ook makkelijker geaccepteerd, zelfs door de meest twijfelende katten. Als het borstelen een regelmatig ritueel is geworden zal het droog baden nauwelijks meer moeite kosten. Droge baden (verkrijgbaar bij dierenwinkels) bestaan uit het besprenkelen en daarna uitborstelen van de vacht. Naast het schoonmaken kunnen droge baden ook gebruikt worden om parasiet-infecties te voorkomen.

Natte baden horen daarentegen tot de dingen waar de kat de grootste hekel aan heeft, zelfs die kat die regelmatig wordt gekamd. Als een nat bad nodig is, kan de eigenaar het best beschermende handschoenen dragen die hem tegen krabben beschermen. Een grote kom of bak is vaak prettiger voor de kat dan de gootsteen of het bad. Als het baad-proces eenmaal aan de gang is zal de kat met een beetje geluk toegeven aan de akelige wensen van zijn eigenaar. Natte katten weten wanneer zij verslagen zijn en werken meestal mee. De bijna komische hulpeloosheid van een natte kat, een dier dat trots is op zijn geweldige

Een normale en fijngetande metalen kam is een nuttig gereedschap voor de verzorging van zowel langharige als kortharige katten. Deze mooie Balinees is gewend aan de verzorgings-procedure.

De Ragdoll heeft meestal minder verzorging nodig dan andere langharige katten, hoewel dagelijkse sessies wel worden aangeraden.

uiterlijk en gedrag, zorgt er slim voor dat we met de kat meevoelen. Tijd verspillen is niet aan te raden, omdat het op de proef stellen van het geduld van een kat in zijn meest kwetsbare staat u beiden ongelukkig en nat kan achterlaten. In het geval van sommige intolerante, koppige, vieze katten kan het het beste zijn het baden over te laten aan een professionele dierenkapper of dierenarts.

Zwart-rook en witte Cornish Rex. De Rex hoeft niet zoals veel andere katten, te worden geborsteld. Een aaibeurt met een flanellen doek is voldoende om de vacht in de beste conditie te houden.

De overvloedig behaarde Pers heeft meer verzorging nodig dan andere katten, en eist uitgebreide dagelijkse borstelbeurten, evenals zo nu en dan een bad.

Als het nat baden een regelmatig deel uit moet gaan maken van het leven van de kat, moet er al jong mee worden begonnen en moet het regelmatig worden gedaan, waarbij er natuurlijk voor gewaakt moet worden dat vacht en huid niet uitdrogen.

Makkelijker dan baden is verzorgende middelen voor de vacht en de huid te gebruiken. In principe is de kat een dier dat voor zichzelf zorgt. Maar het doet de katten goed – vooral de langharige rassen – van tijd tot tijd een crèmespoeling te krijgen. Dit soort spullen is verkrijgbaar bij dierenwinkels, of kan in speciale gevallen worden voorgeschreven door een dierenarts.

SPECIALE PUNTEN VAN AANDACHT

Naast de vacht en de huid moet er tijdens het verzorgen speciale aandacht worden besteed aan de ogen, de oren, de neus en de tanden. Telkens als er wordt geborsteld moet de eigenaar deze punten controleren. De ogen moeten worden gecontroleerd op overdreven tranen, helderheid, slijm en blijvend oogvuil in de hoeken. Overdreven tranen en teveel oogvuil kunnen wijzen op een infectie, en een onderzoek door een dierenarts kan dan een goed idee zijn. Troebele ogen horen bij een hoge leeftijd, en het gaat vaak samen met staar en andere oogziekten; alweer kan een onderzoek door een dierenarts een goed idee zijn.

Links: *Genietend van de rebellie van zijn sabeltand-voorgangers blaast deze tamme kat overtuigend.*

Volgende pagina: *De combinatie van het geweldige evenwichtsgevoel van de kat met zijn sterke, intrekbare klauwen en lichamelijke lenigheid maken hem tot een bewonderenswaardige bomenklimmer.*

Oogvuil in het oog moet worden verwijderd met een zacht katoenen watje, het liefst vochtig gemaakt met steriel water of olie. Het schoongemaakte oog moet de volgende dagen regelmatig worden gecontroleerd om zeker te weten dat het oogvuil niet terugkomt, wat tot ongemak, irritatie en mogelijke infectie kan leiden.

De oren moeten worden gecontroleerd op vuil. Wat oorsmeer is gewoon, en kan uit het buitenoor worden verwijderd met een katoenen watje, vochtig gemaakt met alcohol of een oor-reiniger. Hoewel mijten

Ondanks het niet zo gewone uiterlijk van de Devon Rex, zorgt het ras niet voor ongewone gezondheids-problemen voor de eigenaar.

de kat niet zo vaak plagen als ze de hond doen, moet de aanwezigheid van bruin oorsmeer direct door de dierenarts bekeken worden. Vertrouw niet op huismiddeltjes of middeltjes van de drogist, want, tenzij de diagnose is gesteld, zijn die vaker schadelijk dan dat ze helpen. Men moet voorzichtig zijn niet te diep in het oor te gaan, want dat kan leiden tot verwondingen of complicaties. Daarnaast moet men niet met hetzelfde watje twee oren schoonmaken, want hoewel het wel zuinig is, kan daardoor de infectie zich gemakkelijk uitbreiden van het ene oor naar het andere. Chronisch vieze oren kunnen beter door de diernarts worden onderzocht.

De neus moet worden onderzocht op lopend vocht en warmte. Een lopende neus kan een teken zijn van een bacterie- of virusinfectie. Een droge of extreem vochtige neus, en een koude of een warme neus, kunnen ook een teken zijn dat er iets mis is met het functioneren van de kat. De tanden van de kat moeten allen vrij zijn van tandsteen en plak en geheel intact zijn. Ontbrekende tanden of tanden waar een stukje af is kunnen een speciale behandeling van een dierenarts verlangen. Maar op zijn minst moet de eigenaar onderzoeken wat de reden is van de slechte staat ervan. Kapotte tanden wijzen vaak op een slecht eetpatroon, vaak een gebrek aan calcium. Tandsteen en steeds groeiende plak moeten periodiek worden verwijderd door een specialist, want het kan leiden tot ziekten aan het tandvlees en tandverval. Eigenaren van langharige katten moeten vooral letten op mogelijke verwarring van het haar rond de tanden van de kat. Zo'n verwarring veroorzaakt slechte adem en het verlies van tanden, als er niet op gelet wordt.

Behalve bij het fokken is de Manx een perfect normale kat -zijn beknotte voorouders zijn binnenshuis gebleven sinds Noach haastig de deur dichtsloeg. Deze Manx is beslist geweldig.

Sommige eigenaars kiezen ervoor de nagels van de voorpoten van hun kat te knippen om gevaar voor het meubilair te beperken. Extra lange nagels kunnen problemen voor de voeten of de kussentjes veroorzaken als er niet voor wordt gezorgd. Meestal verzorgen en vijlen katten hun teennagels zelf. De eigenaar moeten niet te diep knippen zodat zij niet het bloedvat van de nagel inknippen.

De Ocikat is een atletisch en elegant dier dat wordt geprezen om zijn goed gevlekte agouti vacht en zijn duidelijke vitaliteit.

NAGELS

De nagels van de kat hebben meestal weinig verzorging nodig. Katten houden hun voorpoten meestal in goede conditie door te krabben. Dit kan variëren van boomstammen tot de luie stoel van pa. Katten onderhouden de nagels aan hun achterpoten door de oude nageldelen eraf te bijten. Krabben wordt meestal onterecht verward met het scherpen; eigenlijk is het scherpen van de nagels maar een onderdeel van de reden waarom katten krabben.

De nagels zijn samengesteld uit honderden lagen cellen, net als de huid van de mens (of de kat); cellen sterven continu en worden door nieuwe vervangen. Dode nagel-cellen maken de nagels bot en de kat krabt om dit veelgebruikte buitenste laagje te verwijderen. Het is niet helemaal hetzelfde als het scherpen van uw eigen nagels of een keukenmes, het is meer als een reptiel dat tegen de rotsen of bomen schuurt om zijn buitenste huid kwijt te raken. Naast het 'scherpen' of slijpen van de nagels heeft het krabben nog een ander doel. De objecten waar de kat aan krabt dienen ook als een middel om zijn territorium te markeren, zeker bij de mannetjes; zijn gedrag lijkt op dat van het mannetjes-hert

Aanzienlijke oren en ogen, met prominente jukbeenderen, geven de Devon Rex een 'puntig' uiterlijk.

die de boomstammen met zijn gewei markeert. Het stompen en stoten van de poten brengt na een tijdje de geurklieren van de kat op gang en laat zijn 'monogram' achter op meubels, truien, linnen, gordijnen etc. Krabben is ook een simpele en eenvoudige manier om zich te verzorgen en vormt een groot deel van het psychologische welzijn en de routine. Hoewel het krab-instinct van de kat niet kan en niet mag worden uitgeroeid, kan het wel worden geleid en gekort.

De kat voorzien van een krabpaal is de eerste stap om het krab-instinct van de kat te sturen. Discipline draagt ook bij om de kat van uw bedoelingen te doordringen. Er wordt wel beweerd dat de kat kiest voor uw favoriete stoel om aan te krabben omdat die van u is en uw geur draagt. Een oud kledingstuk (misschien ongewassen?) op de paal plaatsen kan uw kat ertoe brengen de paal te gebruiken. Sommige eigenaars, die niet in staat zijn de instincten van hun kat te sturen of dat niet willen, denken er wel over de nagels van hun kat operatief te laten verwijderen. Verhitte argumenten worden zowel voor als tegen het weghalen van de nagels van katten geventileerd. Voor een eigenaar de uiteindelijke beslissing tot het laten weghalen van de nagels van de kat neemt, moet

Een echte, beheerste Abessijn zit in de favoriete stoel van zijn eigenaar, een smaakvolle, geurvolle achtergrond voor een portret van hem.

Boven: Deze wit-voetige kruising is de Snowshoe, die recent is ontwikkeld uit kruisingen tussen Siamezen en Amerikaanse kortharen. Qua bouw lijkt hij soms meer op de Amerikaanse korthaar en soms wat meer Oosters. De witte wanten worden waarschijnlijk veroorzaakt door een gevlekte gen. **Onder:** De Oosterse korthaar is eigenlijk een effen gekleurde Siamees. Deze katten kenmerken zich door hun ontegenzeglijke schoonheid en warme persoonlijkheid.

Vooral als uw kat binnenshuis regelmatig afwisselt met buitenshuis, moet u uw kat niet van zijn nagels ontdoen. De nagels van de kat zijn van vitaal belang als verdedigings-mechanisme, voor ontsnapping, en voor de beweging. Chartreux.

hij zich de psychologische schade realiseren die door dit verlies wordt berokkend; om het er maar niet eens over te hebben (maar het er toch over te hebben) dat het pijnlijk is voor de kat en het ervoor zorgt dat de kat ruim een week niet op zijn 'rare' en pijnlijke poten kan staan. Het gevoel van de kat dat hij veilig is en dat hij zichzelf kan verdedigen en voor zichzelf kan zorgen komt voort uit het bezit van zijn nagels. Zelfs als uw binnenshuis-Himalayan niet op muizenjacht gaat of aan het vechten is met de pitbulls uit de buurt, dragen zijn nagels nog bij tot zijn complete kat-zijn: de kat is gerust omdat hij weet dat hij dat minderwaardige knaagdier of die hanige pitbull aan kan als het nodig mocht zijn. Dat deze overlevings-instincten nog steeds in de kat aanwezig zijn spreekt duidelijk vóór het behouden van de nagels van de kat. Het tam maken

Korat, de vereerde kat van Thailand, rust vredig, en brengt geluk voor het huis van zijn eigenaar.

heeft zeker niet veel van het 'wilde' uit onze metgezel in appartement en flat gehaald.

Als de kat en de eigenaar echter alleen niet bij elkaar passen door de nagels van de eerste kan het laten weghalen een verantwoorde optie zijn, want waarschijnlijk is de kat beter af in een huis zonder zijn nagels dan op straat met nagels. Het komt er op neer dat het laten weghalen van de nagels een beslissing is die bij de eigenaar ligt, en wij hopen dat die op een verantwoordelijke manier en niet te haastig wordt genomen.

Katten en honden kunnen als ze elkaar kennen in harmonie samenleven – maar als ze het oneens mochten worden, dienen de nagels van de katten als een aardig afschrikkend middel. Een goedgemanierde Samoy puppie met Amerikaanse korthaar jongen.

De aantrekkingskracht van een Amerikaanse Curl is uitzonderlijk. Deze jonge tweekleur steelt het hart van zijn eigenaar elke dag weer.

BEZOEK AAN DE DIERENARTS

Alle kattenhouders moeten een dierenarts kiezen die gespecialiseerde zorg voor hun dier kan bieden en goed advies aan hen als eigenaren. Het kiezen van een dierenarts moet niet alleen gebaseerd zijn op de prijs of het gemak, hoewel dit belangrijke overwegingen zijn. Bij het kiezen van uw dierenspecialist moet u zijn specialiteit overwegen en zijn lievelingsdieren en of u zich bij hem op uw gemak voelt. Hoewel dierenartsen een breed scala aan dierensoorten bestuderen, kiezen de meesten ervoor zich om de een of andere reden te concentreren op een of twee specifieke dieren. Het is ideaal als de dierenarts die u kiest een echte katten- liefhebber is. Daarnaast moet de diereneigenaar zich op zijn gemak voelen bij de dierenarts zodat u niet hoeft te twijfelen aan uw vragen en zijn advies goed begrepen wordt. Als uw toekomstige dierenarts telkens te moeilijke woorden gebruikt en niet in staat is duidelijk met u te communiceren moet u een andere dierenarts zoeken (of een slimme kennis mee naar het spreekuur nemen). Het kiezen van een dierenarts is een belangrijke beslissing voor de eigenaar van een huisdier, want meestal wordt de kat zijn hele leven door dezelfde dierenarts verzorgd, die uw kat door de jaren heen goed zal leren kennen.

Gezonde blue point Ragdoll met wanten. Een oplettend oog van een kenner, met daarnaast regelmatige bezoeken aan de dierenarts, vormen het beste beleid voor een gezonde kat.

Als u voor het eerst de dierenarts bezoekt met het aan u toevertrouwde dier, of het nou een jonge of volwassen kat is, breng dan zeker een kopie mee van de gezondheidsregisters die de vorige eigenaar of de verkoper hebben meegegeven.

Inentingen en onderzoeken worden regelmatig gedaan, en er wordt al jong mee begonnen, vaak als het katje zes weken is. Uw dierenarts kan u het beste adviseren wanneer deze inentingen en onderzoeken gedaan moeten worden en welke specifieke testen en vaccinaties moeten worden gebruikt. Daarom is het belangrijk om een goede dierenarts te kiezen voor uw toekomstige huisdier, of het nou een jonge kat is of een volwassen dier.

De alerte, oplettende ogen van deze schitterende zwarte Bombay suggereren goede zorg en onderhoud, hetgeen goede voeding, genoeg beweging en meer dan genoeg liefde met zich meebrengt.

Ebbenhout en ivoor, in eenvoudige harmonie, een zwarte en een witte Cornish Rex. Een hangplant dreigt van boven op niets vermoedende oren te vallen. Bijna alle gewone huisplanten zijn giftig voor katten en moeten goed uit de buurt van de kat gehouden worden.

'Nee, nee, geen behandeling!' Eigenaren moeten met name zorgvuldig zijn met vlooien-middeltjes als zij voor hun jonge katjes zorgen. Praat met een dierenarts en lees de instructies op de verpakking.

PLAGEN EN PARASIETEN

De gezonde kat demonstreert zonder twijfel zijn gezondheid met verve; hij heeft heldere, alerte ogen, een gezonde vacht en een goede eetlust. De zieke kat laat daarentegen verschillende signalen zien, afhankelijk van zijn conditie en de mate waarin hij ziek is. Ziektes, pijn en parasieten kunnen dienen als drie grove klassificaties van de problemen die de kat kan hebben.

De eerste groep, de ziektes, is beslist de door de katteneigenaar meest gevreesde. Slechts van het noemen van katten-leukemie, darmontsteking of rabies krijgt de eigenaar al de koude rillingen. Gelukkig voor de eigenaar van vandaag de dag is de diagnose, behandeling en het voorkomen van vele kattenziektes goed onderzocht en alom beschikbaar. Het belangrijkste is dat de eigenaar zijn kat direkt door de dierenarts laat verzorgen. Voor de nieuwe kat wordt aangeschaft is het aan te raden contact op te nemen met een dierenarts voor een schema van vaccinaties en inentingen; u kunt dan meteen een kostenberaming vragen. En als u uw nieuwe aanwinst thuis heeft, volg dan ook het advies van de dierenarts.

Natuurlijk zijn er vele ziektes waarvoor geen vaccinaties bestaan. Dan moet die ziekte worden voorkomen en onmiddellijk behandeld. Voorkomen bestaat ten eerste uit een gezond eetpatroon. Katten zijn van nature dieren met sterke immuunsystemen die tegen een stootje kunnen. De kat goed te eten geven helpt al enorm bij het voorkomen van ziektes. De kat moet elke dag goed bekeken worden. Deze 'check-up' kan voor of na het borstelen gedaan worden, en de twee taken

De Colorpoint korthaar heeft, net als de meeste ander Oosterse rassen, een tengere, lichte lichaamsbouw. Goed zorgen voor de conditie van uw kat houdt ook in dat u een duidelijk beeld heeft van het ideale exemplaar van het ras. Dit is een Seal-lapjes-point Colorpoint korthaar.

kunnen dus in één snelle zitting worden volbracht. Dingen die moeten worden gecontroleerd zijn onder andere bulten en aangroeisels, onder dan wel op de huid (vaak een teken van kanker); zwellingen in een deel van het lichaam (een teken van infectie, oedeem, een fout in de vertering of in de lever); ondoorzichtige, afstandelijke, niet-reagerende ogen (het meest universele teken dat er iets mis is); een lelijke vacht (een slecht eetpatroon of parasieten) en algemene lethargie (een ander universeel teken). Als u een van deze signalen herkent in uw kat, die u, oplettende en verantwoordelijke eigenaar, laten zien dat er iets mis is met uw kat, aarzel dan niet om contact op te nemen met uw dierenarts. Hij zal u zo goed als hij kan het beste advies geven over de specifieke conditie van uw kat, afgaand op uw woorden. Hij zal waarschijnlijk aanraden uw kat mee te brengen voor een betere controle en/of voor onderzoeken. Nogmaals, aarzel niet, want een vroege diagnose en

Een stevige bouw, gezonde vacht, en alert reageren zijn allemaal positieve signalen van een goede gezondheid. Amerikaanse korthaar, zilver grijs tabby.

Zonder motivatie kan uw kat afglijden naar een puur zittend bestaan. Uw kat in beweging krijgen, met een bal, een touwtje of een speeltje, helpt om de kat gelukkig, gezond en sterk te houden.

behandeling zijn het allerbelangrijkste voor herstel. Daarnaast moet u ook niet aarzelen nog een mening te vragen van een andere dierenarts als u om één of andere reden twijfelt aan de eerste – de instincten van de eigenaar zijn vaak wel te vertrouwen.

De tweede groep, de pijnen, zijn onder andere overgeven, diarree, hartproblemen en ademhalingsmoeilijkheden. Vaak zijn deze problemen de symptomen en signalen en niet de eigenlijke ziekte. De eigenaar die zijn kat met chronische diarree naar de dierenarts brengt kan bijvoorbeeld te weten komen dat de kat lijdt aan een virus- of bacterie-infectie aan zijn ingewanden, of het kan ook een tekort aan een bepaalde voedingsstof zijn of een allergische reactie. Ademhalingsmoeilijkheden kunnen wijzen op kanker, longontsteking, efyseem, bronchitis, of een ander probleem. In het kort: hoewel de kat in principe een gezond (of ziekteloos) dier is, zijn er vele ziektes, en pijnen zijn vaak een signaal en niet het probleem zelf. Net als met ziektes is observatie die leidt tot vroege diagnose en dadelijke behandeling de sleutel om de goede gezondheid van uw kat te behouden.

Boven: *De gevouwen oren van de Scottish Fold kunnen de vroege signalen van een oor-infectie verbergen. Regelmatige inspectie van de oren moet daarom in de dagelijkse verzorging worden ingepast.* **Volgende pagina:** *Goed verzorgde Turkse Van laat zijn schone oren, zijn heldere ogen en zijn gezondheid uitstralende neus zien.*

De derde groep, de parasieten, is verreweg de bekendste en meest gehate. Parasieten loeren in het gras, verbergen zich in de vloerbedekking, en springen van vacht op vacht. Vlooien en teken zijn de meest bekende parasieten, en ze kunnen makkelijk door de eigenaar worden ontdekt. Neem tijdens de dagelijkse borstel-routine de tijd het dier te controleren op vlooien en teken. Ze komen meestal voor op de huid zelf. Vlooien, kleine springers, zijn veel bewegelijker dan de dikbuikige langzame teken. Toch komen beiden vaak voor in de plooien van het lichaam, d.w.z. achter de oren, in een vouw in de nek of in de lendenen. Controleer de hele kat goed. Vlooien kunnen het best worden uitgeroeid met een vlooiendodende oplossing, hetzij poeder hetzij spray. Gebruik alleen vlooien- en tekendoders die speciaal voor katten gemaakt zijn, omdat andere serieuze en zelfs dodelijke complicaties kunnen veroorzaken. Als ze zich al hebben ingegraven kunnen teken worden weggehaald met een pincet dat steeds rondgedraaid wordt, zodat de ingegraven kop niet achterblijft en een infectie veroorzaakt. De

toepassing van een verdovende substantie, zoals petroleum, kan ook helpen de teek te dwingen de huid van de kat los te laten, waarna hij makkelijk kan worden weggehaald.

Schurft, veroorzaakt door een infectie met parasitaire mijten, ziet er uit als kale plekken. De huid zal rood en ruw zijn, en de kat krabt zich vaak, of zelfs onophoudelijk. Net als met andere parasitaire infecties is onmiddellijke behandeling noodzakelijk. Ringworm, een schimmel, wordt vaak verward met schurft of andere parasitaire infecties. Tekenen van ringworm zijn onder andere kaalheid en/of beschadigingen, en de infectie behoeft onmiddellijke behandeling door een dierenarts.

Naast externe parasieten zijn er vele interne parasieten. Interne parasieten zijn onder andere de ronde worm, de staartworm en de lintworm, en intestinale protozoa, om er maar een paar te noemen. Vele parasitaire infecties kunnen tegenwoordig goed worden herkend en behandeld door de dierenarts. Een paar van de signalen zijn gewichtsverlies, zwakte, zwelling van de onderbuik, lethargie, moeilijke stoelgang of diarree, en moeilijke ademhaling. Zoals we echter kunnen zien zijn deze signalen nogal gevarieerd, en sommige spreken elkaar zelfs tegen, vandaar het belang van de diagnose van een dierenarts. Door testen en observeren kan het probleem worden ontdekt en hoogstwaarschijnlijk met succes worden behandeld.

Eigenaren van langharige katten ontdekken soms dat hun goede verzorging niet volstaat om het dier te beschermen tegen parasieten en andere ongewenste zaken. Professionele verzorgings-zaken kunnen een goede hulp zijn in deze gevallen.

De standaard van perfectie voor de Scottish Fold vereist een kat van uitzonderlijke sterkte en uithoudingsvermogen – karakteristieken die typisch zijn voor de stoere Schotse voorouders van het ras.

Spugen en grauwen, van belang voor het overleven
van de soort: een felle Bengaal gromt zonder
schaamte een verklaring uit over zijn kat-zijn: 'vivat'
— leve de altijd overlevende kat!

Paringsrituelen en fokken

Boven: *Tam tot op zekere hoogte: een Bengaal die zijn klauwen laat zien.* **Onder:** *Leeuwin met een jong uit haar nest.*

Betonnen muren, de afscheidingen van voorstedenbewoners en hun honden en kinderen, worden beklauwd en beklommen door vieze, pittige zwerfkatten. Opgewonden door de aromatische sublimiteit van het eind van het voorjaar schreeuwt en krijst dit onnavolgbare dier, hij huilt en gromt, hij bromt en ronkt, snort, loeit, gilt, schreeuwt. De buren onderbreken hem, en ramen slaan dicht. Getsjirp en gesjirp, gekoer en gekir. Weer een schreeuw. Geklets dat niet katachtig klinkt, gedoe door de lente geïnspireerd – wat een drukte. Het zijn allemaal onkatachtige, beangstigende uitingen van een gestoorde 'bende'. Eindigend in een verrukt gehuil van een golvende bontmassa.

De bijna pornografische show van stadskatten die ongekastreerd met benijdbare mannelijkheid reageren op de onbescheiden behoeftes van het vrouwtje is een kakafonie, maar toch elegant in harmonie met de aard van zowel wilde als tamme katten. Dit ongeorkestreerde, niet te ontcijferen gemauw en gekreun daagt onze ordelijke, redelijk geciviliseerde menselijke gemeenschap uit. In katten-termen is knokken om de poot van het vrouwtje en haar acceptatie hetzelfde als overleven. De natuur heeft dit koninklijke gevecht der katten goed ontworpen, en de verbetering en voortplanting van de soort is ervan afhankelijk.

Het drama van het instituut 'paren' is nergens meer uitgesproken dan bij wilde katten; deze hogelijk geritualiseerde episode, met zijn details die tot denken aanzetten, doet ons denken aan onmiskenbare beelden van het gedrag van onze tamme katten, instincten die tijdens eeuwen van tam maken bewaard zijn gebleven.

In het wild of op het platteland zal het volwassen vrouwtje, zonder te blozen of er spijt van te krijgen, van nature een aantal mannetjes

In het fok-programma van de tamme katten regelt de eigenaar, en in zekere mate dicteert hij, de resulterende nakomelingen. Fokken op kleur zorgt, zeker bij Perzen, nog wel eens voor verrassingen.

*Een majestu-
euze tijger
overziet zijn
territorium: bij
de eerste
aanwijzing van
een concurrent
op geclaimd
jaag- en paarter-
rein, besluit de
tijger hem van
het domme van
zijn plannen te
overtuigen.*

aantrekken om om haar hand en gezelschap te strijden. Het vrouwtje zal meestal niet het aanbod van een mannetje aannemen tot hij zijn waarde heeft bewezen. Het eerste mannetje dat aankomt zal in het territorium van het vrouwtje blijven rondhangen, waar hij geduldig wacht op een uitdager en waarbij hij zijn sterkte en kracht – waarvan hij goed doordrongen is – laat zien. Als er een uitdager arriveert wordt de borst uitgezet, de vacht opgezet, en begint het gevecht. De strijd is zwaar en aangrijpend, maar briljant en overtuigend. Er vallen niet vaak doden bij, maar zwaar letsel is een risico dat men moet nemen. Het gevecht eindigt meestal doordat een mannetje zich terugtrekt, geschramd en stoffig, en meer psychisch dan fysiek bezeerd. De overwonnene geeft zijn algemeen aanbod echter niet op en zal ofwel zich terugtrekken naar een nabij uitzichtspunt, daar wachtend op een mogelijke kans, ofwel op zoek gaan naar een plek waar de andere katten minder indrukwekkend zijn of het geluk meer aan zijn kant ligt. Toch bepaalt het rollen van de dobbelsteen meestal niet de uitkomst van de strijd. Het gevecht waar de kat in betrokken raakt is een zeer belangrijk onderdeel van het selectie-proces dat is ontworpen om alleen de beste kwaliteit nakomelingen voort te brengen. Het is niet altijd de grootste overwinnaar die met het vrouwtje paart; zij kan de show van een kat zo op prijs stellen dat ze hem zal aanmoedigen met haar te paren. Zo'n beslissing brengt echter een enorm risico op wraak van de boze overwinnaar met zich mee. Het gewone scenario is een dominant mannetje dat, uitgeput door voortdu-rende overwinningen, uiteindelijk bezwijkt voor een felle frisse nieuwko-mer en toch wordt beloond met de gunsten van het vrouwtje.

De overwinnaar van de eerste strijd moet nog wel de tweede uitdager onder ogen zien. De strijd gaat dan onverminderd voort, waarbij elke keer de overwinnaar blijft en het vrouwtje onverschillig toekijkt. Als zij voelt dat het tijd is, kan ze elegant op haar poten gaan staan en langzaam het strijdperk verlaten. Als het mannetje niet volgt, zal ze langzamer gaan lopen en vervolgens stoppen. Het mannetje volgt bijna altijd binnen korte tijd behalve als hij zwaar gewond is. Al lopend wrijft het vrouwtje haar kop en lichaam tegen objecten in de omgeving. Terwijl de kater volgt wrijft ook hij zijn lichaam tegen diezelfde objecten, terwijl hij haar vleiend toespreekt.

De strijd is nog niet voorbij; die krijgt slechts een nieuwe vorm. De vermoeide maar vastbesloten kater moet zich nu tête a tête tot het twijfelende vrouwtje richten. Als hij haar te snel nadert, te plotseling, verdedigt zij zich tegen die overschrijding met gesis en uithalen, haar nagels uitgespreid. Het mannetje antwoordt nederig met onverminderd respect, zonder enige verwachtingen. Hij uit zijn wensen geduldig en herhaaldelijk. Overtuigd van zijn goede bedoelingen laat zij zijn toenade-ring toe; met neuzen en poten wordt de kennismaking vastgesteld. Zij suggereert dat zij er klaar voor is maar zal meestal nog een paar keer weigeren, waarbij ze de veroverende kater zich elke keer nederig laat voelen. Ze zal er na enige tijd in berusten. Ze rolt om, waarbij ze begint en eindigt op haar buik, daar blijft liggen, en haar achterste de lucht in duwt. Hij klimt bovenop haar, neemt haar nek te pakken met zijn tanden, hij grijpt haar schouders met zijn voorpoten en haar achterpo-ten met zijn eigen achterpoten, en trappelt wellicht met zijn achterpoten terwijl zij op de grond trappelt met de hare. De coïtus vindt plaats in zeer korte sessies, allen eindigend met een verbazingwekkende schreeuw van het vrouwtje, waarna zij het mannetje met een haal wegduwt, een klein stukje wegloopt, en zich over haar hele lichaam wast.De coïtus wordt enige keren herhaald. Al snel accepteert het vrouwtje de kater weer. Alles herhaalt zich. Weer moedigt ze hem aan haar te bestijgen. De

Blauwe mannetjes Abessijn met zijn jongen: rossige Abessijn jongen. Het erven van de kleur, de manier waarop kleuren worden doorgegeven van ouders op nakomelingen, blijft een aanzienlijk obstakel in de wetenschappelijke wereld.

coïtus kan op deze manier twee tot vier dagen doorgaan, zelfs bij tamme kattten. De coïtus kan wel tien keer per uur herhaald worden gedurende de eerste uren. Het is niet ongewoon dat het eerste mannetje uitgeput raakt en zich terugtrekt, waarna een tweede mannetje door het vrouwtje wordt geaccepteerd. Het vrouwtje is vaak wat tegemoetkomender nu, in haar staat van hoge opwinding, en het tweede mannetje hoeft vaak minder de strijd aan te binden dan het eerste mannetje. (Vrouwtjes-katten kunnen een worp dragen die is verwekt door meer dan een mannetje, zonder problemen voor haar of haar nakomelingen.) Al snel wordt de acceptatie door het vrouwtje nu minder en zij weigert verdere toenaderingspogingen. Ze begint huiswaarts te keren. Haar oestrus blijft nog enige uren, maar zij weigert zeer beslist nog andere kampioenen. Ze gaat terug naar huis.

Zo onthult de vrijage in het wild veel over de aard van de kat en de aard waarmee tamme katten noodzakelijkerwijs zelfs het meest laboratorium-achtige fokprogramma moeten benaderen. De beschreven rituelen zijn over het algemeen hetzelfde voor alle katachtigen. De mooiste Perzen, Siamezen of kortharigen zouden, als het aan hen lag, ongetwijfeld toenadering zoeken, paren en zich voortplanten op een manier die erg lijkt op de manier die hier beschreven is. Daarnaast zouden alle lastige regelingen, reizen en contacten, al het geld en alle contracten geheel geëlimineerd worden. Helaas zouden in een paar generaties al onze tamme katten terugkeren tot een staat waarin ze er allen hetzelfde uit zouden zien en ze zouden weigeren mee te doen aan tentoonstellingen.

De voortzetting en verbetering van de rassen van tamme katten zouden absoluut niet afhankelijk kunnen zijn van onze katten die zouden

Afhankelijk van het register mag de Burmees sabelbruin of bruin, champagne, platina, of blauw van kleur zijn. De rassen worden door de mens gecreëerd en onderhouden: De betekenisvolle, hoewel schijnbaar willekeurige, bepaling van de kleuren van de Burmees is een goede illustratie van dit feit.

Selectief fokken houdt in dat alle genetische karakteristieken en hun invloed op elkaar bekeken moeten worden. Hier twee witte langharige Perzen met koperkleurige ogen.

kiezen wie ze wilden, door te vechten en te zoeken zonder een beetje hulp van de mens. Rassen worden per definitie onderhouden en behouden door de mens, niet door de kat (hoewel die wel helpt). Geen enkel serieus fokprogramma zou kunnen worden overgelaten aan een kieskeurig vrouwtje dat een hele rij katers afwijst uit het hele district, de hele provincie, of het hele land. Toch laat de poes wel haar twijfel zien in onze georganiseerde orgie. Evenzo zou het nauwelijks acceptabel zijn voor de eigenaars van kampioenen producerende raskatten om ze te laten vechten voor een goed vrouwtje. Afgezien van het schandelijke scenario dat wij bedachten moet de selectie van de juiste partner worden gebaseerd op de zorgvuldige bestudering van de fokker/eigenaar van de beschikbare exemplaren. Natuurlijk wordt niet elke volwassen poes die er klaar voor is gedekt, zoals dat in het wild misschien wel gebeurt. Omdat het natuurlijke selectie-proces niet wordt gevolgd, rust de verantwoordelijkheid voor de vooruitgang en het overleven van het tamme ras bij de competentie van de fokker. Het fokken van rassen moet niet licht worden opgevat.

DE KROLSE POES

Katten zijn geleide ovulatoren, wat betekent dat de poes slechts eitjes vrijlaat om te worden bevrucht als zij wordt aangemoedigd dat te doen, langs natuurlijke weg of via andere middelen. Die natuurlijke weg is natuurlijk de lichamelijke: de stimulatie van de penis van de kater roept de reactie op een eitje vrij te laten. De andere stimulans tot ovulatie wordt beschouwd als psychologisch, want de follikel kan rijp worden hoewel de eitjes niet worden vrijgelaten tot de coïtus, zonder lichamelijke stimulatie. Honden zijn daarentegen spontane ovulatoren. Dit belangrijke verschil betekent dat de teef die loops is uiterlijke fysieke tekenen heeft, terwijl de poes alleen met haar veranderde gedrag laat zien dat ze krols is. Daarnaast hebben honden meestal een tweeledige

Het Perzische ras, een van de beste en meest selectief gefokte van alle tamme rassen, gehoorzaamt nog steeds aan de impulsen ingegeven door de oestrus-cyclus, zoals ze door alle poezen ervaren worden.

Het Maine Coon ras was vele jaren aan natuurlijke selectie onderworpen in de bossen van het noord-oosten van de Verenigde Staten. Deze Maine Coon is van een zilver klassiek tabby-patroon met wit.

oestrus periode, en daarom kan de loopsheid van de teef vaak met redelijke nauwkeurigheid voorspeld worden; katten daarentegen kunnen in hun beste jaren wel vier oestrus-cyclussen per jaar hebben (hoewel twee of drie cyclussen het gemiddelde is). Dit houdt eigenlijk in dat het manipuleren en beheersen van de paring bij katten zowel minder goed als beter mogelijk is dan bij andere huisdieren; de poes kan worden geleid tot het paren en tot ovulatie, als de juiste lichamelijke en geestelijke stimulatie aanwezig is, gedurende bijna haar hele volwassen leven; maar ze kan ook paren met en zwanger raken van bijna elk mannetje dat zij tijdens een van haar cyclussen tegenkomt, zonder te letten op de wens of bedoeling van de eigenaar. Het vrouwtje zal meestal haar eerste oestrus-cyclus hebben tussen haar vijfde en negende maand, maar dit verschilt aanzienlijk van ras tot ras en van individu tot individu. Er is een vrouwtje bekend dat krols werd toen ze drie maanden oud was en een ander vrouwtje dat pas toen ze dertien maanden was krols werd. Gedeeltelijk wordt de eerste krolsheid beheerst door de geboortedatum van de kat. De poes krijgt meestal drie krolsheid-cyclussen per jaar, een keer in de lente, een keer in de zomer en een keer in het najaar. Daarom is het waarschijnlijk dat een katje dat aan het eind van de herfst geboren wordt vroeger ovuleert dan een ander dat midden in de zomer wordt geboren, waarbij beiden ergens in de lente ovuleren.

Het principe van de drie cyclussen per jaar, net als de leeftijd van volwassen worden, heeft wel zo zijn variabelen. Katten in koudere

Deze rookkleurige lapjes Pers met zijn mooie vacht zal net als alle andere katten de klimatologische verschillen ervaren die de oestrus-cyclus beïnvloeden.

klimaten kunnen soms maar een cyclus per jaar hebben; katten in de mildere klimaten twee of drie; en katten in de warme gebieden drie of vier. We kunnen wel veilig stellen dat een meerderheid van de tamme katten drie oestrus-cyclussen heeft, wat één cyclus verschilt van het aantal oestrus-cyclussen bij wilde katten. Dit verschil heeft naar men meent een directe relatie met het proces van tam maken. Daarnaast kan de oestrus-cyclus van de tamme poes worden beïnvloed door het toevoegen van kunstmatig licht in een bepaalde periode, zodat die gelijk wordt aan die van hun natuurlijke seizoen (12 tot 14 uur). Op deze manier kunnen 'winter'-worpen worden gecreëerd. Over het algemeen zouden vrouwtjes niet moeten paren tot ze ten minste een jaar oud zijn. De krolsheid duurt meestal tussen de drie en zes dagen, en komt terug met intervallen van ongeveer 14 dagen tot de conceptie heeft plaatsgevonden of het 'winter'-seizoen eindigt. Tijdens de krolsheid van verscheidene dagen groeien de hormoonspiegels geleidelijk, en met de groei daarvan verandert het gedrag aanzienlijk. Tekenen van krolsheid zijn onder andere de hoorbare lokroep, die de katers duidelijk te kennen geeft dat zij klaar is om te paren; algehele rusteloosheid, en een verhoogde wil om buiten te zijn. Andere algemene maar niet volkomen betrouwbare tekenen zijn een verhoogde affectie tegenover de eigenaar en een combinatie van zwaaien met de staart, omhoogsteken van het achterste en op de grond trappelen met de achterpoten. Het is niet ongewoon dat de poes steeds meer tijd doorbrengt met haar voorste deel beneden en haar achterste omhoog, waarbij ze vaak haar kin tegen de grond duwt en snort, en plotseling stopt, van haar buik weer op haar buik rolt, en zichzelf begint te wassen. Als er niet zorgvuldig op haar wordt gelet zal de poes waarschijnlijk enige dagen verdwijnen en pas terugkomen als ze gepaard heeft.

Acht maanden oude zwarte vrouwtjes-Pers. Het komen van de eerste krolsheid hangt in zekere mate af van het seizoen waarin de kat is geboren en ook van het klimaat van de plek waar de kat woont.

De Exotische korthaar was het resultaat toen fokkers van de Amerikaanse korthaar deze laatste kruisten met de 'vroegrijpe' Perzen om het type van de korthaar te verbeteren.

De Exotische korthaar komt in een heel spectrum aan kleuren voor; de meeste kleuren die worden geaccepteerd voor de Pers en de Amerikaanse korthaar zijn ook acceptabel voor de Exotische korthaar.

Het vrouwtje wordt krols en draagt daar de signalen van tot enige dagen voor ze feitelijk klaar is om bestegen te worden. Dit feit kan worden teruggevoerd worden op de wilde katten, waarbij mannetjes noodzakelijkerwijs enige dagen vantevoren een aankondiging moeten krijgen om tot in het territorium door te dringen (vaak ver van hun eigen territorium) en hun trucs en tact moeten gebruiken ter meerdere glorie van de poes. Ervaren eigenaars spreken wijze woorden tegen jonge liefhebbers van katten: het meemaken van een krolse poes is een ervaring die men nooit vergeet.

Vooral 'gewone katten' (katten van onbepaald ras) kunnen een gedrags-metamorfose ondergaan, waarbij ze zich aan schermen vastgrijpen en aan de gordijnen gaan hangen – die snel aan flarden gaan – en aan de zwaaiende broekspijpen van angstige familieleden. Haast u niet naar de deur, en wees niet te streng, want correctie is maar zelden effectief. Begrijp liever dat de hormonale veranderingen die bij de poes plaatsvinden natuurlijk zijn en hun oorsprong vinden bij de intense wens, die door alle soorten wordt gedeeld, om zich voort te planten.

Als het paren gewenst is, is dit zeker de tijd om de poes bij haar paringspartner te brengen – of haar partner bij haar. Als paren nu en in de toekomst niet de wens is moet steriliseren serieus overwogen worden. Als paren gewenst is, maar nog een tijdje niet, kan de eigenaar weinig anders doen dan grijnzen – al is het als een boer met kiespijn.

DE SCHREEUWENDE POES

De schreeuw of het gejank of gehuil dat door het vrouwtje na het paren wordt uitgestoten, of ze nu tam of wild is, heeft de mens al zeer lang geïntrigeerd. In al zijn eenvoud gelooft men dat het wordt veroorzaakt door de 'ruggegraat' van de penis, die bestaat uit kleine botachtige structuren die omgekeerd uitsteken (op zo'n manier dat zij tegen de loop van de penis ingaan als die wordt teruggetrokken). Men gelooft dat deze

Ondanks de Rex en vele andere mutaties die hebben bijgedragen tot de variëteit aan kattenrassen van vandaag de dag, voldoen katten nog steeds aan de basisprincipes van de kat, zoals geleide ovulatie. **Volgende pagina:** *De Himalaya is het resultaat van verschillende Siamese, Birmaanse en Perzische kruisingen uit het begin van de twintigste eeuw. Dit is een blue-point Himalaya.*

'ruggegraat' een evolutionaire aanpassing is die de katten beter in staat stelt hun op geleide ovulatie gebaseerde ontvangst te hebben. De 'ruggegraat' komt niet veel voor bij zoogdieren, alleen bij geleide ovulatoren (hoewel niet bij alle geleide ovulatoren), waardoor de theorie zoals zojuist beschreven wordt ondersteund. Of het nu de oorzaak of reden is van de vrijlating van een eitje, het is zeer geloofwaardig dat het de reden is voor de schreeuw.

Diegenen onder ons die moe zijn van de steriele wetenschap die onze concepties afzwakken kunnen vertrouwen op iets dat in de zeventiende eeuw werd gezegd door Edward Topsell: dat het vrouwtje schreeuwt 'omdat zijn zaad zo enorm heet is dat het haast de plaats van conceptie van het vrouwtje verbrandt.'

Geleide ovulatie is een evolutionair voordeel voor solitaire dieren. (Met uitzondering van de leeuw zijn katachtigen in principe solitair levende dieren.) Veel terreinen die in het gebied liggen waar de katachtigen voorkomen zijn vrij vijandig voor het bestaan van de kat, door gebrek aan voedsel of door intensieve jacht, of andere omstandigheden. Daarom verspreiden katten in het wild die hun solitaire leven leiden, zich vaak over aanzienlijke afstanden. De gemiddelde levensduur van het eitje van de kat is, nadat het is vrijgekomen, ongeveer 24 uur. Het aan het toeval overlaten dat de copulatie zal plaatsvinden precies op die dag is zeer riskant voor het overleven van de soort. Sperma heeft evenwel na het vrijkomen een levensvatbaarheid van ongeveer 72 uur. Daarom hebben eitjes die niet zijn vrijgekomen voor de coïtus het voordeel dat de kans groter is dat bevruchting plaats heeft. De coïtus stimuleert het vrijkomen van de eendaagse eieren, die meestal met drie tot vijf tegelijk komen.

Ondanks talrijke paringen is het mogelijk dat de tamme kat niet zwanger raakt. In zulke gevallen gaat ofwel de oestrus door, waarbij het vrouwtje weer ontvankelijk is voor katers, ofwel zal ze stoppen maar snel terugkeren, waarbij ze de kater aanspoort tot ontvankelijkheid. Mislukte conceptie kan worden veroorzaakt door fysieke of mentale omstandigheden. De poes kan wel de juiste fysieke stimulans hebben gekregen maar niet de vereiste geestelijke stimulans om de follikels te laten rijpen, die op hun beurt de eitjes vrijlaten. Men denkt dat vooral bij tamme katten bekendheid affectie veroorzaakt (of in elk geval worpen), omdat tweede paringen vaker succesvol waren – waarschijnlijk omdat het vrouwtje geestelijk meer gestimuleerd wordt door haar bekendheid (vertrouwen?) met de kater. Als ook een tweede paring mislukt, kan er een bepaalde complicatie zijn in het reproduktie-systeem die de produktie van eieren tegengaat, of het vrijkomen ervan, of hun reis langs de eileiders, etc.

Ann Baker, degene die het ras Ragdoll is begonnen, gelooft dat de Ragdoll niet fokt als andere tamme katten, hetgeen de reden is dat ze voor het ras een handelsmerk heeft aangevraagd.

Turkse Vans zijn niet moeilijk om mee te fokken, en hebben een gemiddelde worp van vier. Maar toch zijn de mannetjes, zoals dat gaat bij de katers, het hele jaar door klaar om te paren.

DE KATER IN VOLLE GLORIE

In de zeventiende eeuw sprak de bekende kattenliefhebber Edward Topsell: 'Tijdens hun krolsheid zijn ze wild en agressief, vooral de mannetjes, die... niet te houden zijn: rond die periode hebben ze een vreemde klagelijke stem.'

De heer Topsell geeft goed het gedrag van een volwassen kater weer die een roepende poes gewaar wordt. Katers doen dan verwoede pogingen zich uit hun huis te bevrijden, en als ze succesvol zijn zullen ze bijna zonder uitzondering meedoen aan de gevechten om de poes.

Katers zijn het hele jaar door klaar om te paren, wat niet iets ongewoons is bij zoogdieren. Het is het vrouwtje dat aangeeft wanneer en waar de copulatie plaatsvindt, en dat is ook een kenmerkend gegeven bij zoogdieren. Een essentieel verschil tussen katten en veel

Kennis en planning zijn verplicht in alle fok-programma's, vooral bij rassen met mutaties die samengaan met ongewenste eigenschappen.

andere zoogdieren is, dat de katers niet beginnen met een vrijage voordat het vrouwtje sexuele wil toont. De rest van de tijd leeft de kater zijn leven van katachtige delicaatheid. Als katers zich in territoriale disputen storten met andere katten, zijn deze gevechten zeer ritueel bepaald en kunnen die zich niet eens meten met de intensiteit van de strijd die wordt ondernomen voor het recht te mogen paren.

Net als het volwassen worden van de poes varieert de leeftijd van sexuele volwassenheid van de kater van ras tot ras en van individu tot individu. De puberteit begint bij het tamme vrouwtje meestal tussen haar vierde en vijfde maand, en ze is meestal lichamelijk in staat moeder te zijn van een worp vanaf haar negende maand (hoewel 12 tot 24 maanden een veel veiliger leeftijd is voor de poes). De kater begint zijn puberteit ongeveer rond dezelfde leeftijd (vier tot vijf maanden), maar het bereiken van de volwassenheid is een aanzienlijk langzamer proces. Terwijl tamme katers al in staat kunnen zijn een poes te bevruchten vanaf hun zesde maand, en katers jonger dan zes maanden al interesse in sex kunnen demonstreren, zijn deze katers meestal niet sexueel klaar voor het vaderschap voor ze 12 tot 18 maanden zijn, waarbij het gemiddelde ligt op 15 maanden. Een opmerking aan potentiële fokkers: zowel bij poezen als katers is het duidelijk zichtbaar als ze beginners zijn; maar tegen het tweede seizoen laten ze de scherpte van hun instincten zien.

Het eind van de puberteit valt meestal samen met de minder snelle groei van de kat. Ze zullen wel nog in omvang toenemen, maar de meeste katten hebben hun maximale hoogte en lengte bereikt als in hun klieren de vergrote prikkeling van sex-hormonen begint.

Vroege sexuele spelletjes moeten niet beschouwd worden als abnormaal, zelfs als dit gedrag de vorm aanneemt van het beklimmen van mensen of van voorwerpen. In bijna alle gevallen moet dit gedrag worden beschouwd als de natuur die de kater voorbereidt op zijn toekomstige rol als minnaar. Pas als dit gedrag nog ver in de volwassenheid doorzet en vaak plaatsvindt, moet dat beschouwd worden als iets

De staartloosheid van de Manx is, net als het gevouwen oor van de Scottish Fold en de dekhaar-loze vacht van de Cornish Rex, het resultaat van een spontane mutatie, een verandering die uit zichzelf gebeurde, zonder menselijke tussenkomst.

Een paar cheetahs die een grassig terrein in de gaten houden. Cheetahs vormen vaak losse sociale groepen, en jagen vaak in paren. Dit is wat anders dan de groepvorming van de leeuw en ook anders dan het solitaire bestaan van de meeste andere katten.

twijfelachtigs. De volwassen kater markeert zijn territorium door te sprietsen als hij voelt dat een krolse poes nabij is en hij probeert onvermoeibaar te ontsnappen aan de beperkingen van het huis om de lokkende poes te ontmoeten. Zijn territorium besprietsen en bepaalde pogingen om met het vrouwtje te paren zijn normaal; het zijn geen tekens van sexuele afwijkingen.

Katers hebben gewoonlijk twee soorten territorium: één dat zij geheel alleen willen beheersen en dat zij tegen elke prijs zullen verdedigen; en een tweede dat wordt beschouwd als onbestreden grond om op rond te zwerven, en dat zij delen met veel katten uit de buurt. Het gehele gecombineerde territorium kan vijf are omspannen, maar een aanzienlijk kleiner territorium komt meer voor. Het vrouwtje heeft meestal een klein territorium, en vaak paart zij het liefst binnen de grenzen van haar territorium. Het territorium wordt gemarkeerd door het wrijven van de kat aan dingen eromheen. Katten hebben veel geurklieren aan beide kanten van de kop. Als zij over objecten heengaan met deze anatomische delen zijn ze bijna altijd expres of instinctief hun territorium aan het markeren.

De mannetjes gaan in gevecht in een territorium dat niet het hunne is en het feit dat het vrouwtje het mannetje niet wil wegjagen als hij haar territorium binnenkomt is een eigenaardigheid van de sexuele staat van het kattendom. Katers leren te vechten als ze volwassen worden. Bijna altijd heeft de kater zijn territorium vastgesteld voor hij de leeftijd heeft om te paren. Om dit territorium te krijgen moest hij waarschijnlijk met een andere kat vechten of protesteren bij een hatelijke buurman. Wat door de katers wordt geleerd bij deze rituele gevechten die met andere mannetjes worden ondernomen nemen ze mee naar de velden waar de strijd voor het paringsrecht plaatsvindt. Daar passen ze alle vecht-technieken en trucs toe met gloedvolle intensiteit. Waar territoriale gevechten laat op de avond (die vaak met opzet worden begonnen door de kat) maar zelden eindigen in verwondingen, kunnen de gevechten om het recht om te paren, waartoe de kat instinctief geleid wordt, gemakkelijk resulteren in gewonden.

Tamme kat op jacht. Het territorium van de kat bestaat meestal uit twee verschillende gebieden: een die absoluut is, trots beschermd wordt en de echte jacht-grond vormt; en nog een, die wat ontspannener beschermd wordt, waarin andere katten al dan niet worden getolereerd als ze naderen.

Als de mannetjes succes hebben bij het winnen van de gunst van de poes, via een duel of via fok-selecties, schijnen ze allen hun eigen stijl te hebben, met een karakteristieke manier om op de poes te klimmen, karakteristieke periode van pauzeren, en karakteristieke reactie op de ejaculatie en het post-coïtale gedrag van het vrouwtje. Daarnaast kan elk vrouwtje onderscheid maken tussen de mannetjes, en zowel het mannetje als het vrouwtje passen hun sexuele stijl aan in overeenstemming met hun partner.

SOCIALE STRUCTUREN EN SEX

De hiërarchie is bij katten niet zo duidelijk als bij veel andere dieren. Hoewel ze hun eigen territorium hebben, hebben katten de neiging minder voor hun territorium te vechten dan over het algemeen kan worden verwacht. Daarnaast gelooft men dat dominantie meer toevallig is en meer onderworpen aan verandering dan traditioneel wordt aangenomen. Onderzoeken wijzen uit dat dominantie niet per se overeenkomt met fysieke grootte, geslacht, of intelligentie. Onderzoeken geven

Vrouwtjes-katten hebben een instinctief moedergevoel. Deze dominante poes transporteert haar afgedwaalde jong terug naar het nest.

*Leeuwen vormen, meer dan enige ander kat, wel bepaalde groepen,
waarin de rollen en hiërarchie van de sociale status duidelijk bepaald zijn.
De warmte en geur van de moeder zorgen voor het veilige gevoel van deze
jongen.*

ook aan dat een echt dominante kat in een gegeven territorium vervangen kan worden door een andere kat die eens zijn ondergeschikte was
en die geen waarneembare tekens van verhoogde fysieke of intellectuele
aanleg laat zien. Daarnaast is de vastgestelde hiërarchie minder vast
gestructureerd dan men zou kunnen denken. In veel gevallen is er één
dominante kat, maar alle anderen hebben kennelijk een gelijke rang in
de kolonie. De dominante kat wordt klaarblijkelijk minder vaak uitge-
daagd om te vechten dan ondergeschikten door andere ondergeschikten. Heel vaak laat de dominante kat anderen meedelen in zijn deel
zonder dat er protest komt of hij houdt het voor zichzelf. Daarnaast
worden ondergeschikten meestal niet gedwongen tot absolute onder-
werping. Ondergeschikten in dezelfde buurt leven met een grote mate
van individuele vrijheid. Deze ontdekkingen van dieren-gedrags-
wetenschappers onthullen dat een kat niet de typische hiërarchische
structuur zal (en misschien niet kan) ontwikkelen die de meeste sociale
dieren instinctief hebben. En dit concept laat licht schijnen – als het waar
is – op het dagelijkse leven van de kater en op de grote metamorfose die
hij ondergaat bij de lokkende roep van een poes die klaar is om te paren.

Om de koninklijke lijn te behouden moeten fokkers zorgen voor de juiste paring van de gezondste en beste katten. Deze Pers doet het ook niet voor minder.

DE KATER EN DE POES

Aangenomen dat het ras dat u wilt fokken is bepaald, is uw belangrijkste zorg alleen te fokken met de best mogelijke exemplaren. Voor de beginnende fokker die niet al een uitstekende kampioen kater bezit, is de beste manier om te beginnen met fokken, een volwassen poes van de hoogste kwaliteit te kopen met de beste, meest foutloze stamboom.

De reden om een volwassen vrouwtje te kiezen boven een niet volwassen dier is dat er bij het volwassen vrouwtje geen kans is dat er ongewenste zichtbare karakteristieken verschijnen. Een gewenste stamboom kan absolute kampioenen-katers omvatten en een vrouwtje dat niet meer dan twee zwaktes heeft. Hoewel geen enkele fok-poes in veel punten te kort mag schieten is het hoogstwaarschijnlijk dat ze niet helemaal perfect is op alle punten.

De kater moet een uitstekende all-round representant van het ras zijn, maar moet vooral geen gebreken hebben op dezelfde puntenals de poes, en omgekeerd. De kater moet zijn kwaliteit hebben bewezen met het bereiken van de kampioensstatus in een grote fokkersorganisatie.

Het liefst moet hij ook kampioenen hebben voortgebracht. De aankoop van zo'n mannetje zal zeker in de papieren lopen, en het opvoeden van zo'n mannetje veel tijd kosten. Dat is de reden dat de beginnende fokker wordt aangeraden met een vrouwtje te beginnen. Het is minder kostbaar en meer betrouwbaar om te beginnen met een goed vrouwtje en te betalen voor de diensten van een uitstekende kater, geld dat bekend staat als dekgeld. Dekgeld wordt betaald aan de eigenaar voor het gebruik van de kater om een poes te bevruchten. De kosten kunnen variëren naar gelang de kwaliteit van de kater, zijn bewezen resultaat, de relatieve zeldzaamheid van het ras, en talrijke andere factoren. Het is niet ongewoon dat het dekgeld ook inhoudt dat de eigenaar van de kater mag kiezen uit de worp, maar over de volgorde van de keuze valt natuurlijk te onderhandelen. Als u de diensten van een kater zoekt, kunt u informatie verkrijgen bij lokale of nationale fok-clubs en bij lokale, nationale of internationale vakbladen. Dominante genen zijn onbetwistbaar van belang; het is echter geen garantie voor kwaliteit-jongen. Het is zeker niet voldoende om te beginnen met een kwaliteitslijn fokexemplaren, of die voort te zetten.

Het dekgeld dat u betaalt of ontvangt voor de diensten van een kater varieert naar gelang de kwaliteit en bewezen aanleg van de kater, de verkrijgbaarheid van goede katers, en veel andere factoren. Colorpoint korthaar.

De blauwe gen in de vacht van katten is recessief, dus het is noodzakelijk dat een kat homozygeen voor blauw is om deze blauwe kleur te verkrijgen: twee blauwe katten zorgen altijd voor blauwe jongen, maar de exacte tint blauw kan variëren. Engelse blauwe korthaar.

Een kruising die bekend is om de rondheid van de kop; de Exotische korthaar is het onopzettelijke resultaat van een kruising van een Pers met de Amerikaanse korthaar.

Dominante genen hebben te maken met de mogelijkheid van de kater om de tekorten van de poes te overwinnen. Dat de kater zijn superioriteit als soort bewijst door nakomelingen voort te brengen die gelijk of beter zijn dan hemzelf is alleen grotendeels waar bij de nakomelingen van de eerste generatie. Daarom is het een riskante zaak om voor het fokken van een kolonie of het fokken van goede exemplaren alleen te vertrouwen op een superieure kater (en daarbij dus te kiezen voor een poes van mindere kwaliteit), en dit is dan ook niemand aan te raden. Fok alleen met de best mogelijke kater en de best mogelijke poes en uw fok-programma heeft een grotere kans die jongen voort te brengen die u met trots de uwe kunt noemen.

De term 'superieur' heeft, als hij wordt gebruikt om de geschiktheid voor fok-doeleinden van de poes en/of de kater te beschrijven, niet per se (en zeker niet alleen) te maken met de fysieke karakteristieken van de poes of de kater. Het bekijken van de voorouders van de kat, waarbij men minstens vier generaties moet teruggaan, is essentieel voor het uiteindelijke succes van alle verantwoorde fok-programma's. Genen worden in paren overgedragen, waarbij elke ouder één bijdraagt. Genen kunnen dominant of recessief zijn. Een dominante gen zal de karakteristieken die de recessieve gen heeft maskeren. Een kat, vrouwtje of mannetje, kan dus genen meedragen met fouten of ongewenste karakteristieken van het ras waarbij geen uiterlijke tekenen zichtbaar zijn van die fout. Het controleren van de voorouders van beide katten stelt de fokker in staat zich te beschermen tegen ongewenste eigenschappen die verschijnen in toekomstige generaties nakomelingen. Verantwoordelijke fokkers zijn het er over eens dat de gemiddelde kwaliteits-ouder met een familiegeschiedenis die beter is dan het gemiddelde een betere keus is voor de fokker dan de meer dan gemiddelde ouder met slechts een gemiddelde tot minder dan gemiddelde afkomst. Genetica en verantwoord fokken zijn niet te scheiden concepten. Het is goed voor de lezer, of hij nou een potentiële eigenaar is of een fokker, om teksten te lezen die zich bezig houden met en specialiseren in genetica en fokken.

De Oosterse korthaar is, net als veel andere rassen tegenwoordig, het resultaat van mutaties die bij een ander ras voorkwamen; dat andere ras was bij de Oosterse korthaar de Siamees.

Oneven ogen bij een witte Exotische korthaar. De Exotische korthaar is een kruising, wat betekent dat hij het resultaat is van een methode van fokken die kruisteelt heet, de praktijk om twee katten van verschillende rassen met elkaar te laten paren.

SYSTEMEN

Om succes op de lange termijn te bereiken, is een goed fok-programma niet alleen afhankelijk van de selectie van de best mogelijke poes en kater maar ook van de overweging van de verschillende methodes van fokken. Verscheidene definities zijn op zijn plaats.

Inteelt refereert aan de praktijk om één van de ouders te laten paren met hun nakomelingen van de eerste generatie of met broers of zussen. Deze methode van fokken kan het beste worden overgelaten aan ervaren professionals. Hij wordt gebruikt om de specifieke gewenste karakteristieken voort te zetten in geconcentreerde vorm – bijvoorbeeld een bepaalde staartvorming, of vouw van het oor. Inteelt opent veel deuren naar potentiële complicaties, hoewel het wel voornoemd doel dient. Net zoals gewenste kenmerken worden geïntensiveerd, worden negatieve of ongewenste kenmerken dat ook. Inteelt moet nooit vaker worden gedaan dan om de andere (alternerende) paring.

Lijnteelt refereert aan de praktijk van het fokken met katten, vaak neven en nichten, die niet zo nauw verwant zijn als bij inteelt. Lijnteelt is waarschijnlijk de meest gebruikte fokmethode onder professionele fokkers. Men hoort vaak over een specifieke lijn van een bepaald ras dat uitmuntend is of anderszins gekwalificeerd. Lijnteelt heeft succes omdat het de fokker in staat stelt zich te concentreren op bepaalde gewenste karakteristieken terwijl hij op hetzelfde moment ongewenste eigenschappen eruit kan fokken. Hoewel het eindresultaat, consistent uitstekende nakomelingen, pas na langere tijd wordt bereikt dan bij inteelt, is het resultaat beter, permanenter, en over het algemeen beter verzekerd tegen rampen (b.v. de produktie van zeer ongewenste nakomelingen en onherstelbare schade aan de kattenkolonie).

Uitteelt refereert aan het paren van onverwante of van verre verwante katten van hetzelfde ras. Dit wordt meestal gedaan om bepaalde ongewenste karakteristieken uit een lijn te halen. Het wordt echter ook gebruikt om gewenste karakteristieken in te brengen. Uitteelt komt relatief veel voor in de kattenwereld, maar de fokker moet goed letten op de voorouders van de kat die wordt uitgeteeld, want het laatste dat een fokker wil is nieuwe ongewenste kenmerken in de lijn brengen.

Kruisteelt refereert aan de praktijk van gekruiste leden van twee verschillende rassen. Kruisteelt wordt meestal gebruikt in een poging nieuwe rassen te creëren, maar het wordt ook gebruikt om kwaliteiten zoals omvang of stevigheid toe te voegen aan rassen die die eigenschappen niet bezitten. Kruisteelt wordt ook gebruikt als een bepaald ras de noodzakelijke fokbasis ontbeert om overleven te kunnen garanderen. Net als inteelt moet kruisteelt alleen worden toegepast door ervaren professionele fokkers met een specifieke bedoeling en een goede kennis van genetica. In tegenstelling tot inteelt echter, met zijn meestal snelle resultaten op korte termijn, vereist kruisteelt meestal vele generaties zorgvuldige fok-inspanningen om de gewenste doelen te bereiken.

Graadteelt refereert aan de praktijk een volbloed kat te laten paren met een bastaard. Het wordt meestal gebruikt om kwaliteiten als massa of vitaliteit te geven aan een ras dat die eigenschappen niet heeft. Een belangrijk nadeel van deze manier van fokken is, dat de voorouders van een bastaard bijna niet zinvol na te gaan zijn, en ongewenste karakteristieken kunnen gemakkelijk in de lijn opduiken.

De Singapura werd voor het eerst in 1988 erkend in de Verenigde Staten in één vacht-kleur, een ivoren basis met bruin. De laatste jaren zijn fokkers echter aan het selecteren geweest voor meer kleuren die van nature voorkomen bij het ras.

Crème Pers gefotografeerd in juni 1984. Perzen zijn niet het gemakkelijkste ras om mee te fokken, maar zorgen meestal voor weinig moeite bij de geboorte, en dat geldt ook voor de meeste tamme katten.

ZWANGERSCHAP

Tijdens de zwangerschap vinden er veel veranderingen plaats in het vrouwtje. De draagtijd, een term die refereert aan de periode dat de poes zwanger is, duurt meestal 63 tot 70 dagen bij de tamme kat. De gemiddelde duur is 65 dagen. Een worp die minder dan 60 dagen is gedragen zal waarschijnlijk uitmonden in doodgeborenen. Daarnaast hebben worpen die meer dan 70 dagen gedragen worden weinig kans te overleven. Natuurlijk zijn er wel nesten geboren op de 59ste of 71ste dag van de draagtijd die geheel normale katten bevatten. Deze cijfers dienen alleen om de fokker/eigenaar een algemeen idee te geven over de duur van de draagtijd van een tamme kat en de consequenties die het gevolg zijn van te vroege of te late geboortes.

Over het algemeen rijzen er bij vrouwtjes in goede gezondheid maar weinig problemen bij het fokken. De fokker-eigenaar moet de essentiële rol spelen van degene die de poes van voedsel voorziet. Het zorgen voor een gevarieerd menu draagt belangrijk bij tot een probleemloze draagperiode. Als het mogelijk is moet het vrouwtje voor het paren gecontroleerd worden door een dierenarts, vrijgemaakt worden van huid-problemen, grondig worden nagekeken op de aanwezigheid van para-sieten, en worden voorzien van een dieet met een hoog gehalte aan proteïne, vitamines en mineralen. Ook moet de controle door de dierenarts een onderzoek van de uitwerpselen omvatten, waarbij deze worden gecontroleerd op de aanwezigheid van wormen, omdat ascariden en hoekwormen kunnen worden overgebracht op de foetussen. Als ontwormen nodig is kan dit het best gedaan worden voor de tweede week van de zwangerschap, wanneer de foetussen minder risico hebben op complicaties als gevolg van ontworm-procedures.

Het eerste lichamelijke teken dat het vrouwtje zwanger is, is een toenemende roze kleur van de tepels. Dit is vooral duidelijk bij katten die

Voordat een kat moeder of vader wordt, moet hij grondig door de dierenarts worden nagekeken om zeker te weten dat hij goed gezond is en goed materiaal om mee te fokken, zelfs al ziet hij er zo mooi uit als deze Pers.

voor het eerst moeder worden en begint ongeveer 20 tot 22 dagen na de paring of conceptie. (De daad van het paren, of de omgang, stimuleert het vrijlaten van het eitje. Door verschillende oorzaken kan de bevruchting van het bevrijde eitje tot 24 uur worden uitgesteld. Daarom is het flexibel beschouwen van deze getallen noodzakelijk.) Natuurlijk kunnen bepaalde gedragspatronen eerder verschijnen. Hoewel niet alle poezen van gedrag veranderen, zijn er veel voorkomende veranderingen zoals vergrote zorg voor zichzelf (meer tijd doorgebracht met wassen), een algemeen rustiger karakter, geen interesse in katers, en meer tijd uit vrije wil doorgebracht in of heel dicht bij het huis. Soms worden tussen de eerste en tweede week van de zwangerschap de bevruchte eitjes, die in dit stadium embryo's heten, ingeplant in de baarmoeder. Als de eitjes ergens anders dan in de baarmoeder worden geplant zijn de kansen op een miskraam extreem groot. Als alles normaal verloopt, kan soms al gedurende de derde week van de draagtijd de zwangerschap worden vastgesteld door een voeltest van de dierenarts. Tegen deze tijd kan een groei in de voedselopname van de

Abessijnse katjes genieten van de eerste weken van hun leven, die ze doorbrengen dichtbij hun worp-maatjes.

Richard H. Gebhardt van de Cat Fanciers' Association laat de juiste manier zien om een kat aan te pakken. Een American Wirehair werkt mee aan de demonstratie.

poes worden geobserveerd. Voed de poes goed, maar wees voorzichtig haar niet te overvoeden. Naarmate haar zwangerschap vordert zal de worp druk uitoefenen op het verterings-systeem. Haar maaltijden moeten dus kleiner in omvang worden en moeten vaker gegeven worden.

Tegen de vijfde week van de draagtijd kunnen de embryo's, die begonnen met de grootte van een enkele eicel, ongeveer 2.5 cm. zijn. Tegen deze tijd kan een zwelling van de buik-regio worden gezien en gevoeld. (Let op: als de worp uitzonderlijk klein is – een of twee katten – kan het zijn dat er geen lichamelijke tekenen van zwelling zijn tot laat in de zwangerschap.) Nu moet de poes beslist zwaarder zijn geworden en zij zal blijven groeien gedurende de zwangerschap, waarbij de snelheid

Prijs-winnende witte Langhaar ziet er zo trots en vol zelfvertrouwen uit als mag worden verwacht van een schitterende kat. Het uiterlijk van de kat, dat bekend staat als fenotype, voorspelt niet per se het uiterlijk van zijn nakomelingen.

van die groei in grote mate afhangt van het aantal katten dat zij draagt. Het zorgen voor een gezond eetpatroon is in deze periode van vitaal belang. Terwijl we van mensen zeggen dat 'ze eet voor twee', eten katten wel voor vier of vijf, hoewel ze op zijn hoogst ongeveer twee keer zoveel zal eten dan normaal. Belangrijk zijn royale hoeveelheden makkelijk te verteren proteïnen, vitaminen en mineralen, met name calcium, omdat zowel de zich ontwikkelende jonge katten als de melkontwikkeling de poes van dit vitale mineraal ontdoen. Calcium supplementen helpen haar te beschermen tegen de postnatale conditie die eclampsia heet, en die veel voorkomt bij ondervoede moeders.

Tegen de zevende week van de draagtijd hebben de jonge katten zich al behoorlijk gevormd. Hun koppen en lichamen kunnen voor de goed voelende dierenarts al te onderscheiden zijn, en hun skeletten zijn radiografisch al zichtbaar.Het niveau van activiteit van het vrouwtje kan aanzienlijk dalen tegen deze tijd; dat is normaal. Men moet haar laten zonnebaden, liggen en slapen zoveel ze wil. Gedwongen beweging is niet aan te raden, maar het is ook niet goed haar tegen te houden als ze wil bewegen.

In de achtste week zullen de zoog-klieren of borsten aanzienlijk groter worden. (Nu kan het vrouwtje twee keer zoveel eten dan normaal.)

Voorbij zijn de dagen vol rust, als die er al waren, want ergens tijdens de achtste of negende week wordt de poes steeds rustelozer. Ze zal op zoek gaan naar een nest, een plek naar haar zin waar ze kan bevallen. Tegen deze tijd moet de eigenaar zijn zelf gekozen doos bij de hand hebben waarin hij wil dat ze haar kinderen werpt. De poes moet de doos leren kennen en moet tijd worden gelaten om hem zo in te richten als ze wil. Daarnaast moet ze gedurende deze periode binnen worden gehouden, en er moet goed op haar worden gelet, hoewel u het niet moet overdrijven. Ze moet tegen deze tijd stoppen met bewegen, en daar is ze gedurende de afgelopen weken langzaam naar toe gegroeid.

Als het de zestigste dag is en de geboorte nabij is, moet de dierenarts worden geraadpleegd. Als er nu of bij de geboorte enige complicaties zijn, moet u niet aarzelen de dierenarts te waarschuwen. Meestal zal de poes haar eetlust verliezen zo'n 24 uur voor de bevalling; een daling van een graad in haar temperatuur is ook een veel voorkomend signaal.

Blauw-crème Langhaar moeder met crème en blauwe Langhaar jongen. De eerste paar weken van hun leven krijgen de jongen alles wat ze nodig hebben van het vrouwtje, die ze verzorgt, schoon en warm houdt.

GEBOORTE

Zoals we al zeiden is een deel van de voorbereiding op het proces van geboorte, een doos ver voor de geboorte klaar te hebben en de poes zo'n tien dagen voor de verwachte bevalling bekend te laten worden met en te laten wennen aan de doos. Als zij de doos niet lijkt te willen, probeer die dan eerst te verzetten naar verschillende nieuwe plekken;

Cornish Rex die voor haar pasgeboren jongen zorgt. Let op de draad-omheining en de kleden die de eigenaar heeft neergelegd voor de veiligheid van de pasgeborenen.

als dit niet lukt, kan het het beste zijn een veilige omheining te kopen of te maken die de doos bedekt en het vrouwtje er veilig in zal houden of, als dat redelijk lijkt (qua veiligheid), kan het simpelweg spreiden van een schoon kleed of papier op de plek die ze gekozen heeft de oplossing zijn. De geboorteplek onderhouden is essentieel opdat de poes niet bevalt op een plek die haar eigenaar niet kent. Ze kan complicaties krijgen tijdens de worp en/of een of meerdere katjes kunnen de hulp van de eigenaar of de dierenarts nodig hebben. De reden dat ze de doos moet leren kennen voor de geboorte plaatsvindt is tweeledig: de exacte dag van de bevalling kan niet foutloos worden voorspeld, en de poes heeft meestal intense moederlijke instincten tijdens de laatste dagen van de zwangerschap. Daardoor kan het zijn dat ze niet zo open staat voor suggesties tijdens haar laatste dagen, en een conflict tussen baas en kat zal het resultaat zijn.

Naast de doos zijn er andere nuttige voorwerpen: een hittelamp die ongeveer 75 cm. boven de doos kan worden gehangen; een stompe, niet scherpe steriele schaar om de navelstreng door te knippen; dunne plastic handschoenen voor hygiënische doeleinden; katoenen watten om de moeder of een jong schoon te deppen; een oogdruppelaar; een rectale thermometer om de lichaamstemperatuur te controleren en een gewone thermometer om de temperatuur van de doos te kunnen regelen; een rubber buis met een injectiespuit eraan om een katje van slijm te ontdoen, als dat nodig is; een hete doek en/of een fles heet water om alles warm te houden; genoeg doeken of papier om de vloer van de doos schoon te houden; een drinkfles mocht een jong om één of andere reden niet in staat zijn bij de moeder te drinken; en een weegschaal waarop de jongen gewogen kunnen worden.

Het vrouwtje heeft zo'n aanleg voor het moederschap dat tussenkomst van de fokker maar zelden nodig is tijdens de eerste stadia van het opvoeden. Dat is één van de redenen waarom katten zo goed in het wild kunnen overleven.

Gemiddeld duurt de geboorte zo'n twee tot drie uur bij normale bevallingen. Dit zijn weer slechts ruwe gemiddelden; veel bevallingen duren vier tot vijf uur, en weer andere zeven tot acht uur. Over het algemeen is het echter zo dat als de poes weeën krijgt, wat bestaat uit actieve samentrekkingen en een actieve poging van de poes om haar jongen te werpen, en er komt binnen een uur geen katje, een dierenarts moet worden gewaarschuwd. Het katje kan te groot zijn of in een moeilijke positie liggen. Bij mislukte of lange bevallingen lopen zowel de poes als de rest van de jongen gevaar, om dat jong zelf maar niet te noemen. Dit verhaal van één uur gaat op voor elk katje dat geboren wordt: als de tijd tussen twee jongen meer dan één uur bedraagt, moet u een dierenarts raadplegen.

Bij het begin van de weeën – als er ten minste geen tekenen van problemen zijn – moet het vrouwtje ongestoord in haar doos worden gelaten. Ze zal meestal rusteloos zijn en constant het kleed waar ze op ligt krabben en betrappelen, in een poging comfortabeler te liggen. Binnenin haar is ondertussen het volgende gaande: de katten maken zich door onopzettelijke spierkracht klaar om het geboortekanaal in te gaan en daarna op de wereld te komen. Ook begint de baarmoederhals zich rond deze tijd uit te zetten in voorbereiding op de bevalling. Dit eerste stadium, dat niet wordt beschouwd als actieve bevalling of weeën, kan wel 24 uur duren, hoewel het meestal minder is. Al snel zijn er kleine samentrekkingen met lange pauzes ertussen. Tijdens elke samentrekking zal de poes hijgen en zich vaak bewegen. Dit markeert het begin van de actieve weeën, en nu is de tijd dat de poes kan helpen bij

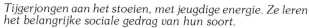

Tijgerjongen aan het stoeien, met jeugdige energie. Ze leren het belangrijke sociale gedrag van hun soort.

Zwart en wit tweekleurige moeder met haar precies hetzelfde gekleurde jongen. Op voorwaarde dat er geen complicaties zijn tijdens de geboorte, zal de moeder al snel weer rondlopen.

het geboorteproces, want de katjes zijn in of erg dichtbij het geboorte-kanaal, en het 'persen' van de moeder helpt de katten op hun pad te dwingen. Al snel worden de samentrekkingen intensiever en meer frequent. De poes moet worden gerustgesteld en rustig worden gehou-den. De periode van verhoogde samentrekkingen duurt meestal onge-veer 30 minuten. Als er echter binnen 45 minuten geen katje wordt geboren moet contact worden opgenomen met een dierenarts. Tijdens deze periode spant de poes zich erg in en likt constant haar vulva. Een vloeibare afscheiding uit het gebied rond de vagina is gewoon, en ook een kleine hoeveelheid bloed. De samentrekkingen worden dan zeer frequent en intensief; de bevalling is nabij. Een donkere, dikke, taaie vloeistof komt dan uit de vagina; in deze massa, die amniotische zak heet, zal de eerstgeboren kat van de worp zitten. De zak kan openbarsten als hij naar buiten komt of soms moet de poes daarbij helpen. In beide gevallen is het noodzakelijk dat depoes voor de pasgeborene zorgt, de hele zak verwijdert en de ademhaling van het jong stimuleert. De navelstreng is de verbinding tussen de katjes en de placenta. De poes moet de streng met haar tanden doorbijten. De placenta komt er ofwel tegelijk met de katjes uit ofwel kort daarna. Het kan zijn dat de poes de placenta opeet, en als ze dat wil moet men haar dat laten doen. De placenta zat vast aan de wand van de baarmoeder en diende als het middel waar de voeding van de katjes doorheen kwam. De placenta is zeer voedzaam en men gelooft dat het de melkproduktie van de poes stimuleert. De fokker moet zorgvuldig kijken of er na elk jong een placenta volgt, omdat een achtergebleven placenta kan zorgen voor een ernstige infectie. Als de poes de navelstreng niet doorbijt, moet de fokker zich ermee bemoeien en de streng doorknippen. Als u een te scherpe schaar gebruikt kan dit een infectie veroorzaken, omdat een te scherpe snede niet zo gemakkelijk herstelt. De streng moet eerst worden gebonden aan de kant van het jong. De doorgesneden streng kan worden gedept met jodium of een ander antiseptisch middel. Enig bloed is onvermijdelijk.

Als de jongen eenmaal ademen en veilig zijn moeten ze aan een tepel worden geplaatst om hun eerste melkmaal, biest genaamd, te ontvangen, wat de jonge kat van essentiële antilichamen voorziet. Als om een of andere reden – en dit gebeurt soms – de poes het jong hier niet mee helpt, moet de fokker tussenbeide komen, door zelf de ademhaling van het jong te stimuleren en hem dan aan de tepel te leggen zodat hij kan drinken.

Twee mogelijke problemen waar de fokker zich van bewust moet zijn, zijn dat het katje niet in staat kan zijn te ademen of niet in staat kan zijn te drinken. Als slijm of een andere materie het ademen van de jonge kat in de weg staat, kan het voorzichtig gebruik van de injectienaald en de buis de weg vrijmaken (als de fokker nog geen ervaring heeft, moet een ervaren fokker of een dierenarts de leiding hebben over deze handeling). Als er geen slijm aanwezig is, moet hij het katje stevig afdrogen, of het jong op de kop houden en hem van achter naar voren aaien om het ademen stimuleren. Als het jong niet kan drinken moet een drinkfles worden gebruikt. De jongen vanaf de geboorte warmhouden, op zo'n 38°C, is van vitaal belang.De warmtelamp of de fles met warm water is daarbij zeer nuttig.

Elke geboorte moet worden beschouwd als een eenheid op zichzelf, die op een manier gebeurt die lijkt op het hierboven beschreven proces. Worpen van tamme katten bestaan uit een tot acht jongen, waarbij drie tot vijf het meest voorkomt. De poes heeft vier paar tepels, waardoor

Gericht op perfectie, kampioen Somali.

het voor haar moeilijk is meer dan acht jongen te hebben. Over het algemeen is bij grote worpen (meer dan vijf jongen) aanvullende voeding met een fles noodzakelijk.

Ongeveer een derde van alle tamme jonge katten wordt geboren met de poten vooruit, en anders in een positie waarbij de poten richting de kop wijzen. Poezen hebben meestal weinig problemen met het bevallen van jongen die in een van beide posities liggen, en we melden dit alleen om de beginnende fokker gerust te stellen.

Hoewel een pauze van een uur tussen de geboortes meestal niet echt vreemd is, is het ook niet abnormaal als de poes voor soms wel 24 uur ophoudt met bevallen, zonder kwade invloeden voor haarzelf of haar jongen. De dierenarts moet echter wel gewaarschuwd worden, en de poes moet zorgvuldig in de gaten worden gehouden of zij tekenen van spanning of problemen vertoont.

Jonge Scottish Fold met de gezondheid en alertheid die mag worden verwacht van een goed gefokte jonge kat. Alle Fold-jongen worden geboren met oren die normaal lijken; als ze vier weken oud zijn, verschijnt de vouw.

Nadat de bevalling voorbij is, moet een dierenarts de poes en haar jongen komen bekijken. Alle nageboortes moeten worden bekeken en geteld, en de dierenarts kan met een injectie de komst van een achtergebleven nageboorte stimuleren. Als alles in orde is, moet de poes zelf voor de jongen zorgen. Het kan zijn dat ze zich eerst even wil uitrekken en ontspannen. Ze moet vloeibare middelen (melk met brood, melk en/ of water) tot haar beschikking hebben voor het geval ze wat te drinken nodig heeft. Ze kan er echter ook voor kiezen gewoon bij haar jongen te blijven. In elk geval moet het de poes worden toegestaan te doen wat ze wil. Het is aan te raden alle jongen te wegen kort na de geboorte en hun gewicht zorgvuldig in de gaten te houden. Een kleine daling in gewicht gedurende de eerste twee dagen is geen reden voor paniek, maar elk jong moet al snel beginnen aan te komen. Gewichtsverlies bij jonge katten is vaak het eerste teken dat er iets mis gaat.

De fokker houdt het gewicht van de jongen, vanaf de geboorte tot hij naar zijn nieuwe thuis gaat, goed in de gaten. Lila-point Balinese jonge kat.

ZORG VOOR DE JONGEN

Pasgeboren jongen zijn zeer teer en volkomen afhankelijke wezens. Ze kunnen niet zien of horen, en hun bewegingen zijn zeer beperkt. Gedurende de eerste week van hun leven kunnen katjes niet op hun pootjes staan. Ze bewegen zich voort met een kruipende of zwemmende beweging. Ze kunnen van de moeder en haar warmte afdwalen, en u moet opletten dat de jongen niet te ver afdwalen.

De eerste twee of drie dagen moeten de katjes niet meer aangeraakt worden dan absoluut noodzakelijk is. Onder normale omstandigheden zullen de jongen al hun voeding van de poes ontvangen. Daarom is het noodzakelijk dat de poes steeds wordt voorzien van een gezond, voedzaam dieet. Het kan zijn dat ze de eerste twaalf uur na de bevalling niet eet, maar haar eetlust moet snel terugkomen; als dit niet gebeurt moet u een dierenarts raadplegen.

De pasgeborenen worden door hun moeder gewassen, en zij wast hen zeer vaak. Ze zal ook hun ontlasting stimuleren door hun buik en maag te likken. Zoals we al eerder zeiden is er bij grote worpen (meer

Knuffeltijd voor deze Siamezen. Samen zijn speelt een essentiële rol bij de juiste ontwikkeling van een jonge kat.

Dit Bengaalse jong doet wat ochtendgymnastiek.

dan vijf) vaak aanvullende voeding met de fles noodzakelijk. Een melk-preparaat voor katten moet worden aangeschaft voor het geval dat nodig is. Bij grote worpen moet aanvullende flesvoeding worden ge-bruikt, waarbij de jongen afwisselend bij de moeder en uit de fles drinken. Zelfs pasgeboren katjes huilen als ze honger hebben. Chro-nisch gehuil van de honger is een aanwijzing voor de fokker dat aanvullende voeding nodig kan zijn. Let op ieder katje zodat u weet dat elk jong voldoende melk ontvangt; het roteren van de katjes naar verschillende tepels bij elke voeding kan helpen om dit te bewerkstelli-

*Een Manx jong van een paar weken oud is erg afhankelijk van de moeder.
Als hij op vroege leeftijd zijn moeder verliest, moet hij door de mens
worden opgevoed.*

gen. Katjes die niet voldoende melk ontvangen huilen, vallen af, en
raken snel uitgedroogd. Om een katje te controleren op uitdroging kan
men voorzichtig in de huid van het diertje knijpen; als de huid niet naar
zijn normale positie terugkeert als hij wordt losgelaten is er een goede
kans dat hij uitgedroogd is. De tepels moeten ook regelmatig worden
gecontroleerd op tekenen van infectie, zoals onder andere zwellingen,
pus, en verkleuring. Als er een infectie is, moeten de katjes de fles
krijgen tot de infectie over is.

Meestal ontstaan er weinig problemen met het geven van de fles.
Jonge katjes hebben een natuurlijk instinct om te zuigen en zullen
meestal gretig drinken uit een flesje of een oogdruppelaar (als ze heel
jong zijn). De hoeveelheid die een katje inneemt varieert aanzienlijk van
jong tot jong maar is behoorlijk klein. Het belangrijkste bij flesvoeding is

het dier te voorzien van veel kleine maaltijden. Bij elke voeding moet het jong kunnen drinken wat hij wil, en de voedingen moeten ongeveer vijf maal per dag plaatsvinden met regelmatige russenpozen. Naarmate het diertje groeit zal hij meer eten bij elke voeding, en de tussenpoos tussen de voedingen kan dan groter worden, waarbij het aantal voedingen op een dag kan worden teruggebracht van vijf tot drie of vier. Dan kunnen de jonge katten gaan wennen aan vast eten. Een belangrijke opmerking in verband met drinken uit de fles is dat de fokker de jongen ook vaak moet stimuleren tot ontlasting, net als de moederkat dat zou doen. Dit betekent weinig meer dan voorzichtig het jong over het gebied rond de buik en de anus aaien met een steriel katoenen watje.

De ogen van de jonge kat openen meestal rond de achtste dag, maar dit verschilt aanzienlijk per worp en per jong. De kleur van de ogen kan vaak pas bepaald worden na drie maanden, maar dit verschilt aanzienlijk van ras tot ras. De eerste tanden, die melktanden heten, komen al snel door het tandvlees van de jonge kat, en het tweede paar tanden, de permanente tanden, zijn meestal volledig gevormd tegen de derde of vierde maand. Als hij drie weken is kan het diertje op zijn poten staan en lopen, hoewel dat nog onvast gaat. Als hij vijf weken is kan het jong elegant en handig in het hele huis rondklauteren. Na vier of vijf weken is de tijd aangekomen dat hij gespeend kan worden.

Deze jonge Siamese katjes zijn klaar om naar hun nieuwe huis te gaan. Voordat ze het nest verlaten, worden ze nagekeken door een dierenarts om zeker te weten dat ze helemaal gezond zijn.

Onder normale omstandigheden zal de moeder beginnen met het proces van het spenen door een groeiende terughoudendheid. Ze zal het aantal voedingen terugbrengen en steeds meer tijd doorbrengen van haar jongen vandaan. Vaak zal ze zelf beginnen niet-vloeibaar voedsel naar het nest te brengen, en het is niet ongewoon dat de poes een gevangen muis of een andere vangst bij de jongen brengt. Om te helpen bij het speen-proces moet de fokker zacht voedsel beschikbaar houden voor de jonge katten. Dit voedsel kan gekocht worden of thuis gemaakt

Calico Perzisch jong. Calico, driekleurig, en lapjes verwijzen allemaal naar driekleurige vachtpatronen. Elk patroon is uniek, waardoor hij kan worden ingedeeld in de betreffende categorie.

De moeder-instincten van sommige katten zijn niet te onderdrukken. Een niet protesterende Golden Retriever gehoorzaamt aan de moederlijke en waak-kat impulsen van de Birmaanse familie.

worden, op voorwaarde dat het makkelijk verteerbaar en gezond en voedzaam is. Na een of twee weken moeten de jonge katten geheel gespeend zijn en zelf vast voedsel eten, en de melkproduktie van de moeder moet dan ophouden.

De katten zindelijk maken is in principe geen moeizaam proces. Katten zijn schone dieren en zullen snel leren de kattebak te gebruiken. Deze training moet ongeveer rond dezelfde tijd beginnen als het spenen. De kattebak moet dan in de doos van de bevalling geplaatst worden. Als de poes de bak ook gebruikt, moet dit de katjes helpen het juiste gedrag aan te leren, maar katjes zijn hoe dan ook meestal snelle leerlingen. Een nuttige tip is, een ander materiaal te gebruiken om de kattebak te bekleden dan dat wat gebruikt is voor de doos, zodat de katjes de verschillende bakken kunnen onderscheiden en leren waar ze heen moeten gaan. Tegen de zesde tot de achtste week zijn de katjes meestal gespeend en zindelijk en klaar om naar hun nieuwe huis te gaan.

GENETICA

Genetica is de studie van de manier waarop karakteristieken en eigenschappen van ouder op kind worden overgedragen. Genetica is al bekend in de wetenschap sinds Mendel en zijn waarnemingen van erwten. Een tijdlang werd het betwijfeld en belachelijk gemaakt, maar net zoals zoveel wetenschappelijke hypotheses is genetica nu een integraal deel van het moderne leven. Het fokken van tamme dieren werd vroeger gebaseerd op experimenten, door logisch na te denken, en door succesvolle probeersels in traditionele methodes om de gewenste nakomelingen voort te brengen. Zonder ooit het woord genetica gehoord te hebben, gebruikten veel fokkers eigenlijk de basisvorm van veel van de bewezen wetten der genetica zoals die van toepassing zijn op het fokken. Toch hebben zowel degenen die experimenteren als de conservatieve fokkers te maken met een aanzienlijke marge van fouten en veel ongewenste exemplaren.

Vandaag de dag is haast elk (zo niet elk) verantwoordelijk en succesvol fok-programma, door de algehele beschikbaarheid van de genetische principes voor het brede publiek, stevig gebaseerd op goede genetische wetten en regels. Door gebruik te maken van genetica kan de fokker verder kijken dan de zichtbare karakteristieken (het fenotype)

Of deze twee Himalaya's op een voetstuk net zulke aantrekkelijke nakomelingen kunnen krijgen kan alleen worden bepaald door hun genotypes te beschouwen.

Een familie korthaarjongen. Let op de opmerkelijke overeenkomsten van type en markeringen die worden uitgebeeld door de nakomelingen. Gezond, betrouwbaar fokken is stevig gebaseerd op goede genetische kennis en ervaring.

van de kat, naar het genotype van de kat, de eigenschappen die het dier recessief bezit – verborgen eigenschappen die kunnen en waarschijnlijk zullen verschijnen in de foklijn als de genetische principes niet worden toegepast. De wereld van de tamme kattenrassen is werkelijk zeer divers, een zeer gedetailleerd microkosmos. Staartloosheid, gevouwen oren, kruloren, en haarloosheid geven maar een paar van de meest opvallende kenmerken aan van de rassen van vandaag de dag, terwijl er enorm veel meer, vaak subtiele, beslist essentiële kenmerken zijn. Zonder een volledig begrip van alle karakteristieken en kenmerken en de manier waarop ze genetisch worden doorgegeven, tast de fokker compleet in het duister, en fokt hij op een onverantwoordelijke manier.

Natuurlijk gaat het te ver om in dit rassen-handboek genetica in detail te bespreken. De eigenaar die erover denkt te gaan fokken wordt sterk aangeraden een studie in de genetica te doen voor hij begint met zo'n verantwoordelijk avontuur.

VERANTWOORDELIJKHEID

Fokkers hebben veel vooruitgang geboekt de laatste jaren. Men ziet tegenwoordig de mooiste soorten tamme katten bij shows en op de film. Met de steeds groeiende kennis – biologisch, psychologisch, ecologisch – brengen wij mensen steeds meer soorten tamme katten voort. Toch blijven er een paar belangrijke problemen, soms ongenoemd of niet eens bedacht. Het fokken van een kat kan een waardevolle, leuke en goede ervaring zijn – niemand zal dat ontkennen. Maar het fokken van katten kan ook een vreselijke, wrede en rampspoedige ervaring zijn, als het onverantwoord wordt gedaan. Duizenden en duizenden katten en katjes worden elk jaar ter dood gebracht door een gebrek aan een thuis, aan geld, aan verantwoordelijkheid van de fokker. Veel van deze ongelukkige onschuldige dieren lijden door slechte genetische voorwaarden en misvorming. Het fokken van katten moet alleen worden gedaan door goedbedoelende personen die weten wat ze doen. Fokken is duur. Meestal staan er geen grote financiële beloningen tegenover. Fokken is zwaar werk. Het vereist vele uren en toewijding. Fokken is moeilijk. Het vereist toewijding, zorg, grote deugd en geen ondeugden.

Vorige pagina: De haarloze kwaliteit van het ras Sphynx komt door een mutant recessief gen. Doordat deze gen recessief is, kan hij generaties lang worden meegedragen door schijnbaar normaal behaarde katten.
Onder: *De gevlekte vacht van de Cornish Rex komt ook door een mutatie -- de rex gen mutaties zitten op andere plekken dan de genen voor een normale vacht.*

Ongebreidelde katachtigen

De wilde katten

Felis sylvestris, *the European wild cat*

Afrikaanse Gouden Kat

Felis Aurata

Uiterlijk De Gouden Kat is twee keer zo groot dan de huiskat, en hij komt behalve in een gouden kleur voor in vele kleuren bruin, rood en grijs; lichbruin en potloodgrijs zijn de uitersten van het spectrum. Verschillende kleuren en vlekken komen beide vrij veel voor. De vacht is kort en dicht. De kleine kop rust op een stevig lichaam; de achterkant van de oren is meestal zwart van kleur. De poten zijn vrij lang, en de staart is gemiddeld van lengte (ongeveer 30 cm), en heeft soms ringen. De Gouden Kat is ongeveer 50 cm hoog; hij is 90 cm lang, hoewel het gemiddelde waarschijnlijk zo'n 12 cm minder is. Gewicht: 15 kg.

Verspreiding Het is een zeer weinig geobserveerd dier, dat waarschijnlijk voorkomt in de bergen en in de bladverliezende loofbossen van Midden- en West-Afrika.

Gedrag De Gouden Kat is slim en schuw, volgens de Afrikanen. Hij jaagt tegen zonsondergang en/of zonsopgang en is ook 's nachts wel actief. Naast makkelijk te vangen insecten en vogels is de Gouden Kat agressief genoeg om kleine bosdieren te veroveren zoals duikers (kleine antilopes met hoorns); dwergantilopes; en waterdwergherten (klein, zonder hoorns, reeachtige dieren).

n.b. Pygmee-stammen in Kameroen beschouwen de staart van de gouden kat als een symbool van geluk, vooral op olifantenjacht. Andere stammen beschouwen de vacht als te kostbaar om te verhandelen en zwijgen over hun bronnen.

215

Afrikaanse Wilde Kat   *Felis libyca*

Uiterlijk De Afrikaanse Wilde Kat, die tot op zekere hoogte lijkt op de tamme kat, is groter en steviger gebouwd dan zijn vaak genoemde afstammeling. Zijn totale lengte is gemiddeld 58 cm, en de schouderhoogte is meestal 35 cm. Gewicht: ongeveer 5.4 kg. De staart is meestal lang, dun en uitstaand, met een zwart uiteinde en verscheidene duidelijk onderscheiden ringen. De kleur verschilt per soort; twee types variërend van grijsachtig roodbruin tot ijzerkleurig komen wel in dezelfde streek voor, met een onnoembare variëteit aan kleuren daar tussenin. De markeringen op het gezicht zijn gestreept; hij heeft vlekken op de borst en op andere delen aan de voorkant; de strepen strekken zich uit over de lengte van zijn ruggegraat; de bovenkant van zijn poten wordt door banden omringd.

Verspreiding De Afrikaanse Wilde Kat komt voor op het hele Afrikaanse continent, behalve op het dicht-begroeide gebied rond de evenaar en de zeer droge woestijnen. Soorten die er erg op lijken komen voor in Sicilië, Marokko en Algerije.

Gedrag De Afrikaanse Kat past zich goed aan en kan op bijna elk terrein overleven; of het nou in het bos is, op vlaktes, in de bergen, of in de struiken. Dit solitaire dier eet graag kleine zoogdieren en knaagdieren, reptielen, vogels, en insekten. De Afrikaanse Wilde Kat heeft de kracht en ook de wilskracht om een kleine antilope te doden. Hij is gewoonlijk een nachtdier en zeer schuw en afstandelijk, hoewel hij niet zo bang is van de mens dat hij niet in de buurt van diens woongebieden komt.

n.b. De draagtijd van de Afrikaanse Wilde Kat ligt tussen de 56 en 60 dagen, waarmee hij meer lijkt op de tamme kat dan op de Europese Wilde Kat.

Felis badia

Baaikat

Uiterlijk Een kleur-karakteristiek van de Baaikat, die hem onderscheidt van andere katten uit Indonesië, is dat hij zo weinig donkere vlekken en strepen heeft (vage strepen kunnen op het gezicht en de wangen voorkomen). De achterkant van de oren zijn meestal zwart met opvallende witte markeringen; deze kleurvlek komt ook voor aan de onderkant van het puntje van zijn staart. Zijn algehele kleur wordt beschreven als geelachtig tot kastanjebruin, met vaak een roodachtige gloed, die verzacht tot een lichtere kleur op het onderlichaam. De staart is lang en waaiert uit. De Baaikat is iets groter dan de tamme kat, en hij lijkt qua uiterlijk op een kleine Temminckkat. Van kop tot staart: gemiddeld 53 cm. Staart: 55 cm.

Verspreiding De Baaikat, die vrij zeldzaam is en ook bekend staat als de Borneo Rode Kat, hoort alleen thuis op het eiland Borneo. De waarnemingen verschillen, maar men vermoedt dat de Baaikat het liefst woont in dichtbegroeide bossen en vaak rondzwerft op grote hoogtes, van 900 m.

Gedrag Vroege studies vertrouwden bijna alleen op het ontleden van al lang dode (vaak niet complete) exemplaren, en wat wetenschappers over het gedrag van de Baaikat te melden hadden, was vooral gebaseerd op verhalen die hen verteld waren door jagers en bewoners van de gebieden die de katten in het wild hadden gezien. Toen het dier voor het eerst werd beschreven in 1874 door Gray, werd bepaald dat de Baaikat het enige lid was van de soort die Badiofelis heet, die later Profelis ging heten.

n.b. *De Baaikat leeft van kleine zoogdieren en heeft twee minder leuke neigingen: die van het eten van afval en buitengewoon gemeen gedrag.*

217

Bengaalse Kat *Felis bengalensis*

John R. Quinn '90

Uiterlijk De vacht van de Bengaalse Kat varieert enorm, naar gelang het terrein van okergeel en bruin tot zilverkleurig. De vacht is gevlekt en heeft zwarte markeringen, die op zijn kop en witte borst de vorm van strepen aannemen. Hoewel hij groter is, zegt men meestal dat de Bengaalse Kat de grootte van een tamme kat heeft. Kop en romp: 60 cm. Staart: 40 cm., en dik. De korte, ronde schedel bevat oogkassen waarvan de achterkant open is. De achterste kiezen zijn meestal aanwezig.

Verspreiding Van zuidelijk Azië, en India, tot China, Manchoerije en oostelijk Siberië komt deze boomklimmende kleine wilde kat voor. De kleinere exemplaren wonen op de Phillipijnen, terwijl de grotere voorkomen in het noordelijke gedeelte van zijn verspreidingsgebied.

Gedrag De Bengaalse Kat behoort tot de meest voorkomende witte katten van zuidelijk Azië en heeft een voorkeur voor de bescherming die het bos en de jungle bieden; ook doet hij het goed in de bergen en in beschermende heuvels. De Bengaalse Kat heeft zijn hol in holle bomen, van waaruit hij op knaagdieren, wild gevogelte en kleine vogels en kleine zoogdieren jaagt. De soort is zo beweeglijk en elegant dat sommige mensen zeggen dat de tamme kat er bij hem vergeleken onhandig en lomp uitziet.

218

Felis jacobita   **Bergkat**

Uiterlijk Voor de gemiddelde mens lijkt de Bergkat op elke andere onbekende wilde kat, maar taxonomisten beschouwden deze kat eens als uniek genoeg om een eigen soortnaam te verdienen. Het bestaan van zijn tweekamerige bullae (het botachtige uitsteeksel achter het oorkanaal) bezorgde de Bergkat de soortnaam orealurus jacobita. Vandaag de dag is die naam aangepast tot 'alleen maar' Felis jacobita. Zijn lichaamslengte is 60 cm, met een staart van 35 cm. Zijn kleur is bleek zilverachtig grijs, gemarkeerd met bruine of oranje-gele markeringen; hij heeft donkere markeringen op zijn onderbuik en poten. Zijn kop is relatief groot. De vacht is fijn en opmerkelijk zacht.

Verspreiding Noordoostelijk Chili, zuidelijk Peru, zuidelijk Bolivia en noordelijk Argentinië zijn de gebieden van het Andesgebergte waar deze wilde kat rondzwerft.

Gedrag Deze soort verblijft op grote hoogtes in de Andes, en heeft de naam 'Andes hoogland-kat' verkregen. Chinchilla's en vizcacha's – kleine bergknaagdieren met een hol – worden opgejaagd door deze jager en inwoner van droog/semi-droog gebied.

n.b. *De soort wordt zelden geobserveerd maar zijn afkeer van sneeuw wordt wel vaak vermeld.*

Bobcat

Felis rufus

John R. Quinn

Uiterlijk Nauw verwant aan en lijkend op de gewone lynx, is Bobcat, ook wel Baylynx of Amerikaanse wilde kat genoemd, kleiner dan de Canadese lynx, met kleinere, dunnere poten en niet zulke kwastjes-oren. De kleur van zijn vacht varieert van geel-bruin en vaalgeel tot grijs; meestal is de Bobcat zwart tot zwart-bruin gevlekt en gestreept, met een zwarte veeg op zijn kruin. Zijn hoogte is gemiddeld 53 cm. Zijn gewicht is gewoonlijk niet meer dan 14.5 kg, hoewel de soorten aanzienlijk van elkaar verschillen, afhankelijk van de geografische locatie. De stem van de Bobcat is opvallend van bereik, en lijkt soms op een 'hoestende blaf'.

Verspreiding De Bobcat komt voor van zeer noordelijk in de Verenigde Staten, Canada, tot zuidelijk Mexico. Hij bewoont zeer gevarieerde terreinen en is de meest talrijke van de wilde katten van Noord-Amerika. Uitroeiingsmethoden in het oosten en midwesten van de Verenigde Staten hebben de Bobcat verbannen uit dit deel van zijn territorium.

Gedrag De Bobcat is brutaal en past zich gemakkelijk aan; hij leeft het liefst eenzaam en met stevige grond onder zijn voeten, maar zal ook met gemak in bomen klimmen als hij door een jager wordt achtervolgd of als hij zelf een prooi achterna zit; hij schrikt niet terug voor de voortschrijdende stappen van de beschaving. De Bobcat woont in een hol, dat hij met zeer onopvallende spullen bedekt. Het markeren met zijn geur is een opvallend kenmerk van zijn gedrag, vooral van vrouwtjes met pasgeboren jongen door middel van uitwerpselen. De Bobcat heeft wat minder bezwaar tegen zwemmen dan de meeste andere katten, vooral als het einddoel een smakelijke hap is; toch jaagt hij voornamelijk op konijnen en knaagdieren, waardoor hij dus serieuze plagen voor de mens voorkomt. De Bobcat valt huisvee aan als hij daartoe gedwongen wordt door honger, en dat komt vaak voor; dit gedwongen gedrag heeft gezorgd voor haat en nijd tussen de mens en de Bobcat.

n.b. *De Bobcat heeft twee kenmerken die hem van andere katten onderscheiden: hij plukt zijn prooi voor hij hem opeet, en hij is de enige wilde kat die zowel bij het in- als uitademen kan spinnen.*

Caracallynx

Felis caracal

John R. Quinn '90

Uiterlijk Zoals zijn naam al aangeeft lijkt de langpotige caracallynx met zijn kwast-oren veel op andere lynxsoorten. Zijn lange staart is echter een opvallend kenmerk dat taxonomisten er vroeger toe gebracht heeft, de caracal te classificeren als het enige lid van de soort caracal, met de naam caracal caracal. Zijn vacht is dicht maar kort, zonder snorharen. De kleur varieert in uniforme kleuren rood-bruin met witte markeringen op de kin, de hals, de onderbuik en rond de ogen, die net als bij de andere lynxsoorten samenkomen zodat ze cirkels vormen. Een dunne zwarte lijn loopt van de neus naar het oog. De oren zijn zwart van kleur aan de buitenkant en zijn overvloedig behaard met lange zwarte haren. De lengte van de caracal is ongeveer 74 cm. Hij weegt meestal 17.5 kg.

Verspreiding Wijd verspreid over heel Afrika en zuidelijk Azië. Voorkeur voor droog terrein maar niet diep in zandwoestijnen of in de omgeving van de evenaar. Dit soort kwam vroeger vooral veel voor in Zuid-Afrika.

Gedrag De caracal, of woestijnlynx, doet het het best op droge vlaktes en in 'vochtige' woestijnen maar kan zich wel zo goed aanpassen dat hij in het bos en op andere terreinsoorten kan overleven, met de absolute uitzondering van tropische en groenblijvende bossen. De caracal is overwegend een solitair levend dier dat in het donker leeft maar hij zwerft ook wel zonder angst rond in vol daglicht. Het soort kan geweldig goed klimmen en is, qua stijl lijkend op het jachtluipaard, waarschijnlijk de snelst kat in zijn grootte. De caracal is befaamd om het pakken van vogels in de vlucht. Naar verluid goed te fokken in gevangenschap.

n.b. *De naam caracal werd aan de soort gegeven door Buffon, en is afgeleid van het Turkse woord karakal dat zwart oor betekent, een kenmerk dat ervoor zorgt dat de caracal makkelijk te zien valt in het wild.*

Cheetah

Acinonyx jubatus

(Jachtluipaard)

Uiterlijk De Cheetah is een unieke kat die in veel opzichten van zijn familieleden verschilt: met zijn lange poten en zeer aerodynamische bouw is de cheetah geheel op snelheid ontworpen. Hij is lang en lenig, gewoonlijk donker gevlekt op een ruwe bruingele tot helder bruinrode vacht. Hoogte: 79 cm. Gewicht: 40 tot 72 kg. Lengte van kop en lichaam: ca. 120 cm.

Verspreiding De Cheetah, die tegenwoordig uitgestorven is in India, heeft een beperkt verspreidingsgebied in Afrika en in Azië ten zuiden van de Ganges en ten westen van Bengälen.

Gedrag Cheetah's, die bekend staan als het snelste nog bestaande landdier, kunnen in gevangenschap een snelheid van 90 km per uur bereiken en in het wild 100 km per uur. Zulke snelheden kan hij slechts kort volhouden en maken aanzienlijke rustperiodes nodig. De Cheetah besluipt zijn prooi niet, zoals andere katten doen, maar rent gewoon naar ze toe, loopt ze omver en slaat zijn slachtoffer dood. Dat de Cheetah tam kan worden gemaakt wist de mens al duizenden jaren geleden, zelfs waarschijnlijk al in 3000 v. Chr. De Soemeriërs hielden erg veel van sport, en Europeanen vonden vooral tijdens de Italiaanse renaissance deze hobby onmiskenbaar zeer beschaafd: cheetah's werden op een paard met een kussen erop naar de plaats van de jacht gedragen, waar ze werden vrijgelaten om konijnen en reeën te doden. Zijn uitstekende jachtinstinct en zijn vlekken zorgden ervoor dat de cheetah zijn naam kreeg. Ongetwijfeld is het bijna uitsterven van de cheetah en de kleine aantallen die er wereldwijd nog zijn, toe te schrijven aan het vangen van de jongen en de volwassen dieren (die naar men ontdekte makkelijker getraind konden worden) om koningen te dienen als jacht-katten; ironisch genoeg werd er op volwassen cheetah's ook meedogenloos gejaagd door deze spanningzoekende tweevoeters. Fokken in gevangenschap was niet mogelijk tot de jaren '50. Cheetah's doen het niet goed in gevangenschap: 75 procent bezwijkt aan lever- en/of nier-aandoeningen.

***n.b.** Kublai Khan schijnt 1000 cheetah's te hebben gehad om mee te jagen.*

Felis silvestris — Europese Wilde Kat

John R. Quinn '90

Uiterlijk Sommige mensen denken dat de Europese Wilde Kat is gekruisd met ontelbare tamme katten, maar het is een apart soort dat groter is (ongeveer een derde), sterker, en veel wilder dan alle tamme katten. De staart van de wilde kat is korter dan die van de tamme kat en loopt niet breed uit, maar eindigt in een botte punt. De kleur van de vacht varieert van geel-grijs tot bruin-grijs, met grijzige gestreepte markeringen. De ondervacht is geelachtig, terwijl de keel meestal wittig is. De staart wordt door donkere markeringen omcirkeld, die overgaan in ringen, en eindigen in een zwarte punt. Lengte: ongeveer 80 cm. Staart: 35 cm. Gewicht: 2-6 kg.

Verspreiding Vroeger kwam hij veel voor op de Britse eilanden (misschien met uitzondering van Ierland) en het vasteland van Europa, tot in westelijk Azië. Later werd de soort bijna uitgeroeid in de grootste delen van zijn verspreidingsgebied. Vandaag de dag realiseert de mens zich de waarde van de soort voor de ecologie, waardoor er nieuwe hoop voor zijn toekomst is ontstaan, hoewel zijn aantallen onontkoombaar laag blijven.

Gedrag De Europese Wilde Kat, die ook bekend staat onder de naam Wilde Boskat, zwerft al eeuwen rond in de eens enorme en dichte bossen van Europa. De soort is een jager op ongedierte, die geen angst kent. Omdat hij de voorkeur geeft aan een teruggetrokken leven is het dier niet populair als gevangene. Sommige mensen geloven dat de Europese Wilde Kat de directe voorouder is van sommige rassen tamme katten, maar dit zou men nooit kunnen afleiden uit zijn ontembare, valse natuur.

n.b. *Naast de mens is de lynx de grootste bedreiging voor deze wilde kat; met veel agressiviteit slaat de wilde kat zelfs jagers als de gouden havik dood.*

Geoffroy's Kat   *Felis geoffroyi*

Uiterlijk Een grote, brede maar korte, bolle schedel en kleine kiezen van voren zijn de voornaamste kenmerken van de Geoffroy's Kat. Maar er zijn ook kenmerken die hij gemeen heeft met de kodkod, waardoor men aanneemt dat deze twee Zuidamerikaanse soorten waarschijnlijk nauw verwant zijn. Zijn bouw is omvangrijk. Kop en lichaam: 70 cm. De lengte van de staart is ongeveer de helft van die van het lichaam. De kleur varieert aanzienlijk naar gelang de plek waar hij woont, van zilver in het zuiden tot helder okerkleurig in het noorden en in de hooglanden. Kleine regelmatige zwarte vlekken markeren de vacht, en verschillende zwarte strepen accentueren zijn kop en wangen. De achterkant van de ronde oren is zwart met grote witte vlekken in het midden. De staart is gevlekt bij de wortel en gestreept naar het uiteinde.

Verspreiding De Geoffroy's Kat komt waarschijnlijk alleen voor in centraal Zuid-Amerika, maar sommigen menen dat de soort ook verder naar het zuiden voorkomt.

Gedrag De Geoffroy's Kat is een gretige boombeklimmer die nooit bang is voor water en een handige kat die zich weet aan te passen. Zijn waarschijnlijk meest opvallende aversie is die tegen de mens: koste wat kost vermijdt de Geoffroy's Kat menselijke behuizingen. Door de Argentijnen wordt hij gato montes genoemd (dat wordt vertaald als bergkat), en het is bekend dat hij hoogtes in de Boliviaanse Andes bewoont tot 3500 meter. Als de Geoffroy's Kat de keus krijgt houdt hij het meest van bossen vol allerlei soorten planten en struikachtige vlaktes, waarop of -in hij zijn leven voornamelijk op de grond doorbrengt, en kleine zoogdieren en vogels eet. De kat werpt twee tot drie jongen per keer.

n.b. *De katten houden niet zo van kruisfokken, en het is bekend dat mannetjes Geoffroy's Katten in gevangenschap soms alle tamme vrouwtjes hebben gedood die binnen werden gebracht om te fokken.*

Felis bieti

Gobikat

Uiterlijk Deze vrij grote geel-grijs gekleurde kat werd voor het eerst beschreven in 1892, slechts gebaseerd op huiden. Later – toen men ook een schedel in bezit had – bleek, dat het soort erg leek op de jungle-kat. De vacht, die aanzienlijk langer wordt in voorbereiding op de koude maanden, is meestal donkerder op zijn flanken, en wordt lichter tot een wit-grijs aan de onderkant; strepen lopen tot op zijn flanken, die niet gemarkeerd zijn. De oren zijn geel-bruin, versierd met korte rechtopstaande haren aan de uiteinden. Onopvallende bruine strepen sieren meestal de wangen. De staart is zwart geringd. Totale lengte: 85 cm. Staartlengte: 35 cm.
Verspreiding De buitenste delen van China, oostelijk Tibet, en Mongolië zijn de duidelijke lijnen die het gebied van de Gobikat afbakenen. Het dier staat ook bekend als de Chinese woestijnkat.
Gedrag De Gobikat zwerft rond op de steppes en beboste bergen van zijn gebied. Het is geen dier met een voorliefde voor droogte zoals zou kunnen worden gedacht. Jagers vertellen over zijn agressiviteit, beweeglijkheid, en stoutmoedigheid in hun rapportages over honden die op 2700 meter hoogte werden gedood door een enkele ontembare kat. Zowel door de schuwheid van de kat als door het ondoordringbare terrein dat hij het liefst bewoont is er maar weinig bekend over de voortplanting en levensstijl van dit zeer stoïcijnse dier.
n.b. De Gobikat kreeg zijn naam voordat men zijn verspreiding echt kende. Gebaseerd op zijn kleur werd aangenomen dat het soort semi-woestijn-gebieden bewoonde – door de geheimzinnigheid die de soort nog steeds omhult, moet worden aangenomen dat zijn naam passend is.

Iriomote Kat

Felis iriomotensis

John R. Quinn '89

Uiterlijk Qua grootte is de Iriomote Kat ongeveer hetzelfde als de gemiddelde tamme kat. Hij is echter wel langer, en zijn staart is relatief korter. Kop en lijf: 64 cm. Staart: 43 cm. Zijn bouw suggereert duidelijk zijn aanleg voor jagen op de grond: hij heeft korte poten en staat laag bij de grond, en hij is dan ook een goede jager op dichtbegroeide grond. De kleur van zijn vacht varieert van donker tot gelig bruin, met rijen zwarte vlekken die de neiging hebben samen te smelten tot banden en ongeveer zeven donkere lijnen op zijn nek die doorlopen tot op de schouder. Zijn oren zijn rond; de achterkant ervan is zwart met witte vlekken in het midden.

Verspreiding Het eiland Iriomote Shima is ongeveer 181 km²; dit is de enige plek waar deze kat thuishoort.

Gedrag De Iriomote Kat zwerft over het hele afgelegen eiland Iriomote Shima in de Rioe-Kioe-archipel, ongeveer 200 km. van Taiwan. Op dit dicht beboste, niet in kaart gebrachte terrein zoekt de kat de grond af op zoek naar kleine knaagdieren, vogels, en andere zoogdieren. Een enkele keer wordt hij gevangen in een berentrap, en het vlees van deze kat is zeer geliefd bij culinaire Iriomotianen. De Iriomote Kat werd niet geïdentificeerd door wetenschappers tot 1967, maar al eeuwenlang kennen de inwoners van het eiland hem goed. Tot op zekere hoogte is het dier verwant aan de luipaard, maar de Iriomotianen weten zijn voorouders niet te traceren. Hij woont in de bossen, en lijkt qua uiterlijk op de kodkod en de Geoffroy's Kat, maar het is de vraag of hij daaraan verwant is.

n.b. *De Iriomote Kat bewoont maar zo'n klein stukje van de wereldbol dat zijn aantal natuurlijk heel klein is. De Japanse naturalist en schrijver Yukio Tagawa was een van de eerste niet-eilandbewoners die op zoek ging naar de kat. Eerst slaagde hij niet, maar meneer Tagawa overtuigde de eilandbewoners (zijn methodes blijven geheim) om hem een gevangen exemplaar te overhandigen.*

Panthera onca

Jaguar

Uiterlijk Een massieve kat met een opvallend vachtpatroon met complete zwarte cirkels op rug en flanken, met een tot drie centrale vlekken. De melanistische jaguar, een geheel zwart dier, is in het wild of in de 'tamme' gedachten van de mens niet ongewoon. Albine-exemplaren bestaan ook. Zijn kop is groot en rond; zijn borst is diep en krachtig. Lengte van kop en lijf: 185 cm. Staart: 74 cm. De Jaguar werd voor het eerst vermeld door Amerigo Vespucci in 1500 in Venezuela, en men noemde hem toen een luipaard. Later werd hij een tijger genoemd, en een groot deel van de Spaanssprekende wereld heeft het nog steeds over de soort als el tigre. En inderdaad kan de jaguar tegen de tijger op qua sterkte en ontzagwekkend gedrag.

Verspreiding Eens zwierf hij rond in heel Noord- en Zuid-Amerika, maar nu is de Jaguar bijna uitgestorven in de Verenigde Staten, en over de hele wereld zijn er niet veel meer.

Gedrag De Jaguar is een uitstekende klimmer en zwemmer en jaagt op grote en kleine zoogdieren, vogels en vissen. Als de Jaguar volwassen is, heeft hij geen natuurlijke vijanden meer in zijn woongebied: de mens is de enige bedreiging. De Jaguar besluipt zijn prooi met rustige overtuiging, strikte concentratie en geduld. Hij is stil. Hij wacht in beschutting tot zijn prooi arriveert of soms stort hij zich in sterke stromingen om zijn prooi te vangen. Het is bekend dat de Jaguar enorme vijanden als boa's en anaconda's, kaaiman-krokodillen en arapaima (een zoetwater-vis die tot vier meter lang wordt en tot 200 kg. weegt) kan doden.

Jaguarundi *Felis yagouaroundi*

Uiterlijk De Jaguarundi is de meest on-katachtige qua uiterlijk; zelfs zozeer dat de autoriteiten eens uit de grap hebben gesuggereerd dat zijn naam maar moest worden veranderd in otterkat. Er zijn twee variëteiten: een met een zeer donkere kleur die lichter wordt aan de onderbuik, en een tweede soort die rood-bruin van kleur is. Exemplaren van de lichtere soort worden meestal eyra's genoemd, maar beide soorten kunnen in één worp voorkomen. Met zijn korte poten, vrij lange dunne staart en lange lijf lijkt de Jaguarundi meer op een boombewoner dan op de grondkat die hij is.

Verspreiding Deze soort komt voor van Arizona en Texas tot zuidelijk Brazilië en noordelijk Argentinië, maar hij komt het meest voor in Midden- en Zuid-Amerika.

Gedrag De Jaguaroendi is een kat die in de bossen woont en de voorkeur geeft aan struikrijke ondergronden en dicht-beplante bosranden. Hij is het meest actief tijdens de vroege ochtend en late avonduren, en dan zoekt hij de grond af naar knaagdieren, vogels, en kleine zoogdieren. Hij kan niet echt worden beschouwd als een nachtdier, omdat Jaguarundi's ook soms te zien zijn bij vol daglicht – maar hij houdt wel van een middagdutje. Jaguarundi's aarzelen niet de met lekkere hapjes gevulde huizen van mensen binnen te gaan, en zulke bezoeken resulteren vaak in de dood van het dier. De Jaguarundi is overwegend een solitair dier dat kan communiceren met vogelachtige geluiden en vriendelijk gespin. De moeder-jaguarundi staat niet bekend om haar beschermende moeder-instincten, en wil haar jongen bij gevaar nog wel eens in de steek laten.

n.b. *Het schijnt dat Jaguarundi's door Zuidamerikaanse Indianen als halftam huisdier worden gehouden om de knaagdieren in toom te houden.*

Felis chaus
Junglekat

Uiterlijk De kleur van de Junglekat varieert van grijs-geel tot rood-bruin; ze zijn altijd gestreept, ook de poten en de staart. (Net als bij verschillende andere wilde katten zijn de streepmarkeringen van de junglekat duidelijker bij jonge en nog niet volwassen dieren.) De torso's van de volwassen dieren zijn meestal niet gestreept. Kleine zwarte potloodharen versieren de oren, die roodachtig van kleur zijn en geen witte markeringen of strepen hebben. De poten zijn lang, en de staart is kort. Vaak wordt zijn uiterlijke overeenkomst met de Abessijn vermeld. Hoogte: 33-36 cm. Kop tot staart: 75 cm. Staart: 34 cm.

Verspreiding Azië en Noord-Afrika zijn grofweg de gebieden waar de Junglekat rondzwerft, in landen als Egypte, Israël, Iran, Afghanistan, Sri Lanka (Ceylon), Burma, Thailand (Siam), en westelijk China.

Gedrag De Junglekat staat ook bekend als de rode kat. Het is een dier dat zich gemakkelijk aanpast en in verlaten holen woont. Hij komt voor in bossen, op vlaktes, en op open en gecultiveerde velden, waar hij op zoek gaat naar kleine knaagdieren, andere zoogdieren, en vogels. De Junglekat nestelt zich in leegstaande menselijke bewoningen. De Junglekat is een van de twee duidelijk katachtige dieren die op de muren van oude Egyptische monumenten geëtst staan. De Egyptenaren, bekend om hun verlangen dieren tam te maken, gebruikten de katten waarschijnlijk om op wild gevogelte te jagen. De jagende Junglekat is een stille, langzame, zorgvuldige jager. Hij is in gevangenschap goed te fokken maar is niet populair in dierentuinen.

n.b. De Junglekat is snel en krachtig, en staat erom bekend op jongen van jachtluipaarden te jagen.

Kodkod

Felis guigna

Uiterlijk De vacht is bruin tot okergeel, en gemarkeerd met zwarte vlekken op het lichaam, strepen op de borst, en ringen op de staart. De achterkant van de oren is zwart gekleurd, met witte vlekken in het midden. Melanistische exemplaren zijn niet ongewoon en komen voor in nesten van verder normaal gekleurde jongen. Een grotere variëteit, meestal in lichtere kleuren en met ongevlekte poten, komt voor in het midden van Chili, terwijl kleinere helderder gekleurde exemplaren met gevlekte poten meer naar het zuiden voorkomen. Net als bij de Geoffroy's Kat is de kop van de Kodkod groot en breed maar kort en rond, en de eerste kiezen zijn erg klein. De meest nauwe verwant van de kat is echter de tijger. De Kodkod heeft een lengte van kop tot staart van slechts 50 cm, een staart van 21-22 cm en is daarmee waarschijnlijk de kleinste wilde kat in de Westerse wereld.
Verspreiding Het midden en de zuidelijke gedeeltes van Zuid-Amerika zijn de jachtvelden van de Kodkod.
Gedrag De Kodkod behoort tot de vele katachtigen waarvan weinig bekend is over hun sociale gedrag. Tot de dag van vandaag zijn de specialisten het slechts over twee dingen eens: de Kodkod woont in de bossen en hij is vooral 's nachts actief. De rest is gebaseerd op discussies en dubieuze verhalen. Sommige wetenschappers beweren dat deze kat in de bomen leeft en handig in takken kan springen, terwijl anderen beweren dat de Kodkod onhandig is als hij in bomen klimt, en liever op de grond leeft, en graag een eenvoudige kip bij een boze boer wegplukt.
n.b. *Dat de Kodkod jaagt en leeft in troepen is ook beweerd, maar slechts fervente verhalen van boeren onderschrijven deze bewering.*

Panthera leo

Leeuw

Uiterlijk De leeuw is de grootste Afrikaanse vleeseter, en hij kan wel 180-225 kg wegen, 90 cm hoog en 2.70 m lang zijn. Voor de meeste mensen is een beschrijving van de leeuw uitermate overbodig, omdat het misschien wel het dier is dat het meest tot de verbeelding spreekt; zijn beeld staat de meeste mensen levendig voor ogen. Zijn kop is breed, zijn oren rond. De korte nek wordt versierd door dikke manen bij het mannetje; het vrouwtje heeft die niet. De manen worden met de leeftijd donkerder, van geel als hij jong is tot bruin of rood-bruin. De kleur van de vacht varieert nogal – van licht vaalgeel tot donker oker-bruin. De staart, die 104 cm lang is, eindigt in een zwart kwastje. De poten en het lichaam zijn machtig en indrukwekkend.
Verspreiding Het werelddeel Afrika, ten zuiden van de Sahara en in het Gir Forest in India; vroeger van Kaap de Goede Hoop tot de Middellandse Zee, en in het oosten tot het noorden van India. Vandaag de dag is zijn gebied beperkt tot de beschermde gebieden van Afrika en het Gir Forest.
Gedrag De leeuw is de enige echt sociale kat. Hij is polygaam en beschermt zijn trots met nooit falende verdedigingen. Deze mythologische en spreekwoordelijke Afrikaanse dieren jagen alleen, in paren en/of in groepen. De zebra en de gazelle zijn hun gemakkelijkste prooi; giraffes en buffalo's vragen wat meer inspanning. Over het algemeen houden leeuwen niet van rennen en ze jagen hun prooi niet vaak na; ze zijn een van de geduldigste diersoorten en ze vertrouwen op hun kracht en talent om een nietsvermoedende, liefst slapende, kudde te verrassen.

Luipaard

Panthera pardus

John P. Quinn '90

Uiterlijk De luipaard, die ook vaak panter genoemd wordt, komt voor in een grote variëteit. Deze variatie bracht de ordelijke Romeinen in de war, die het dier probeerden te classificeren als twee soorten, vooral gebaseerd op de lengte van zijn staart (22 dan wel 28 wervels). Over het algemeen is de luipaard groot en elegant, dun en goed gespierd, met massieve poten en een lang lijf. Zijn vacht is kort en zacht in warme en tropische klimaten maar warm en lang in koudere klimaten. Kop tot staart: 152 cm. Staart: 96 cm. Gewicht: 41-55 kg. De kleur varieert van bleekgeel en grijs tot helder oker en kastanjekleurig. Borst, hals, buik en de binnenkant van zijn poten zijn wit. Zwarte stippen, vlekken en rozetten kleuren de vacht. Zwarte luipaarden, de melanistische variant, komen meer voor in zuidelijk Azië dan in tropisch Afrika, hoewel ze het liefst leven in vochtige dicht beboste gebieden.

Verspreiding Eeuwen geleden kwamen ze voor in Europa, ook in Groot-Brittannië. De luipaard leidt zijn bedreigde bestaan nu nog slechts in kleine delen van Afrika en Azië. De republikeinse Romeinen haalden hun eerste luipaarden uit Noord-Afrika, waar ze eens erg veel voorkwamen, en gebruikten ze als gladiatoren in de ring.

Gedrag Luipaarden kunnen zich zeer goed aanpassen en doen het goed in bijna elk soort gebied in heel Azië en Afrika, met uitzondering van woestijngebieden. Zolang er voedsel is, zelfs als de prooi een mens is, overleeft de luipaard. Deze soort heeft bewezen het gevaarlijkst te zijn voor de mens, gedeeltelijk doordat ze heimelijk een dorp kunnen binnensluipen en ook door hun geweldige sterkte en aanleg tot springen en klimmen. Luipaarden staan erom bekend te kunnen overleven in door mensen dicht-bevolkte gebieden. De luipaard is een dier dat zijn prooi besluipt, en op groot wild jaagt, en hij kan uitstekend zwemmen.

n.b. Op de luipaard werd eens zonder pardon gejaagd voor zijn zeer stijlvolle vacht, maar vandaag de dag is het een bedreigde diersoort en geniet hij volledige bescherming tegen het geweer en de pijl en boog.

Felis wiedii

Margay

John R. Quinn '90

Uiterlijk De Margay lijkt op een kleine ocelot (in delen van Zuid-Amerika noemt hem zelfs 'kleine ocelot'), maar staat hoger op de poten en heeft een langere staart. De 70 cm lange staart en ook zijn mooi gevlekte vacht zijn verantwoordelijk voor zijn andere naam: gevlekte langstaart kat. Het patroon van de vacht bestaat uit twee rijen bruine ronde markeringen in de lengte die zachter van kleur worden in het centrum; de achterkant van de oren is zwart met witte vlekken in het midden; de staart is gevlekt en geringd. Zijn basiskleur is geel-bruin, met witte plekken op buik, borst, keel, kin, en voorpoten. Zijn vacht is zacht. Lichaamslengte: 68 cm.

Verspreiding Hij komt voor in Noord-Amerika maar is talrijker meer naar het zuiden; in Zuid-Amerika komt hij voor in Panama, het noorden van Colombia, en Peru, en ook in delen van Paraguay, Uruguay en het noorden van Argentinië.

Gedrag De klimmende Margay is zonder twijfel de 'aap' van de kattenwereld: geen andere kat beklimt bomen met zo'n gemak en vaardigheid. Zoals zijn aanleg voor bomen beklimmen al doet vermoeden, eet de Margay vooral vogels die hij uit de takken plukt. Kleine tot middelmatige zoogdieren en een paar speciale, gemakkelijk te pakken reptielen zijn ook een prooi. Het zijn overwegend nachtdieren en ze leven bijna alleen in de bossen.

n.b. Margays worden wel gehouden als huisdieren, evenals ocelotten. De zeldzaamheid van de soort heeft die onverantwoorde menselijke neigingen echter ontmoedigd.

233

Marmerkat

Felis marmorata

Uiterlijk Deze katachtige heeft ongeveer de grootte van een grote tamme kat; hij is wonderbaarlijk gevlekt met zwarte plekken, die allen zijn uitgelijnd in zwart, over een bruin-grijze tot lichtgele achtergrond verspreid. Daarnaast zijn de poten gevlekt met dichte zwarte ovale vlekken. De lengte van kop en lichaam is gemiddeld 53 cm; de staart is ongeveer 38 cm. Zijn kop is veel ronder dan die van de gemiddelde katachtige; de bovenkant ervan is breed en plat. Zijn vacht, die door de wollige ondervacht wordt geïsoleerd, is dicht en zacht. Zijn tanden zijn indrukwekkend, hoewel zijn voorste kiezen nauwelijks uitsteken. Het lichaam is lang; de staart is breed en lang. De oren zijn niet zo groot en rond bij de uiteindes; de achterkant van de oren is zwart van kleur met grijze strepen.

Verspreiding Nepal, Sikkim, Assam, Burma, Maleisië, Indo-China, Borneo en Sumatra bezitten de bosachtige landschappen waar de Marmerkat verblijft.

Gedrag Hoewel er eigenlijk weinig bekend is van de gewoontes en dagelijkse routine van deze wilde kat gelooft men dat de Marmerkat voornamelijk 's nachts jaagt, op de grond en in de bomen. In de bomen klimt hij vaak in achtervolging van een gevederd maal. Bij de mogelijke prooien op de grond horen ratten en eekhoorns (behalve natuurlijk als deze laatste gauw een boom in schiet); daarnaast kunnen ook hagedissen en kikkers soms worden opgeslurpt door deze niet zo kieskeurige bosbewoner.

n.b. *Hoewel de Marmerkat niet moeilijk is in zijn menu-keuze, is hij niet weg van restjes en weigert hij een karkas dat is overgebleven te verorberen.*

234

Panthera nebulosa   Nevelpanter

John R. Quinn '89

Uiterlijk De Nevelpanter, die half zo groot is als een klein luipaard (dus eigenlijk een middelmatige wilde kat), heeft karakteristieke kenmerken met zowel de kleine als de grote katachtigen gemeen. De Nevelpanter, die door Griffith in 1821 is geplaatst in het nu verdwenen soort Neofelis, heeft een gemarmerde vacht die tussen geel en lichtbruin varieert, en erg lijkt op de vacht van de marmerkat. Zijn onderlichaam is wittig. Twee zwarte banden markeren zijn wangen: één van elk oog naar zijn oren en een andere parallel aan zijn mond. Zijn schedel is lang en smal. Zijn oren zijn klein en zwart gemarkeerd met grijze vlekken. De bovenhoektanden bereiken relatief een grotere lengte dan die van andere katachtigen. (Ze worden wel beschreven als lijkend op slagtanden, net als die van de uitgestorven sabeltijger.) De staart is dik. Hoogte: ongeveer 50 cm. Gewicht: 9 kg. Hoektanden: 2.5 tot 5 cm.

Verspreiding Zuid-China en Indo-China, Taiwan, Borneo, Nepal en Burma.

Gedrag De Nevelpanter klimt met ongeëvenaard gemak in bomen – slechts de margay komt in de buurt van zijn aanleg voor manoeuvres en afdalingen. De soort woont in het bos, en leeft een nachtelijk, teruggetrokken leven. Bewoners van zijn woongebieden vertellen dat de dieren in de bomen 'slapen', vooral tussen gevorkte takken, en wachten tot hun maal hen komt opzoeken, meestal een grote vogel of andere boom-bewoner. De soort is echter vrij onbekend. Er wordt gezegd dat hij wel op vee jaagt, ook op varkens en geiten, en dat Europese jagers de meeste van deze katten op de grond hebben geschoten. Ook hebben exemplaren in gevangenschap over-dag grote activiteit laten zien.

n.b. *Zoals wordt gesuggereerd in zijn Maleise naam rimau-dahan, wat ongeveer boom- (of gevorkte tak-) tijger betekent, is de soort bekend om zijn aanleg om apen en vogels die in de bomen bescherming zoeken, te doden.*

Noordelijke lynx

Felis lynx

Uiterlijk Machtige poten, zware botten en een volle, zware vacht onderscheiden de Noordelijke Lynx als een stoere, wijd verspreide wilde kat. De soort is 68 cm hoog; zijn lichaamslengte kan meer dan 105 cm zijn. Qua kleur is de Lynx geel-bruin met verschillende stukken donkerder bruin, op allerlei plekken. Bij sommige subsoorten, vooral in Noord-Amerika, vallen de vlekken nauwelijks te onderscheiden. De vacht is lang en zacht, de staart heeft een zwart puntje.

Verspreiding Lynxen horen thuis op elk werelddeel behalve Antarctica en Australië. In Noord-Amerika komt de Lynx voor in Alaska, Canada en het noordelijke deel van de Verenigde Staten; in Europa komt hij beperkt voor vergeleken bij zijn vroeger wijd verspreide woongebied, hoewel hij in sommige gebieden nog wel voorkomt.

Gedrag De Lynx gaat zelden buiten zijn normale gebied, en hij jaagt 's nachts op zicht en geur; hij kan wel 40 km in één nacht afleggen. Het zijn zeer getalenteerde zwemmers en klimmers en felle vechtersbazen, die goed gebruik maken van hun nagels en tanden. De sneeuwhaas is misschien zijn favoriete eten vanwege zijn voedingswaarde, maar Lynxen jagen ook op reeën, patrijzen, muizen en ratachtige knaagdieren, waterwoelmuizen, marmotten, gemzen, verschillende vogels, evenals op jonge wilde varkens en herten. Het zijn dieren die overal overleven en ook wel jagen op andere wilde katten, vossen en honden als dat nodig is. Hij wordt 10-20 jaar.

n.b. *De Griekse mythologie vereenzelvigt de lynx met Lynceus en schrijft de onverwacht naderende en dominante kat de kunst van het door de muren kijken toe.*

Felis pardalis

Ocelot

John R.Quinn '90

Uiterlijk Met zijn prominente ogen en opvallende vlekken varieert de Ocelot nogal in uiterlijk. De zachte basiskleur is bedekt met langgerekte vlekken, waarbij elk ovaal door zwart is omcirkeld. De schedel is vrij breed tussen de oren, die klein zijn; zijn kop lijkt qua vorm op die van een luipaard en is gestreept. De lichaamslengte varieert maar is gemiddeld 100 cm, de staart is gemiddeld ongeveer 40 cm. De schouderhoogte is 45 cm en hij weegt ongeveer 14 kg.

Verspreiding De Ocelot is vandaag de dag in de Verenigde Staten minder talrijk dan vroeger; hij komt nog voor in Arizona en zuidwest Texas; zijn woongebied strekt zich uit tot Paraguay, noordelijk Argentinië, Colombia, Ecuador en noordelijk Peru.

Gedrag De Ocelot is een taai ras dat voorkomt in verschillende klimaten en woonomgevingen. In Brazilië jaagt hij in de dichtste bossen, moerassen en ook in beboste berggebieden; in Midden-Amerika doet de ocelot het goed in de hitte van de jungle. Overdag slaapt de kat in bomen en hij is meestal 's nachts actief. Hij jaagt op de grond of in bomen; de Ocelot kan van boom tot boom springen en hij kan apen en vogels overweldigen. Hij is een goede zwemmer en vrij onafhankelijk van zijn partner. Van alle wilde katten lijdt de Ocelot helaas het meest van zijn grote aantrekkingskracht als huisdier. Gelukkig is de interesse voor het houden van een ocelot afgenomen – nadat het aantal soorten en het aantal exemplaren was afgenomen, evenals het aantal koppige bazen.

n.b. Ocelots communiceren met hun gemeenschap door te miauwen en door altijd hun behoefte te doen op een bepaalde plaats.

Pallaskat

Felis manul

Uiterlijk Qua uiterlijk lijkt de Pallaskat nogal op de half-langharige tamme kat. Hij is alleen iets groter, en weegt 2.5 tot 3.5 kg. De pallaskat is 57 cm lang en de staart is 25 cm. De kop is breed en kort; de poten kort en stevig; de oren zijn bot en rond, laag geplaatst en breed. De vacht van de Pallaskat is dikker en langer dan die van andere wilde katten. Zijn kleur is geel-bruin met donkerder spikkels; de haren van het volwassen dier hebben witte punten en zorgen voor een zilverachtig uiterlijk. De staart is dik en heeft donkere ringen.

Verspreiding Centraal Azië. Zijn woongebied ligt langs de oostkust van de Caspische zee, door Turkmenistan, Oezbekistan, Kazachstan, en Tibet tot de Altaj, Tuva, Mongolië, Iran en Afghanistan.

Gedrag De Pallaskat jaagt vooral 's nachts, en hij slaapt overdag in holen. De pallaskat vindt zijn prooi – die vooral bestaat uit muizen, hazen, en pika's – op het gezicht. Deze kat jaagt in vrij open gebied, doordat de lage positie van zijn oren zorgt dat zijn kop nauwelijks boven een rots of bosje uitsteekt. De ogen van de Pallaskat worden wel vergeleken met de rechte staar van een uil, en het schijnt dat de kat net zo schreeuwt als die gehoornde jager op zoek naar een vrouwtje. Als hij geïrriteerd is, sist de pallaskat niet maar produceert hij een gepiep tussen zijn tanden.

n.b. *Vaak wordt verkeerd gemeld dat de Pallaskat of Steppekat uit Centraal Azië een directe voorouder was van het Perzische ras van vandaag de dag. De afwijkende schedel geeft echter geen enkel bewijs van zo'n afstamming.*

Felis colocolo

Pampakat

Uiterlijk De breed gebouwde Pampakat lijkt qua grootte op de Europese wilde kat, met een kortere staart en een kleinere kop. Puntige oren en een brede kop kenmerken deze soort en onderscheiden het van andere Zuidamerikaanse wilde katten. De vacht van de Pampakat is lang en pluizig, en vormt manen rond de nek; zijn staart loopt uit in een pluim. Sommige exemplaren kunnen echter bijna kortharig zijn. De Pampakat grossiert in aardkleuren die variëren van gelen en grijzen tot bruinen. Banden van donkerder kleur vormen een patroon op de rug; strepen accentueren de ogen tot de wangen. De kleur varieert bij exemplaren uit Chili en Argentinië. Vanaf de schouder is de kat 33 cm hoog; hij is 70 cm lang, plus 33 cm voor de staart.

Verspreiding Zuid-Amerika. Berggebieden in Ecuador en ook grasgebieden in Bolivia, Chili, Argentinië, Peru en Paraguay.

Gedrag De gato pejero of graskat heet zo doordat hij vaak graslanden bewoont; hij heeft die naam in Argentinië gekregen en haalt cavia's uit dat gras. Pampakatten klimmen niet zo vaak in een boom als veel andere wilde katten en doen dat alleen als er op ze wordt gejaagd. Verder blijven ze op de grond en jagen ze op kleine landzoogdieren (en ook op vogels met nesten op de grond). Hoewel de Pampakat nogal op de tamme kat lijkt, heeft hij een heel ander karakter en is hij van nature agressief.

n.b. *De Pampakat heeft vooral een voorkeur voor tam gevogelte.*

Platkop Kat

Felis planiceps

Uiterlijk Een fysiek zeer opvallende kat is de Platkop Kat, en hij lijkt net als de Vissende Kat op de civetkatachtigen, maar daarnaast lijkt hij ook nog op de musteliden. De bovenkant van de schedel is breed en plat, en de voorkant ervan is puntig, waardoor hij eruit ziet als een platte wig. De neusbotjes vormen een onmiskenbare richel, en ook de ogen worden geheel omgeven door bot. De tanden zijn zeer goed aangepast: de bovenste kiezen achter hebben twee wortels en zijn groter in ontwikkeling dan die van andere katachtigen. De vacht is lang, zacht en dik, en varieert nogal qua kleur. Zijn kop is meestal bruin-rood; zijn lichaam zwart-bruin, met witte uiteinden; zijn onderlichaam wittig met bruine vlekken; zijn gezicht is helder roodachtig, met twee dunne donkere lijnen over de wangen. Lengte: 56 cm. Staartlengte: ongeveer 18 cm.

Verspreiding Hij komt voor in zuidelijk Azië, Borneo, Sumatra, en Maleisië, tot ongeveer 1500 meter boven zeeniveau.

Gedrag Er zijn maar weinig feiten bekend over de levensstijl van deze intrigerende kat. Het is een nachtdier en hij wordt tam in gevangenschap, hoewel hij niet erg vaak gevangen is genomen. Zijn aparte tanden zorgt ervoor dat de Platkop Kat gladde vissen handig beet kan pakken. Hij vangt vis, kikkers en weekdieren. Sommige verhalen suggereren ook dat de Platkop Kat van kippen houdt en van andere kleine huisdieren. Over paargewoontes en familieleven is weinig bekend.

n.b. *De Platkop Kat – geen favoriet van de boer – vindt zo nu en dan een zoete aardappel of fruit uit de tuin erg lekker.*

Felis concolor

Poema

John R. Quinn '90

Uiterlijk De Poema is één van de mooiste katten (en dieren). Hij heeft een bijna kogelvormige kop, relatief klein, die rond loopt bij het gezicht. De oren zijn ook rond en klein. De achterpoten zijn langer dan de voorpoten, en de poten zijn goed gespierd. Het lichaam is lang en meet 160 cm. De staart is cylindrisch en is 85 cm lang. Het mannetje weegt ongeveer 82 kg, de vrouwtjes aanzienlijk minder. De vacht varieert, afhankelijk van het klimaat: hij kan hard en ruw zijn, of lang en zacht. De Poema is bruin, in verschillende tinten; de snuit en het puntje van de staart zijn zwart; het onderlichaam en punten van het gezicht zijn wit.
Verspreiding Amerika: Noord, Midden en Zuid. In Noord-Amerika is het soort talrijk in de staten van de Rocky Mountains, Texas en New Mexico, en in Californië, Oregon en Washington in de kustgebieden; delen van Canada, onder andere Alberta en British Columbia.
Gedrag De Poema of bergleeuw is in staat zich aan te passen aan een aantal terreinsoorten, en in de geschiedenis van Noord-Amerika heeft hij dit talent ook gebruikt. Of het nu in de jungle, op de prairie, in de bergen of in de tropen is, de Poema is in staat om te overleven. Hoewel het dier zelden de mens aanvalt, is het een wrede en niet te stoppen jager die soms op herten, stekelvarkens, wilde paarden en schapen jaagt. Poema's zijn zeer goede klimmers en befaamde zwervers.

Roestvlekkat

Felis rubiginosa

John R. Quinn '89

Uiterlijk De Roestvlekkat is kleiner dan onze harige huisvrienden en hij dankt zijn naam aan de grote zwarte vlekken die zijn buik en poten markeren. Zijn basiskleur is grijs en bruin of zwart gestreept. Zijn gezicht is ook wit gestreept van de binnenkant van het oog tot de bovenkant van de schedel. De vacht is fijn en kort. De staart is donkerder van kleur dan het lichaam. De lichaamslengte is gemiddeld 42 cm en de staart is 24 cm lang.
Verspreiding Zuidelijk India en Sri Lanka zijn de enige gebieden waar de Roestvlekkat voorkomt.
Gedrag Deze kat wordt over het algemeen niet beschouwd als een bewoner van de jungle, hoewel een subsoort op Sri Lanka wel in de jungle komt. De Roestvlekkat houdt meer van open grasgebied en struiken, en woont zelf in open gebied. Van de soort op Sri Lanka is bekend dat hij bos- en berggebieden bewoont. Het is een echt nachtdier en hij jaagt op kleine zoogdieren en vogels. Hoewel de soort maar zelden in gevangenschap is gehouden, is bewezen dat hij beter tembaar is dan veel andere wilde katten. Het is een zeer actieve kat die niet opschept over zijn boomklim-kunsten.
n.b. *Zijn nauwe verwantschap met de Bengaalse Kat (Felis bengalensis) zorgde er eens voor dat ze de soortnaam Prionailarus deelden; vandaag de dag horen beide soorten bij de soort Felis.*

Felis serval

Serval

John R. Quinn '90

Uiterlijk De elegante Serval wordt gekenmerkt door zijn lange poten en grote ovale oren. Zijn bouw is licht en zijn staart vrij kort. De vacht kan roodgeel of gewoon gelig zijn, gemarkeerd met zwarte vlekken die strepen vormen in de lengte op de rug. De poten zijn lang en krachtig en kunnen het dier met superieure snelheid doen voortbewegen. Hoogte: 57 cm. Lengte van het lichaam: 72 cm. Lengte van de staart: 40 cm. Gemiddeld gewicht: 15 kg. De Serval werd vroeger ingedeeld in twee categorieën; het kleinere type werd servalijn genoemd. Dit onderscheid is niet meer geldig omdat de types zich vermengd hebben en het onderscheid is verdwenen.

Verspreiding Afrika: in de sub-Sahara; variërend en overvloedig over het hele continent; komt veel voor in de westelijke en centrale Afrikaanse tropische gebieden.

Gedrag Deze lenige, bijna elastische katachtige is overdag actief en het menu van de dag is gevarieerd: het is bekend dat hij op grasratten jaagt, op vleiratten, op hazen, hagedissen en vogels; ook kan hij een kleinere antilope verzwelgen. Het zijn vindingrijke bos- en grasland-bewoners die een natuurlijke affiniteit voor water hebben – het zijn geweldige zwemmers! Hun oren zijn de sleutel om te overleven, goed genoeg om de plaats van een knaagdier in zijn hol te kunnen traceren en beweeglijk genoeg om plat op de kop te leggen als bescherming te dienen.

n.b. Deze katten zijn populair in dierentuinen. Sommige stammen in Afrika beschouwen het vlees van de Serval als een delicatesse.

243

Sneeuwpanter

Panthera unica

Uiterlijk Hoewel hij vaak wordt verward met de luipaard is de sneeuwpanter kleiner, met een relatief lang lijf en lange staart. Een korte snuit,
vertikale kin en hoog voorhoofd vormen de details van zijn kop. Zijn vacht is
wollig – lang en dik. De poten zijn sterk en middelgroot. De kleur van de
sneeuwpanter is middel-donkergrijs, met een beetje geel op de flanken en
wit op de buik. De staart is goed met bont bekleed en gemarkeerd met
donkere strepen in de lengte. Hoogte: 60 cm. Lichaamslengte varieert van
104 tot 112 cm; de staart is 90 cm lang.
Verspreiding Langs de zuidhellingen van de Himalaya. Van het Hindoe
Kushgebergte, Chitral, Gilgit, Hunza en het Karakoram-gebied naar het
oosten. Kashmir en Tibet.
Gedrag Dit is een grote kat die kleiner lijkt dan andere wilde katten van
ongeveer zijn grootte. De sneeuwpanter is echter wel een machtige, atleti-
sche kat die op alle wilde dieren jaagt die op zijn weg komen: wilde geiten,
muskusherten, wilde varkens en een variëteit aan grote vogels. Ook komt hij
sommige tamme dieren tegen op zijn pad, zoals schapen, geiten, honden,
koeien, jakhalzen en paarden (deze laatste wat minder vaak, natuurlijk). Hij
overwint zijn prooi door hem te wurgen met zijn sterke kaken. Veel
sneeuwpanters vinden vaak laag gesitueerde zwarte aasgier-nesten om
daarop te rusten.
n.b. *De soort is beschermd in sommige gebieden en zijn aantal groeit
constant; naarmate de beperkingen groter worden, zakt de vraag naar
zijn vacht.*

244

Felis pardina

Spaanse lynx

Uiterlijk Krachtige poten, stevige botten, en een dikke, zware vacht kenmerken de Spaanse lynx als een stevige, wijd verspreide wilde kat. De soort is 68 cm vanaf de schouder; zijn lichaamslengte kan meer dan 105 cm zijn. De oren zijn prominent en hebben lange kwastjes van bont. Zijn poten zijn erg groot en uitgebreid met bont gevoerd in de winter – echte sneeuwschoenen. De lynx is geel-bruin van kleur met verschillende vlekken van donkerder bruin. Bij sommige exemplaren zijn de vlekken bijna niet te onderscheiden. De vacht is vrij lang en zacht. De staart heeft een zwart puntje.
Verspreiding Beperkte gebieden in Spanje. In dit land wordt de soort beschermd door het systeem van nationale parken.
Gedrag De schuchtere en toch stoere Spaanse lynx komt voor in open bosgebieden of moerassen. De lynx komt maar zelden voorbij zijn vaste gebied en jaagt 's nachts op zicht en geur; hij kan wel 40 km in één nacht afleggen. Het zijn zeer getalenteerde zwemmers en klimmers en felle vechtersbazen, die goed gebruik maken van hun nagels en tanden. Voor voedsel jagen de lynxen op reeën, roodpoot-patrijzen en andere grote vogels, muizen en knaagdieren, waterwoelmuizen, marmotten, chamois, en ook jonge wilde varkens en rode herten. Het zijn dieren die goed kunnen overleven en die ook op andere wilde katten, vossen, en honden kunnen jagen als dat noodzakelijk is.
n.b. *Ondanks de verlate inspanningen van de mens blijft de soort zeer zeldzaam.*

Temminck gouden kat

Felis temmincki

Uiterlijk Het lichaam is 104 cm lang en efficiënt gebouwd. De staart loopt niet breder uit maar blijft gelijkmatig over de hele lengte van 39 cm. De kop is relatief groot met korte, ronde oren. De oren zijn zwart van kleur, en dat contrasteert opvallend met de gouden kleur van zijn vacht. De vacht kan variëren van geel-bruin en donkerbruin tot rood en grijs. Melanistische of zwarte exemplaren komen ook voor en zijn bijzonder mooi om te zien. Vleken streeppatronen variëren van locatie tot locatie.

Verspreiding Zuid-Oost Azië: Nepal, Sikkim, Assam, Burma, Tibet, China, Indo-China, Siam, Maleisië, en Sumatra.

Gedrag Hoewel hij door stukken land van meer dan 6400 km wordt gescheiden is de Temminck gouden kat of Aziatische gouden kat een nauwe verwant van de Afrikaanse gouden kat. Er bestaat veel speculatie over de historische ontwikkeling van deze katachtigen als twee verschillende soorten. C. Jacob Temminck, een prominente Nederlandse naturalist, beschreef als eerste de soort, en nu draagt de kat zijn naam. De Temminck kat is een inwoner van bosachtige gebieden en heeft vele namen gekregen van de Aziaten. Hij wordt wel de gele luipaard genoemd – huang poo – door de Chinezen, en 'vuurtijger' door de Burmezen. De kat is op bescheiden wijze kieskeurig over de componenten van zijn dieet en jaagt op verschillende vogels en gronddieren (tot zo groot als het kalf van de waterbuffalo). Hij beperkt zich in principe tot het verblijf op de grond omdat hij niet zo van klimmen houdt. De Temminckkat kan aardig goed tegen gevangenschap.

n.b. *Volgens een Mishmi-stam bij Tibet brengt de Temminckkat zijn paringen door in holle bomen.*

Panthera tigris   # Tijger

John R. Quinn '90

Uiterlijk Het robuuste, massieve lichaam van de tijger zorgt onmiskenbaar voor een imposant uiterlijk; het beeld van de gestreepte tijger is net zo bekend als dat van de leeuw. De basiskleur varieert maar is voornamelijk oranje tot oker; toch komen ook bijna witte soorten voor. De strepen, die het hele lichaam bedekken, zijn grijs, bruin of zwart en het patroon is niet altijd hetzelfde. De kleur van de snuit, de hals, snorharen, borst en onderlichaam is wit of crème. De lengte en dikte van de vacht hangt af van het klimaat. De poten zijn zeer krachtig; het lichaam is lang en de staart is meestal half zo lang als het lichaam, dat ongeveer op 280 cm gechat kan worden. Ze wegen tussen de 100 en 225 kg. De Siberische tijger, de grootste soort, kan wel 225 kg wegen.

Verspreiding Azië, van Sumatra en Borneo tot Siberië. De grootste bestaande tijger-bevolkingen komen voor in Nepal en India, en waarschijnlijk in Bangladesh en Maleisië.

Gedrag De nachtelijke tijger komt uit het rustige donkere bos tevoorschijn om zijn almachtige opportunisme uit te oefenen. Deze kat eet wat er maar aanwezig is en waar hij zin in heeft: beer, os, ree, pauw, en vis. Die vissen zijn beslist de laatste optie als het land geen smakelijke inwoners biedt; zelfs reptielen maken deel uit van het menu, en niet alleen schildpadden maar ook krokodillen! Deze dieren gaan zonder enige bedenking het water in. Kleine groepen tijgers migreren vaak tegelijk, en hun reputatie van zwervers snelt hen vooruit.

Tijgerkat

Felis tigrina

Uiterlijk Een aantrekkelijk vlekkenpatroon siert de okerkleurige vacht van de Tijgerkat, ook bekend onder de naam Kleine Gevlekte Kat. Het patroon wordt verfraaid doordat het naar een lichtere kleur vervaagt op het onderlichaam, dat bijna wit is en geen vlekken heeft. De staart is bijna een dozijn keer geringd langs de hele lengte van 38 cm. De grootte varieert in het algemeen aanzienlijk maar wordt meestal geschat op ongeveer 53 cm. Deze kleine kat weegt 1.5 tot 3 kg. Zijn kop is klein en de oren zijn rond maar puntig en vrij prominent. Twintig procent van de exemplaren van deze soort is melanistisch.

Verspreiding Midden- en Zuid-Amerika: van Costa Rica tot westelijk Venezuela, Colombia, Ecuador, en waarschijnlijk noord Peru; oost Venezuela, Guyana, Brazilië, Paraguay en Argentinië (noordelijk).

Gedrag De Tijgerkat, die meestal oncilla wordt genoemd (wat kleine luipaard of jaguarette betekent), is een bosbewoner die zijn gewoontes goed verborgen heeft gehouden voor nieuwsgierige mensen. De poquito gato is wel gefokt in gevangenschap; de draagperiode is 75 dagen; een of twee jongen per worp. Het zijn professionele jagers, en jonge katten ontwikkelen hun kunnen binnen de eerste twee maanden van hun leven. Het mannetje is behoorlijk agressief tegen het vrouwtje. Vogels en kleine knaagdieren zijn waarschijnlijk de prooien van de oncilla.

n.b. Experimenten in gevangenschap hebben laten zien dat de tijgerkat 'succesvol' kan worden gekruist met de tamme kat, hoewel ongeveer de helft van de nakomelingen doodgeboren werd – een experiment dat u beter niet thuis kunt proberen.

Felis viverrinus   # De Vissende Kat

Uiterlijk De soortnaam van de viverrinus werd in 1833 aan deze soort gegeven door Bennett, ter getuigenis van de lichamelijke overeenkomsten van het dier met de Aziatische civetkat, Viverra zibetha. De Vissende Kat is een magere kat, die ongeveer 11.5 kg weegt, met een grote brede kop en een staart van slechts ongeveer een kwart tot een derde van de totale lichaamslengte van 85 cm. De kat woont in de tropen, heeft kleine oren en een korte, ruwe vacht die meestal grijs-bruin is. Vachtmarkeringen hebben meestal de vorm van donkere vlekken die lange strepen worden op de nek en de kop. De oren zijn meestal zwart van kleur met witte vlekken in het midden. De voorpoten zijn vrij breed, en de nagels zijn niet geheel intrekbaar.

Verspreiding De Vissende Kat heeft een groot verspreidingsgebied in heel zuid- en zuidoost-Azië en komt voor in Sumatra, Siam, Indo-China, Taiwan, Ceylon, Nepal en elders.

Gedrag Als de Vissende Kat moet vechten of vluchten, kiest hij altijd voor het gevecht – tot de dood erop volgt als het moet. De soort heeft zijn nogal rare naam door het feit dat hij op vis, schaaldieren en weekdieren jaagt met zijn klauwen. De Vissende Kat heeft klaarblijkelijk een niet zo verrassende affiniteit voor water: er wordt verteld dat de kat zonder problemen in ondiepe stroompjes waadt en zonder reserves in diep water springt om zijn uitverkozen prooi te verschalken. Bewoners van zijn woongebied hebben ontzag voor de sterkte van de 11.5 kg. wegende kat en voor wat hij kan. Uitspraken van bewoners en missionarissen schetsen de kat als een ontvoerder van kinderen: hij grijpt kinderen van enige maanden oud uit onbeschermde hutten.

n.b. Eén gevangen exemplaar ontsnapte uit zijn kooi en sloeg een luipaard dood die twee keer zo groot was als hij! Toch wordt hij beschouwd als een tembaar dier.

Woestijnkat

Felis margarita

Uiterlijk De Woestijnkat heeft goed ontwikkelde wangen die versierd en bekleed zijn met goed ontwikkelde snorharen. Hij heeft een brede kop en grote oren die hem een opvallend uiterlijk geven. De vacht, die zacht en dicht is, is zand- of stro-kleurig, en varieert van vaalgeel tot donkergrijs. De staart, die meer dan 34 cm lang kan zijn, is gestreept met donkerbruine ringen. Zijn poten hebben zachte kussens en zijn goed behaard als bescherming tegen het woestijnzand. Hoogte vanaf de schouders is 25 cm, en het lichaam is gemiddeld 50 cm lang.
Verspreiding Afrika en westelijk Azië. Op het Afrikaanse continent komt de soort voor in de noordelijke Sahara, Senegal, Saoedi-Arabië en misschien in Egypte; op het Aziatische continent in de Kara Koem-, Kizil Koem- en Patta Koem-woestijn.
Gedrag Actief in de schemering en/of tijdens zonsondergang jaagt dit vage zandduin-dier op verschillende knaagdieren die in de woestijn wonen, onder andere zand-woelmuizen en jerboa's; daarnaast redt hij zich ook wel met andere kleinere diertjes: reptielen, vogels, hazen en zelfs sprinkhanen. Veel of zelfs alle waterbehoeftes worden vervuld door de lichaamssappen van zijn prooi, omdat water niet beschikbaar is in de droge gebieden waar hij leeft. De poten hebben stevige kussentjes om hem te beschermen tegen het brandende zand; de Woestijnkat moet zich door het zand kunnen bewegen zonder zijn poten te bezeren. De natuurlijke vijanden van de Woestijnkat zijn de wolf, grote aasvogels en slangen.
n.b. Een groot deel van de waterbehoefte van het dier of misschien wel alles wordt door de lichaamssappen van zijn prooi vervuld, omdat water niet beschikbaar is in de droge gebieden waar hij leeft.

Felis nigripes

Zwartvoetkat

Uiterlijk De Zwartvoetkat, die bekend staat als de kleinste wilde kat ter wereld, is ook kleiner dan de meeste tamme katten. Zijn gemiddelde lengte is ongeveer 40 cm en hij weegt zo'n 1.8 kg. Zijn kop is breed, met kleine oren die zwart zijn aan de buitenkant en gemarkeerd met een witte vlek. De staart is gemiddeld maar 18 cm; hij loopt uit in een zwarte punt en is gemarkeerd met incomplete zwarte strepen. De Zwartvoetkat woont in de woestijn en heeft rijen zwarte vlekken op een zandbruine vacht.

Verspreiding Wijd verspreid maar zeldzaam in heel zuid-, zuid-oost- en zuid-west-Afrika, in de hele Kalahari-woestijn en met een voorkeur voor droge woestijnklimaten.

Gedrag De Zwartvoetkat is een meesterlijke bedrieger die in grotten kruipt en ongezien in de holen kruipt van op de grond levende dieren om rustig op hun terugkomst te wachten. De Sebulabulakwana, zoals de Zwartvoet bekend staat in zijn thuisland, is een schuw nachtdier, en hij compenseert zijn gebrek aan grootte met zijn enorme agressiviteit. Waarschijnlijk eet hij kleine zoogdieren, knaagdieren, vogels, en reptielen; de Zwartvoetkat kan dieren aan die vier keer zo groot zijn dan hijzelf. Er is relatief weinig bekend over zijn paargewoontes, maar zwartvoetkatten brengen hun twee of drie jongen meestal groot in ondergrondse holen. Er zijn een enkele maal exemplaren in gevangenschap gehouden en gefokt.

n.b. Bedenksel of Waarheid: Afrikanen vertellen dat de Zwartvoetkat zich vastklampt aan de nek van een willekeurige giraffe, in zijn nek bijt tot die breekt en zodoende een feestmaal (of een stammenhoofd-maal) heeft.

De tamme katten

Felis catus, de tamme kat. Amerikaanse kortharen, zilver chinchilla.

Abessijn

Uiterlijk
KOP: Nooit rond of scherp, een middelmatig driehoekige vorm met vriendelijke contouren. De snuit, gemarkeerd door een lichte inkeping, is noch scherp en puntig noch vierkant. De oren zijn vrij groot in verhouding, zeer komvormig, alert, enigszins puntig – met een kwastje. Heldere, grote ogen ver uit elkaar, absoluut niet scheel kijkend, misschien naar het oosten starend als hij in het westen is. Kenmerkend zijn de potloodmarkeringen onder zijn ogen.
LICHAAM: Gemiddelde lengte, licht met prettige spierbundeling. De poten, voor langer dan achter, zijn dun met fijne botten. De voeten zijn klein, ovaal en compact – een lichtvoetig dier. De staart is dik, lang en waaiert smaller uit.
VACHT: Kort, fijn gestructureerd, half lang, veerkrachtig bij aanraking en behoorlijk dicht.
KLEUR: Roze, rode en blauwe vachtkleuren hebben een dubbele of drievoudige afwisseling met contrasterende donkere en lichte kleurbanden. Rozebruin wordt afgewisseld met verschillende tinten zwart of donkerbruin; het wordt wel eens gebrand sienna genoemd. De rode kleuren worden afgewisseld met chocoladebruin, met een dieprode ondervacht; de kleur is over het geheel warm. Blauwe vachten zijn zacht blauw-grijs, met donkergrijs-blauwe afwisseling in verschillende tinten; de ondervacht is ivoorkleurig. Geelbruin, een kleur die door sommige verenigingen geaccepteerd wordt, is een warm rozeachtig vaalgeel afgewisseld met een donkerder tint rozeachtig vaalgeel; de ondervacht is van een bleke havermout-kleur. Bij alle vier de kleuren is de ondervacht helder. De ogen zijn goudkleurig of groen, met een voorkeur voor rijke, diepe kleuren. De puntjes van de staart zijn donker gekleurd.

Onder: Rode Abessijn. ***Volgende pagina:*** *Kopstudie van de rode Aby, winnaar van de prijs van Beste Kat bij de TICA tentoonstelling van 1988.*

Oorsprong Het huidige Abessijnen-ras, dat lijkt op de Afrikaanse wilde kat (Felis libyca), komt voort uit selectieve fokpraktijken van vroege Britse liefhebbers. Hoewel het een oud en puur ras is vergeleken met veel andere rassen, is het onwaarschijnlijk dat de Abessijn een directe, ononderbroken afstammeling is van de katten uit de tombes in Egypte. 'Zula' was één van de vele katten-souvenirs die uit Abessinië werden ingepikt door Britse officieren die tijdens de onrustige jaren 1860 dienden in noordelijk Afrika. Het ras werd het eerst erkend in 1882 in Engeland en werd de 'British ticked' (tick = afwisselen) genoemd. 1919 markeert de formatie van de Abessijnse Katten Club en de adoptie van de naam Abessijn. Addis Abeba, geboren in 1935, was de eerste in Amerika geboren Abessijn.

Karakter De Abessijn, die snel van begrip, intelligent en goed opvoedbaar is, is ook nog eens oplettend en snapt een heleboel. Sociaal gedrag wordt in één adem genoemd met de extroverte deugniet: deze katten zijn enorm aanhankelijk en hebben veel talent. Het zijn waardige grappenmakers en troostende minstrelen.

Onder: *Rode en rossige Abessijnen.*

Boven: *Roze volwassene met jongen.*

Mensvoorkeur Een aandachtig en spontaan mens die in staat is spannende ontspanning en vermaak te bieden om de naar geest en lichaam actieve Abessijn bezig te houden.

Verzorging Af en toe borstelen om de losse haren te verwijderen en regelmatig knippen van de nagels is alles wat u hoeft te doen om dit gladharige ras te verzorgen.

Fokken Over het algemeen wordt fokken beschouwd als moeilijk door minder vruchtbare vrouwtjes, grote schedels bij de jongen, en kleine worpen. Op zijn meest kunt u twee of drie jongen per worp verwachten, maar één jong is gewoon. Vrouwtjes-Abessijnen zijn meer vatbaar voor miskramen en verwondingen dan de vrouwtjes van veel andere rassen.

Voedselvoorkeur Nooit vegetarisch. Veel Abessijnen geven de voorkeur aan rundvlees boven gevogelte en vis, hoewel ze, als het seizoen daar is, nooit een eend of krab zullen weigeren.

Voorkeuren en vooroordelen Houden van plaatjes, leren poefs, en open tuinen (het liefst hangende); houden van de vlucht van de heilige ibis of andere voorbijkomende, en vooral uitgestorven, vliegende wonderen.

Amerikaanse Bobtail

Uiterlijk

KOP: Breed met sterke kaken. De oren zijn gemiddeld van grootte, breed aan de basis en goed op het hoofd geplant. De neus is bijna recht waarbij een kleine buiging is toegestaan. De ogen zijn groot en enigszins rond van vorm.

LICHAAM: Iets langer dan hij hoog is, gedrongen, vrij dicht bij de grond. Opvallende verschillen tussen mannetjes en vrouwtjes: mannetjes moeten zwaar gebouwd zijn, gespierd en met brede schouders; vrouwtjes moeten iets lichter gebouwd zijn, met een duidelijk vrouwelijke uitstraling. De poten zijn kort met zware botten. Een staart moet wel aanwezig zijn, liefst met een lengte tussen de drie en tien cm; vaak is hij buigzaam en eindigt hij in een knobbel of in een puntje.

VACHT: Vacht van gemiddelde lengte, zacht en niet klittend; de lengte varieert van half kort tot half lang. Bij die laatste lengte kunnen nekversieringen en 'broekvorming' te zien zijn.

KLEUR: Alle kleuren en patronen zijn toegestaan; de ogen van de Colorpoint zijn blauw, terwijl de ogen van de andere variëteiten in overeenstemming zijn met de kleur van de vacht.

Oorsprong Een toevalstreffer in de jaren zestig: een kruising tussen een kattenpaar dat elkaar goed kende, een sealpoint Siamees en een mannetjestabby met een korte staart van onbekende ouders. Hun nakomelingen waren geweldig, en geïnteresseerde partijen brachten Birmezen, Himalayakatten en een Himalaya/Siamees kruising in om mee te doen. Het succes groeide en werd weer minder, tot beter gekwalificeerde fokkers deze kat lieten herleven en hem stabiliseerden, en dat was de Amerikaanse Bobtail. Hoewel de aantallen in de Verenigde Staten vandaag de dag klein zijn, zijn toegewijde fokkers enthousiast bezig om dit experiment geaccepteerd te krijgen.

Karakter Qua temperament is de Bobtail geweldig; het karakter van het ras kan niet in één woord beschreven worden – slim, levendig, lief, intelligent en vol genegenheid – niet te vergelijken. Het zijn toegewijde en elegante katten die elke kattenliefhebber tot gekmakens toe kunnen charmeren.

Mensvoorkeur Misschien met een voorkeur voor Amerikanen, maar in elk geval heeft de Amerikaanse Bobtail menselijke aandacht hard nodig. Vleiende en begrijpende mensen zijn ideaal.

Verzorging De niet klittende vacht heeft kambeurten nodig met een grote fijntandige kam. Vermijd shampoos die zijn gebaseerd op olie omdat ze de structuur van de vacht zullen veranderen, zodat die zijdeachtig en plat zal worden.

Fokken Uitgebalanceerd van kop tot teen heeft de Amerikaanse Bobtail geen fok-afwijkingen. Staartloze katten, staarten van normale lengte en gekortstaarte katten zijn niet acceptabel. De ideale staart is drie tot tien cm.

Voedselvoorkeur Menselijk eten is leuk, maar niet altijd goed voor de groeiende (of zelfs volwassen) kat.

Boven: *Amerikaanse Bobtail, wit met bruin.*

Voorkeuren en vooroordelen Niet onverschillig tegenover honden, wiens welkomst- en begroetingsrituelen zij imiteren. Heen en weer klappende deuren zijn niet favoriet.

Amerikaanse Curl

Uiterlijk

KOP: Een aangepaste wigvorm; gemiddelde grootte, langer dan dat hij breed is. De snuit is niet puntig en ook niet vierkant, met glooiende contouren. De snuitafscheiding moet geen hakken hebben of scherpe buigingen. De kin is stevig. De oren van deze soort zijn uniek: ze zijn breed bij de basis met ronde punten die in een mooie boog terugbuigen. Deze krul moet duidelijk en aantrekkelijk zijn. De oren staan rechtop waarbij de haren van de binnenkant naar buiten steken. De ogen hebben de vorm van een walnoot en zijn redelijk groot.

LICHAAM: Vrij gewoon, niet gedrongen. Een gemiddelde kat met een lengte van anderhalf keer de schouderhoogte. Gewicht: 2,5 tot 4,5 kg. Zijn spieren zijn behoorlijk ontwikkeld en in harmonie. De staart is breed bij de basis, loopt smaller uit, en is relatief lang. De poten zijn gemiddeld, net als de botten. De voeten zijn rond en van een gemiddelde grootte.

VACHT: Gemiddelde lengte, plat liggend; niet borstelig; zijde-achtig van structuur. De langere variant heeft een dunne ondervacht. Geen kraag.

KLEUR: Kan alle kleuren hebben, want het ras stamt af van gewone kortharige katten; de eerste kat was zwart.

Onder: *Amerikaanse Curl, blauw en wit tweekleurig.*
Volgende pagina: *Amerikaanse Curl, zwart en wit tweekleurig.*

Oorsprong Een toevalstreffer en spontaniteit bepalen het verhaal van de Amerikaanse Curl: toevallig ontdekten Joe en Grace Ruga 'Shulamith' buiten hun huis in Lakewood in Californië; deze langharige zwarte zwerfkat bleek meer te zijn dan een gewone Zuid-Californische mutant – het was een spontane mutant! Genetisch gesproken ten minste, hoewel Shulasmith snel nadacht en impulsief handelde. De mutatie lag natuurlijk in haar prachtige, wonderlijke oren, die elegant naar voren gekruld zijn. Deze 'zwarte maar charmante'(de vertaling van haar naam) jonge kat zou de basis worden voor een nieuw ras. In de loop van een paar jaar en met behulp van de juiste contacten in de kattenwereld, werden deze unieke katten erkend door twee belangrijke Amerikaanse registers.

Karakter Geduldig en nieuwsgierig wordt de Amerikaanse Curl gewaardeerd om zijn uitstekende muizenjacht- en kinder-opvoedings-instincten. Ze zijn ook graag in het gezelschap van volwassenen en andere katten; hun intelligentie is verbazingwekkend, evenals hun charme.

Onder: Amerikaanse Curl, effen zwart.

Boven: *Amerikaanse Curl met tabby-markeringen die lijken op die van de Amerikaanse korthaar, inclusief de 'M' op het voorhoofd.*

Mensvoorkeur Een nieuwsgierig mens die open staat voor suggesties, met een positieve kijk op het leven en een oprechte, niet geveinsde hekel aan muizen.

Verzorging De zijdeachtige, glanzende vacht van zowel de langharige als de kortharige katten vraagt constante verzorging.

Fokken De oorbuiging-mutatie is dominant en heeft dus maar één ouder nodig die dat heeft. Kruisingen worden beproefd door de fokkers; geen andere afwijkingen zijn bekend. Katjes worden volwassen binnen twee of drie jaar.

Voedselvoorkeur Corned Beef en kruidige salami, en ook ander vleesachtig eten; vers vlees en katteneten uit blik worden net zo goed gewaardeerd.

Voorkeuren en vooroordelen Een voorkeur voor meeliften op de rug, rozentuinen en rock uit de jaren zestig.

Amerikaanse Korthaar

Uiterlijk

KOP: Langwerpig (wat langer dan hij breed is), met beslist volle wangen. Snuit vierkant. Oren rechtop, met enigszins ronde toppen, gemiddeld van grootte. Ogen rond, breed, waarbij de bovenrand ze een amandelvormig aanzien geeft. LICHAAM: Middelmatig tot groot, meestal wat groter dan de Engelse korthaar. Zware schouders en een goed ontwikkelde borstkas zorgen voor een stevige bouw, zonder te overdrijven; symmetrie is van belang. Goed gespierd en met stevige botten, met poten van gemiddeld lengte. De voeten zijn vol, stevig en rond; de kussentjes zwaar. Staart van gemiddelde lengte, zwaar aan de basis. VACHT: Hoewel de vacht kort is, is hij dik en goed geschikt voor koudere temperaturen. Gelijkmatig en stevig van structuur. KLEUR: Naast een rijke dieprode kleur, een puur glinsterend wit, en een stevig lichtblauw heeft het ras zwarte, crèmekleurige, chinchilla, rookkleurige, gestreepte (tabby), gevlekte en meerkleurige vachten. Op chocoladekleurig en lila na komt de Amerikaanse korthaar in elke mogelijke kleur voor, net als de (langharige) Pers. Tabby-patronen, waar het ras bij uitstek bekend om staat, kunnen worden verdeeld in drie patronen. Het klassieke streeppatroon wordt gekenmerkt door brede, welbepaalde dichte markeringen. De poten zijn regelmatig gestreept met banden die tot hoog op de poot oplopen, tot aan de romp. De staart is voldoende geringd. De letter 'M' wordt op het voorhoofd gevormd door frons-markeringen. In het grijze streeppatroon vormen contrasterende lichte en donkere banden de basiskleur. Donkere banden om de nek; smalle banden om de poten; een onafgebroken donkere band over de rug; de staart is voldoende geringd. De gevlekte tabby is duidelijk bruine, zilverkleurig of blauw met rode en/of crèmekleurige vlekken. Naar gelang de kleur van de vacht kunnen de ogen helder goudkleurig, koperkleurig, groen of blauw-groen of hazelnoot-kleurig zijn.

Onder: *Amerikaanse korthaar, cameo zilver tabby.*
Volgende pagina: *Kopstudie van Amerikaanse korthaar, klassiek rood tabby.*

Boven: *Amerikaanse korthaar, klassiek rood tabby, die net doet of hij nuttig is.*

Oorsprong Het dier komt in grote aantallen voor en valt terug te voeren naar de cargo-boten op de Mayflower. Net als de Pilgrims zelf legden deze nuchtere katten beslag op het vreemde nieuwe land en verdienden er met moeite hun dagelijks brood. De katten zijn echter maar nauwelijks puriteins te noemen, qua voortplantingsgewoontes; ze paarden zonder terughouding met welke goedwillende zwerfkat dan ook. De Amerikaanse korthaar keek de schuren van boeren en de hutten van pioniers na, en deze kat, die eens de tamme korthaar werd genoemd, overleefde en leefde zelfs op. Hoewel de eerste geregistreerde kortharen in Amerika van Engelse oorsprong waren, was 'Buster Brown' de eerste in Amerika gefokte kat die werd geregistreerd, waarbij hij onbeschaamd zijn voorouders als zwerfkatten erkende.

Karakter Een echte terriër, consistent en pragmatisch in de uitvoering van zijn dagelijkse routines en bizarre vindingen. Een muizenjager met aanleg en enthousiasme; acrobatisch en aerobisch als hij wakker is, tevreden als hij slaapt. Reageert gul op bijna elk menselijk lid van de familie en kan goed opschieten met zowel honden als andere katten.

Mensvoorkeur Elke mens die eenvoudige wijsjes kan fluiten en slim genoeg is om de kat daar niet mee lastig te vallen.

Verzorging Een goede borstelbeurt van de vacht is de moeite waard; laat de jonge kat daar vroeg aan wennen zodat ze als volwassene niet al te dramatisch zal protesteren.

Fokken Fundamenteel en zonder ongewone overwegingen; de worp bevat meestal vier katjes.

Voedselvoorkeur Kattenvoedsel uit de winkel heeft meestal de voorkeur, opgefleurd met een verrassing of een knaagdier met pech en van hapklaar formaat.

Voorkeuren en vooroordelen Zachte country-muziek en complete stilte. Amerikaanse kortharen staan erop dat alles in hun aanwezigheid zich stilhoudt of anders bereid is om besprongen te worden; oudere katten hebben de neiging dingen die lawaai maken te negeren, dag en nacht.

Onder: Amerikaanse korthaar, zilver klassiek tabby. Let op de staart met de dikke ringen en de donkere ringen om zijn nek.

Amerikaanse wirehair

Uiterlijk

KOP: Goed geproportioneerd, rond, met prominente wangen. Deze ronde schedel is anders dan de ovale vorm die de Amerikaanse korthaar moet hebben. De snuit is goed ontwikkeld. De kin is stevig en goed ontwikkeld. De oren zijn enigszins rond aan de uiteinden, gemiddeld van grootte en staan ver uit elkaar. De ogen zijn groot, rond, en staan ook ver uit elkaar. LICHAAM: Gemiddeld tot groot. Torso goed geproportioneerd en rond, waardoor hij gedrongen en gespierd lijkt. Poten zijn gemiddeld qua botten en van gemiddelde lengte, goed gespierd. De voeten zijn ovaal en compact; de kussentjes aanzienlijk. De staart is bot noch puntig, en loopt smaller uit vanaf de ronde achterham. VACHT: Ruw en ge'wired', natuurlijk: gekruld, veerkrachtig, haakvormig, springerig, en gedraaid. Deze krullerige vacht is gemiddeld in lengte en dichtheid, en geeft dit ras zijn zeer unieke buitenbekleding en zijn naam. KLEUR: Eénkleurigen, zoals wit, zwart, blauw, rood en crème; chinchilla's in zilver en rood; rookkleurig in zwart, blauw en rood; gestreepte exemplaren in zilver, rood, bruin, blauw, en crème, nooit gevlekt; ook lapjes, calicos, en tweekleurig. De kleur van de ogen meestal helder goudkleurig, maar ze kunnen ook groen, blauw-groen of hazelnoot-kleurig zijn, naar gelang de kleur van de vacht. Kruisingen resulteren in andere kleuren, zoals chocoladebruin, lavendel, het Himalaya-patroon, of deze kleuren in combinatie met wit; de oogkleur zal ook zeker variëren. Bij geheel witte katten moeten de ogen blauw en goudkleurig zijn.

Onder: *Amerikaanse Wirehair, tweekleurig rood en wit.* **Volgende pagina:** *Kopstudie van de Amerikaanse Wirehair, lapjes met wit.*

Oorsprong Hoewel talrijke en minder verklaarbare mutanten zijn voorgekomen in de staat New York, bleken velen niet goed te fokken. De eerste Amerikaanse wirehair kat was zo'n mutant-kat. In Verona in New York werd in 1966 in het Council Rock Farmhouse Adam geboren uit Hi-Fi. Zijn vacht was ruw en hoekig, maar niet erg dicht, en hij was duidelijk anders dan zijn kortharige broertjes en zusjes. Fokken met de zus van Adam zorgde voor nakomelingen met vollere en wollerige vachten, maar wel nog steeds ruw natuurlijk. Het nieuwe 'ras' kreeg in Noord-Amerika al snel voet aan de grond en werd in 1978 voor het eerst tentoongesteld. Hoewel het ras niet de mooiste is van de gezelschapsdieren is hij zeker wel anders en hebben ze vele Amerikaanse liefhebbers om hun vingers 'gekruld', hoewel Europa voor het grootste deel geen interesse toont.

Onder: *Kopstudie van Amerikaanse Wirehair.*

Boven: Amerikaanse Wirehair.

Karakter Toegewijd en energiek is de Amerikaanse wirehair; een vrije denker en een free-lance jager. De wirehair houdt net zo van spel en sport als zijn Amerikaanse neef de korthaar, en hij huppelt zonder aarzeling rond. Oprecht en aanhankelijk.

Mensvoorkeur Een recht-door-zee, een individu dat zich gemakkelijk aanpast, met een oog voor het unieke; een bewoner van het platteland met het liefst een silo-uitkijkpost in de buurt.

Verzorging Niet uitgebreid; de krullen moeten niet gaan golven door een mens die dol is op borstelen. De vacht is vuilafstotend en onderhoudt bijna zichzelf.

Fokken De gen met de krul (Wh) wordt als een normale autosmale dominant overgebracht, wat betekent dat het niet gevaarlijk of dodelijk kan zijn; het fokken gebeurt gewoon, op de normale manier; vier jongen is het gemiddelde. Uitkruisingen met de Amerikaanse korthaar zijn toelaatbaar.

Voedselvoorkeur Thuis klaargemaakte maaltijden, natuurlijke ingrediënten; geen ongewone hoeveelheden vezels.

Voorkeuren en vooroordelen Kan terugschrikken voor een huishouden vol gespannen of neurotische mensen, hoewel hij wel houdt van ongewone afleiding op zijn tijd. De helft van de tijd besteedt hij aan boomklimmen.

Balinees

Uiterlijk

KOP: Lange, smaller uitlopende wigvorm die van gemiddelde grootte is en altijd in absolute overeenstemming met het lichaam. Vanaf de neus zet de wigvorm zich voort in rechte lijnen naar de punten van de oren, zonder bij de snorharen te buigen. De snuit is fijn en eveneens wigvormig. De oren zijn opvallend groot, en breed bij de basis. De amandelvormige ogen zijn gemiddeld van grootte en buigen naar beneden naar de neus op een aantrekkelijke Oosterse manier.

LICHAAM: Gemiddeld van grootte; goed gespierd, licht en mager. De poten zijn lang en dun, in goede proportie met het lichaam. De voeten zijn sierlijk, klein en ovaal. De staart is vrij lang, dun, en loopt uit in een punt; het haar van de staart lijkt op een pluim.

VACHT: Een lange, zijdeachtige enkele vacht; zonder manen, atypisch voor andere langharige rassen. De oren zijn goed begroeid.

KLEUR: Net als bij de Siamezen zijn er vier mogelijke kleurstellingen, en wel: seal point, chocolate point, blue point, en lila point. Bij de seal point is het lichaam regelmatig bleek vaalgeel tot crèmekleurig, lichter op de buik en de borst; de uiteinden zijn diep bruin; de kleur doet altijd warm aan. Bij de chocolate point is het lichaam ivoorkleurig, zonder afwijkingen; de uiteinden zijn melkchocolade-kleurig; de kleur doet warm aan. Bij de blue point is het lichaam blauwachtig wit, tot bevroren wit op de buik en borst; de kleur doet uiteraard koud aan. Bij de lila point wordt een sneeuwwitte kleur opgelicht met bevroren grijze uiteinden; de kleur doet aan roze denken. De oogkleur bij alle vier de kleurstellingen is een diep levendig blauw.

Onder: *Blue point Balinees.* **Volgende pagina:** *Seal point Balinees.*

Oorsprong De stad Singaraja, die aan de noordkust van Bali aan de Balizee ligt, heeft een geheel eigen cultuur en traditie ontwikkeld – helaas heeft het mooie Balinese ras nooit op zo'n zuidoostelijk Aziatisch eiland thuisgehoord. De Balinees claimt geen enkele romantische oorsprong anders dan zijn onmiskenbare overeenkomst met de Siamees. Eigenlijk is het ras een langharige Siamees, en die naam werd in de jaren vijftig ook gebruikt toen de mutatie voor het eerst tot stand kwam in de Verenigde Staten. Liefhebbers van de Siamees hadden echter bezwaar tegen het gebruik van 'Siamees' en liefhebbers van de langhaar bedachten de naam 'Balinees', al was het alleen al om de klank. Sommigen geloven dat de lenige en balletachtige bewegingen van de nieuwe soort leek op die van de dansers van Bali, en dat dat van invloed was op de keuze van de naam.

Karakter Actief en aanhankelijk tot in het oneindige. Houdt van een bepaalde hoeveelheid aandacht en zal die momenten met niet fout te interpreteren beleefdheid aangeven. Hoewel het geen buitenkat is, is de Balinees een zeer getalenteerd gymnast en sportieveling, en blinkt hij uit in charme en gevoel voor evenwicht.

Mensvoorkeur Een net, druk mens die houdt van het eten bij primitieve drum-muziek en lezen, maar beslist een individu dat toegevend staat tegenover de buien en grillen van de Balinees.

Verzorging De half-lange vacht van de Balinees zorgt ervoor dat die minder vaak verward raakt en klit dan die van de Pers, hoewel regelmatige borstel- en kambeurten wel noodzakelijk zijn, net als bij andere langharige rassen.

Onder: Lila-lynx-point Balinees.

Rechts:
Chocolate point
Balinees.

Fokken De katten worden vroeger sexueel volwassen dan andere langharige rassen. De worp bevat een gemiddeld aantal jongen en kruisingen met de Siamees zijn toelaatbaar; zulke jongen zullen half lange, viltachtige vachten hebben.

Voedselvoorkeur Ondanks geruchten uit bepaalde kringen houdt de Balinees niet van ananas, behalve misschien bij een enkel, onverwachts tropisch uitstapje. Verder geen speciale voorkeuren.

Voorkeuren en vooroordelen Open terrassen, vogelbadjes, jonge katten (en soms jonge honden); negeert de televisie.

Bengaal

Uiterlijk

KOP: Brede enigszins wigvormige kop, met ronde contouren; langer dan breed; lijkt enigszins klein in verhouding tot het lichaam. Neusbrug loopt tot boven de ogen. De neus is groot en breed. De snuit is vol en breed, met grote prominente snorhaar-kussens en hoge uitstekende jukbeenderen. De ogen zijn groot, staan ver uit elkaar, en zijn ovaal (kunnen enigszins amandelvormig zijn). De oren zijn gemiddeld tot klein, vrij kort, met een brede basis en rond aan de uiteinden.
LICHAAM: Lang en omvangrijk; zijn goede spier-ontwikkeling is een opvallend kenmerk. Het is een grote kat met robuuste botten, hoewel hij kleiner is dan de grootste tamme katten. De poten zijn vrij lang, van achter langer dan van voor, zeer gespierd, nooit tenger. De voeten zijn rond en groot. De staart is dik, en loopt smaller uit met een ronde punt; hij is half lang tot lang.
VACHT: Kort tot half-lang in lengte, soms langer bij jonge katjes. Een dikke, weelderige vacht, beslist zacht bij aanraking.
KLEUR: Alle variaties bruin, gevlekt en gestreept zijn toegestaan, maar geel, bruingeel, vaalgeel, goud en oranje genieten de voorkeur. Bengalen bestaan in drie kleurgroepen: luipaard, sneeuwluipaard, en marmerluipaard. Vlekken kunnen overal voorkomen of zijn horizontaal gegroepeerd; ze kunnen zwart zijn, of bruin, bruingeel of een tint chocoladebruin of kaneel-kleurig zijn. Rozetten worden gevormd door vlekken in een gedeeltelijke cirkel rond een duidelijk rood centrum en genieten de voorkeur boven losse vlekken.

Onder: *Leopard Bengaal.*
Volgende pagina: *Kopstudie van Leopard Bengaal.*

Boven: *Leopard Bengaal.* **Volgende pagina:** *Bengaal, sneeuwpanter.*

Oorsprong In een poging de uitstraling van de Aziatische luipaardkat te bewaren, een exclusief soort dat met uitsterven wordt bedreigd in de dichte wouden van Azië, kruiste Jean Sugden in 1963 een exemplaar van de soort met een tamme kat. Haar fokprogramma stopte daarna ongeveer twintig jaar. Met de hulp van dr. Willard Centerwall, die in de jaren zeventig had gewerkt met de kat, begon mevrouw Jean Sugden met enthousiasme opnieuw om het patroon, de kleur en de karakteristieken van de luipaardkat te vangen in een kruising van een tamme met een wilde kat. (De Egyptische Maus waren de tamme katten die meestal werden gebruikt voor de kruising.) Door zorgvuldige selectie en strikte fokpraktijken, bracht mevrouw Sugden, samen met een handvol anderen, waaronder dr. Centerwall, Ethel Hawser en dr. Gregg Kent een stevige basis voort waaruit de Bengaal van vandaag is voortgekomen.

Karakter Dociel maar vastbesloten doet de Bengaal het goed in het moderne huishouden, omdat hij overblijfselen van het wilde dier in zich heeft bij het besluipen, het ophalen en bij zijn spel in het water. De Bengaal heeft in principe het volle spectrum van het kattenkarakter in zich, hij is onafhankelijk maar als hij daar zin in heeft zeer spontaan en aanhankelijk.

Mensvoorkeur De mens met een oprechte, diepe waardering voor de natuur, iemand die rustig kijkt en luistert met geconcentreerde aandacht.

Verzorging De vacht, die half-lang en over het algemeen zacht is, gedraagt zich het best als hij dagelijks wordt verzorgd. Het best hanteert de fokker zachte, moeiteloze, bijna liefkozende aaien met een natuurlijke borstel.

Fokken De mannetjes van de eerste generatie luipaard-kruisingen en de meeste F2 mannetjes kruisingen zijn steriel. Gekwalificeerde kruisingen zijn toegestaan; slechts F1 en F2 vrouwtjes moeten worden uitgekruisd. Bengalen moeten ten minste een-zestiende wild bloed hebben.

Voedselvoorkeur Bengalen zijn altijd beschaafd en zeer tam, en eten het liefst canard à l'orange en oesters op ijs.

Voorkeuren en vooroordelen Houdt van de geur van zomerse pikante hapjes en draadjes saffraan; speelt ijverig met bolletjes wol en spartelt verfrissend rond in poelen.

Birmaan
Heilige kat van Birma

Uiterlijk

KOP: Breed, rond en sterk. De wangen zijn vol; de snuit is rond. De kin is sterk en goed ontwikkeld. De oren zijn rond bij de punt en gemiddeld van lengte; ze zijn breed bij de basis en staan ver uit elkaar. De ogen zijn rond van vorm, waarbij de buitenste hoek een héél klein beetje naar boven wijst.

LICHAAM: Lang en goed ontwikkeld; de poten zijn stevig en gemiddeld van lengte; de voeten zijn groot, rond en stevig. De staart is gemiddeld van lengte en staat in goede verhouding met het lichaam.

VACHT: De vacht is lang en zijdeachtig van structuur. De nek is versierd met een behoorlijke kraag; het haar op de buik krult enigszins. De vacht klit nooit.

KLEUR: Vier kleurstellingen komen voor: de seal point, de blue point, de chocolate point en de lila point. Bij de seal point is het lichaam regelmatigig bleek vaalgeel tot crèmekleurig, lichter op de buik en de borst; de uiteinden zijn diep bruin, behalve de 'wanten' die altijd geheel wit zijn; de kleur doet altijd warm aan. Bij de blue point is het lichaam blauwachtig wit tot bleek ivoorkleurig, tot bevroren wit op de buik en borst; de kleur doet koud aan. Bij de chocolate point is het lichaam ivoorkleurig, zonder afwijkingen; de uiteinden zijn melkchocolade-kleurig, behalve de wanten die puur wit zijn; de kleur doet warm aan. Bij de lila point wordt een parelkleur of bijna witte kleur geaccentueerd door grijze uiteinden, behalve de wanten die puur wit zijn; de kleur doet aan roze denken. De oogkleur bij alle vier de kleurstellingen neigt naar violet, en is dus diepblauw.

Onder: Seal point Birmaan.
Volgende pagina: Blue point Birmaan.

Boven: *Birmaan, blue point, op zoek naar zijn oorsprong.*

Oorsprong Volgens de legende heeft de oorsprong van het tegenwoordige Birmaanse ras te maken met de geëerde katten die eens werden gehouden in de Boeddhistische tempels op Birma. De vrome priesters van het Indo-Chinese volk en de boeren met de natte rijstvelden hebben de katten met hun puur witte voeten heilig verklaard, omdat ze eens communiceerden met de Godin van de Dood. De katten volgden de priesters naar Tibet, waarvan-daan ze weer naar Europa werden gebracht door de Franse en Engelse soldaten die hen cadeau hadden gekregen van Birmese ambtenaren. In Frankrijk werd de kat zeer logisch de Heilige Kat van Birma genoemd. Franse import-katten bereikten de Verenigde Staten in 1959, en Groot-Brittannië volgde zes jaar later. De Birmaan moet niet verward worden met de kortharige Burmees, die niet Burmees is of op één of andere manier met Birma te maken heeft. Het is niet bekend hoe puur het Birmaanse ras vandaag de dag is, omdat de Siamese kleur en de Perzische kwaliteit van de vacht suggereren dat beide rassen op zeker moment zijn gebruikt.

Karakter Vol goede manieren en gevoelig, maar vaak overlopend van energie en speelsheid; meeslepend onstuimig. De opvallende elegantie van de ogen van de Birmaan en hun fascinerende uitdrukking maakt dit ras tot één van de waardigste katten – in het wild of tam – die er bestaan.

Mensvoorkeur Een mens met monnikachtige principes, die niet bang is om zich te ontspannen of desnoods zijn hoofd te scheren, als dat zo uitkomt.

Verzorging Regelmatige verzorging van de vacht is essentieel om de vacht van de Birmaan in optimale conditie te houden.

Fokken De vrouwtjes zijn zeer vruchtbaar en zeer zorgzame moeders. Uitkruisingen met Siamezen en Perzen zijn nooit toelaatbaar. Birmaanse jonge katten zijn licht van kleur, en krijgen op een leeftijd van 10-12 weken donkere punten.

Voedselvoorkeur Een uitgesproken Oosterse smaak: witte graatloze vis en rijst zijn favoriet. Sommige geven de voorkeur aan vleesgerechten.

Voorkeuren en vooroordelen Kasten en voetgangers, ijsblokjes op marmeren vloeren, goed gepoetste en afgestofte meubelen; is gek op vervelende schoonmoeders.

Onder: Seal point Birmaan.

Bombay

Uiterlijk

KOP: De schedel heeft geen platte vlakken en is aantrekkelijk rond met volle wangen. Een korte, sterke snuit met een zichtbare buiging, die er nooit vol of stomp uitziet. Aanzienlijke, smaller uitlopende ruimte tussen de ogen. De kin moet stevig en goed geplaatst zijn, en heeft een behoorlijke beet. De ogen en oren staan ver uit elkaar. De oren wijzen naar voren en zijn breed aan de basis en gemiddeld van grootte, met enigszins ronde uiteinden. De ogen zijn rond.

LICHAAM: Ontwikkelde spieren; gemiddeld van grootte. Het lichaam moet niet te lang en mager lijken, hoewel de mannetjes aanzienlijk groter zijn. De Bombay moet perfect geproportioneerd zijn; de poten in harmonie met het lichaam en de staart. De voeten zijn rond. De staart is recht, gemiddelde lengte.

VACHT: Satijnachtig van structuur. De vacht is fijn en kort, zeer glanzend, haast artificieel weerschijnend.

KLEUR: Zwart. Net als de Indiase zwarte luipaard is hij geheel zwart over het hele lichaam, ook de kussentjes, zonder andere achterliggende haarkleur. De oogkleur varieert van goud- tot koperkleurig, en is altijd diep en helder.

Onder: *Bombay.* **Volgende pagina:** *Kopstudie van de Bombay. De kleur van het lichaam is altijd zwart; de oogkleur is altijd diep en helder, van goud tot koper.*

Oorsprong De Bombay is weer een voorbeeld van Amerikaanse experimenten met de bestaande rassen. Tevreden met het resultaat, leidden zij de naam af van een plaats die er niets mee te maken had. De Bombay is een kruising die voortkomt uit kruisingen van de Burmees en de Amerikaanse korthaar. Zijn inktzwarte vacht en afstandelijke, onafhankelijke uitdrukking doen denken aan het Indiase melanistische luipaard en daarom werd Bombay (een stad in India) gekozen als naam voor het nieuwe ras. Het ras ontstond in het begin van de jaren zeventig en werd in 1976 door de belangrijke organisaties geregistreerd. De altijd zwarte vacht van het ras, zijn levendige koperkleurige ogen en slanke fysieke uiterlijk onderscheiden hem van andere katten en spreken zeer voor de individualistische kwaliteiten van deze volbloed kat.

Karakter Net als de nogal luidruchtige Burmees, is de Bombay spontaan en nogal nieuwsgierig. De intelligentie van het ras kan duidelijk worden afgeleid van zijn gezichtsuitdrukking en gecontroleerde gezwerf door het huis. Een werkelijk charmant dier om in huis te hebben, dat weinig de neiging heeft om buiten rond te zwerven, ondanks het bloed van de Amerikaanse korthaar dat hij in zich heeft. Er zijn altijd uitzonderingen, wees maar gerust.

Mensvoorkeur Een kalm, voorspelbaar mens zonder spontane bijeenkomsten of mens-vrienden die zich niet aan de regels houden. Een huiselijk type dat van rust houdt is de hemel.

Verzorging Minimale zorg nodig buiten wekelijkse of twee-wekelijkse borstelbeurten. Vaak aaien helpt ook.

Fokken Worpen variëren van vier tot vijf jongen. Kruisingen met Amerikaanse kortharen en sabel-Burmezen zijn toelaatbaar. Katjes moeten geheel donker zijn als ze zes maanden oud zijn.

Voedselvoorkeur Lichte lunches voor volwassen katten; jonge katten hebben altijd honger. Gemiddelde eetlust met weinig voorkeuren.

Voorkeuren en vooroordelen Harde muziek en lastige kinderen worden zonder uitzondering gehaat en vermeden. Houdt van de herfstmaanden als kinderen die zich slecht gedragen het makkelijkst bang te maken zijn.

Volgende pagina: Bombay. Ondanks de effen zwarte kleur van de Bombay hoort het ras bij de meest kleurrijke van de kattenwereld!

British Shorthair

Uiterlijk

KOP: Rond en massief; de kop is gemarkeerd door ronde bot-structuren. Ook het voorhoofd moet rond zijn met een enigszins platte vlakte bovenop de schedel. De neus is breed en gemiddeld van grootte. De kin is stevig en goed ontwikkeld. Net zo goed ontwikkeld is de snuit, die opvallend is bij dit ras. De oren van gemiddelde grootte zijn rond bij de uiteinden en breed bij de basis, staan altijd ver uit elkaar, maar zijn volledig in harmonie met de rondheid van de schedel. De ogen zijn alert en groot, en zeer rond. LICHAAM: Gemiddeld tot groot. Het lichaam zit goed in elkaar en is stevig; de rug loopt recht, de borst is breed en diep. De poten zijn krachtig en gemiddeld tot kort van lengte. De voeten zijn rond en stevig. De staart, die in harmonie is met de bouw van het lichaam, is van gemiddelde lengte, dikker bij de basis en smaller uitlopend. VACHT: Kort, veerkrachtig en afstotend – dikke enkele vacht, nooit wollig. KLEUR: Het ras heeft rode, witte, blauwe, zwarte, crèmekleurige, chinchilla, rookkleurige, gestreepte, gevlekte en meerkleurige exemplaren. De British shorthair komt voor in elke mogelijke kleur, net als de (langharige) Pers, ook in lila, chocolade, rood, blauw klassiek gestreept, chocolade lapjes, lila lapjes, blauwe lapjes met wit, en kortharig Colorpoint. Tabby-patronen kunnen in drie verschillende soorten worden ingedeeld. Het klassieke tabby-patroon wordt gekenmerkt door brede, duidelijk bepaalde dichte markeringen. De poten zijn evenwijdig gestreept met banden die hoog doorlopen, tot bij de romp. De staart is regelmatig geringd. De letter 'M' wordt op het voorhoofd gevormd door frons-markeringen. De schouder-markeringen laten een uniek vlinderpatroon zien. In het grijze streep-patroon vormen contrasterende lichte en donkere banden de basiskleur. Donkere banden om de nek; smalle banden om de poten; een onafgebroken donkere band over de rug; de staart is redelijk geringd. De gevlekte tabby is een duidelijk bruine, zilverkleurige of blauwe tabby met rode en/of crèmekleurige vlekken. Naar gelang de kleur van de vacht kunnen de ogen helder goudkleurig, koperkleurig, groen of blauw-groen of hazelnoot-kleurig zijn. Witte katten kunnen blauwe ogen hebben, of oranje, of twee verschillende; die verschillende ogen zijn saffier-blauw en oranje, koper- of goudkleurig.

Volgende pagina: Engelse korthaar, twee-kleurig blauw en wit. In Engeland wordt de Engelse korthaar naar kleur in verschillende rassen ingedeeld; dus: de Engelse korthaar tweekleur. Er zijn al met al tien verschillende rassen.

Oorsprong Beelden van stoere zwerfkatten die op de schouders van de Romeinse troepen zaten, toen ze Engeland binnenkwamen vormen het begin van de korthaar in Engeland. Deze katten bevolkten generaties lang steegjes, parken en kroegen, tot de kattenliefhebber Harrison Weir ervoor zorgde dat de British Shorthair (als ras) meedeed aan de exposities die rond de negentiende eeuw in zwang kwamen. Een tijdlang was de British Shorthair de meest populaire kat in tentoonstellingskringen. De komst van de geïmporteerde, weelderig begroeide Pers nam de plaats van de British Shorthair vóór de tweede wereldoorlog enige tientallen jaren in. Vandaag de dag is de korthaar in Engeland ingedeeld naar kleur en elke kleur wordt beschouwd als een apart ras. In de Verenigde Staten worden ze nog steeds op een grote hoop geveegd als één ras, net als de Amerikaanse korthaar, zijn equivalent uit de Amerikaanse voorsteden.

Karakter De plooibare, stoutmoedige kat is het beeld dat de gemiddelde Brit (en ook de meer dan gemiddelde Brit) heeft van een kat die daar rondloopt. Soms gereserveerd, met eigenaardigheden rond theetijd, soms optimistisch en brutaal, op een Londense manier. In het kort: erg Engels.

Onder: Engelse korthaar, wit.

Boven: *Engelse korthaar, blauw, zeer vaderlandslievend. Engeland, waar de originele rode vacht vandaan komt, is er trots op dat ze verantwoordelijk zijn voor het perfectioneren van de blauwe vacht.*

Mensvoorkeur Elke kerel met een kleurrijke blik op het leven; elk mens dat het natuurlijke recht van de kat op het universum begrijpt en accepteert.
Verzorging Houdt zichzelf schoon, verzorgt zichzelf, zeer vastbesloten. Probeer hem te verzorgen van jongsafaan, of geef het maar op. Hem een bad geven is met nadruk verboden – 'Als je me nat maakt, sterf je!'
Fokken Ondanks uiterlijke overeenkomsten met de Amerikaanse korthaar, kan hij daar niet mee gekruist worden. De worp is gemiddeld: drie of vier.
Voedselvoorkeur Melk in zijn thee en beschuitjes vervelen hem nooit, op zijn minst met de feestdagen Engelse pudding.
Voorkeuren en vooroordelen Heeft een afkeer van nat worden, zelfs door de regen. Mist wordt vaak gewaardeerd, als het wordt gadegeslagen door een raam. Heeft geen hekel aan de hond als die zijn plaats maar kent.

Burmees

Uiterlijk

KOP: Enigszins rond, opvallend breed tussen de oren. De brede jukbeenderen lopen uit in een botte wig. De kin is rond en stevig; hij moet goed kunnen bijten. De oren zijn gemiddeld van grootte, staan ver uit elkaar en buigen naar voren om zijn alertheid aan te geven. De ogen staan ver uit elkaar en zijn rond van uiterlijk, met een echte Oosterse buiging naar de neus; de onderlijn blijft rond.

LICHAAM: Gemiddeld van grootte, aan welke kant van de Atlantische Oceaan de kat ook woont. Amerikaanse katten moeten compact zijn terwijl de Europese katten een buitenlands type moeten zijn met een langer uiterlijk, hoewel hij niet bij het slanke, ranke uiterlijk van de Siamees in de buurt komt.

VACHT: Glanzend, fijn en satijnachtig, dicht op elkaar liggend en veerkrachtig. De glans van de vacht van de Burmees is een bekend kenmerk van het ras.

KLEUR: Burmezen komen in een aantal kleuren voor, onafhankelijk van wat welk register accepteert. Van origine was sabel-bruin de kleur voor het ras; in Europa wordt de kleur beschreven als 'seal brown' en heet eenvoudigweg bruin. In de Verenigde Staten komen drie kleuren voor: champagne, dat wordt beschreven als warm honing-beige, neigend naar een licht gouden tint; blauw, een medium kleur met warme bruine ondertonen; en platina, zilverachtig grijs met bleekbruine ondertonen. Deze drie kleuren werden vroeger geregistreerd als aparte rassen die bekend stonden als Maleisisch. In Europa worden de volgende kleuren ook erkend: rood, bruin lapjes, crème, blauw lapjes, chocolade lapjes, en lila lapjes.

Onder: *Burmezen, sabel en champagne.* **Volgende pagina:** *Burmees, sabel. Sabel is de traditionele kleur van het Burmese ras.*

Boven: *Burmese jongen.* **Volgende pagina:** *Burmezen, sabel.*

Oorsprong Voor het eerst in 1936 en tegenwoordig over de hele wereld erkend. De Burmees is het resultaat van zorgvuldige selectie van de jongen over vele jaren. De Burmees wordt beschouwd als een 'mutatie ras' (want zijn originele kleur zou zwart of tabby geweest zijn), en valt terug te voeren op een bruin Oosters vrouwtje, die Wong Mau heette, en die paarde met een Siamees van uitstekende kwaliteit. Hoewel de worp er niet zo bijzonder uitzag, omdat hij geen van beide rassen goed vertegenwoordigde maar meer leek op een slechte mengeling, werd door herkruising van één jong uit de worp met het Oosterse soort de gewenste bruine kleur verbeterd. Dr. Joseph Thompson wordt genoemd als de eerste die aandacht schonk aan het ras, dat een van de vele buitenlandse types is die thuishoren in Azië.

Karakter De Burmees verrast zijn eigenaar met vocale uitspattingen, en wordt standaard geleverd met een heel spectrum aan geluiden. Het ras is superieur qua intelligentie, nieuwsgierigheid en aanleg om problemen op te lossen. Voor de eigenaar die een enthousiaste kat wil, een kameraad met karakter, en een huisdier dat wel zo brutaal is dat hij soms in de problemen raakt, is de Burmees ideaal.

Mensvoorkeur Hoewel zijn publiek hem niet veel uitmaakt doet de Burmees het het best bij een concertganger of elke luister-georiënteerde, oplettende mens; hij heeft wel een mens nodig die zijn zangtalenten erkent, en ook de boodschap begrijpt en de noodzaak antwoord te geven.

Verzorging Het ras heeft een korte vacht en heeft meestal weinig geborstel of gekam nodig, hoewel een stevige wrijfbeurt met een vochtige doek of washandschoen zeer wordt gewaardeerd en helpt om de vacht schoon te houden.

Fokken De worp bevat meestal rond de vijf jongen, en de katjes bereiken rond de zeven maanden sexuele volwassenheid.

Voedselvoorkeur De Burmees is brutaal en leeft lang, en heeft gewoon een gebalanceerd kattendieet nodig zonder typische voorkeuren.

Voorkeuren en vooroordelen In een huis met een piano brengt de kat zeker de middagen door bovenop het ding, waarbij hij melodieus spint, en begeleiding verwacht. Een echte diva.

California Spangled

Uiterlijk

KOP: Gebeeldhouwd van vorm, met brede jukbeenderen; gemiddeld van lengte en breedte. Het voorhoofd is enigszins gewelfd; de snuit is vol; de kin en kaak sterk. De plek tussen voorhoofd en neus heeft een vriendelijk profiel. De oren zijn rond bij de uiteinden en gemiddeld van grootte, waarbij de lengte van de basis en hoogte gelijk zijn. De ogen zijn open, amandelvormig en gemiddeld van grootte.

LICHAAM: Lang, dun, gemiddeld van grootte, laag bij de grond en regelmatig gevormd, als een echte jager; de spieren zijn in het geheel goed ontwikkeld. Een stevige basis die goed wordt ondersteund door sterke, brede poten met vooral sterke dijen. De poten zijn gemiddeld van grootte. De staart heeft een stomp puntje, en is over het geheel vrij vol.

VACHT: Kort, fluweelachtig, en dicht op elkaar liggend op de rug, de zijkanten, de nek en het gezicht; iets langer bij de staart en de onderbuik, maar wel kort.

KLEUR: Een kat met een onmiskenbaar vlekkenpatroon; de markeringen zelf zijn vierkant of rond van vorm (driehoekig, rond, geruit en ovaal zijn toelaatbaar). De kleuren zijn: zilver, steenkool, brons, goud, rood, blauw, bruin en zwart. Het puntje van de staart is bij alle kleuren zwart. Een donkere streep markeert de bovenkant van elke voorpoot. De oogkleur staat vast voor elke kleur: amber bij bruin, cacao bij grijs-bruin en zandkleur.

Oorsprong Stropers en jagers stellen de naderende uitsterving van vele soorten wilde katten willens en wetens veilig. Er werd in het begin van de jaren zeventig een blauwprint gemaakt voor een ras tamme katten dat eer zou bewijzen aan het heengaan van zo vele gevlekte wilde katten, en zo de aandacht van de mensen voor de vachten van bedreigde diersoorten afleiden. Zes rassen werden gebruikt en ook een wilde Egyptische kat en een tropische tamme kat uit zuidoost Azië. Als we kijken naar de prijs van een California Spangled kunnen alleen die mensen die zich in dure bontjassen zouden hullen zo'n exclusieve ster-kat van de westkust van Amerika kopen.

Karakter Expressief en goedgehumeurd. De California Spangled is voldoende actief, zelfs atletisch. Intelligenter dan de gemiddelde kat.

Mensvoorkeur Een mens die houdt van contact met katten van gezicht tot gezicht en van het karakter van de kat die respect heeft voor alles in de natuur.

Verzorging De fluweelachtige vacht vereist weinig verzorging.

Fokken De katjes worden allemaal geheel zwart geboren, op een witte kin, bril en binnenkant van het oor na; ze kleuren naarmate ze volwassen worden. 'Sneeuwluipaard' is de term voor de recessieve fase; het is niet een echte kleur.

Voorkeuren en vooroordelen Allergisch voor warenhuizen; houdt van synthetische materialen en new age muziek.

Boven: *Kopstudie van California Spangled, sneeuwpanter.*
Onder: *California Spangled, zilver. Met dank aan California Spangled Cat Association, Paul Casey, voorzitter.*

Chartreux

Uiterlijk

KOP: Breed en rond, maar niet echt bol. De jukbeenderen zijn krachtig, de wangen vol. De contouren van het voorhoofd zijn vriendelijk en hoog; de stop is goed te onderscheiden op oogniveau. De snuit is vrij klein, wigvormig en smal. De ogen zijn expressief en aantrekkelijk en rond; de oren, die vrij hoog op de kop staan, zijn gemiddeld van grootte en staan altijd rechtop. LICHAAM: Atletisch uiterlijk: robuust en goed ontwikkeld; de schouders zijn breed, de borst diep. Botten en spieren zijn stevig en relatief massief. Mannetjes zijn groter dan vrouwtjes, hoewel beide geslachten vrij groot zijn. De poten zijn van gemiddelde lengte, met fijne maar toch stevige botten. De voeten zijn rond en gemiddeld van grootte, en neigen naar een rank uiterlijk. VACHT: De vacht is enigszins wollig van structuur (hij moet eruit zien als 'schaapsvacht aan nek en flanken'; is half lang. Oudere katten zijn vaak wolliger; vooral de mannetjes. KLEUR: Verschillende tinten blauw-grijs variërend van donker tot licht, van as- tot leikleurig. De blauw-grijze vacht is het kenmerk van de Chartreux: alle delen van het lichaam van de kat zijn grijs, met uitzondering van de ogen die goud-koperkleurig zijn en de kussentjes van de voeten die roze-taupe zijn. De lippen zijn blauw en de neus leigrijs.

Onder: *Chartreux.*
Volgende pagina: *Kopstudie van de Chartreux.*

Oorsprong Vanaf Buffon, Linneaus en Lesson hebben wetenschappers vastgesteld hoe de Chartreux waarschijnlijk al in de 18de eeuw langs Franse wegen kwam, hoewel de waarheid in het midden blijft. De Chartreux werd waarschijnlijk gecultiveerd door Kartuizer monniken, en vestigde eerst zijn koperkleurige ogen op Parijs toen hij uit een klooster buiten de stad kwam. De Chartreux nam de stad gefascineerd in zich op, tot hij in 1883 voor het eerst tentoon werd gesteld, aan de andere kant van het Kanaal, in een land dat het nog steeds als ras moet accepteren. De aarzeling van de Britten om de Chartreux te erkennen komt niet per se voort uit de twijfel over de authenticiteit van het ras, maar heeft meer te maken met de grote snelheid waarmee de Britten het blauwe type cultiveerden en begonnen Engelse blauwkleurigen te creëren. Blauwe exemplaren hebben ook eeuwenlang over de Russische wegen gewandeld, in de vorm van de Russian Blue. De eerste Chartreux kwam de Verenigde Staten binnen in de zeventiger jaren en werd met Franse voorouders gefokt.

Karakter Zachtaardig en zachtvoetig zijn de juiste woorden voor dit ras. Hoewel deze katten speels en zelfverzekerd zijn, houden ze niet van pronken met hun nagels of wild gestoei. Dit is goed gezelschap voor iemand die van werken in de tuin houdt.

Onder: *De Chartreux wordt niet erkend in Engeland, hoewel de Engelse blauwe korthaar er erg populair is.*

Boven: *Chartreux.*

Mensvoorkeur Iemand die aandacht heeft voor de aarde, een mens die niet aan wilde feestjes doet of aan lange excursies. Hoewel het geen zwak ras is, lijkt de Chartreux het best op zijn gemak bij de zachtmoedige mens.
Verzorging De Chartreux is dapper en klaagt niet snel, en heeft weinig meer nodig dan een regelmatige borstelbeurt en constante aandacht.
Fokken Twee zorgen voor de eigenaar zijn de relatieve zeldzaamheid van het ras en de uitmuntende kwaliteit die wordt gevraagd voor tentoonstellingen (er moet geen twijfel zijn over de puurheid en uitstekende kwaliteit van de kat).
Voedselvoorkeur Vlees is essentieel, gecombineerd met andere voedingsgroepen; goede kwaliteit groen voedsel wordt spinnend begroet. Het dier moet regelmatig van vlees worden voorzien zodat al kauwend de kaken ontwikkeld worden.
Voorkeuren en vooroordelen Het ras houdt van goede Franse kunst, vooral uit de Impressionistische periode, die hij zeer geschikt vindt om als begeleiding te dienen bij zijn rustige overdenkingen; hoewel veel Chartreux-katten Picasso's blauwe periode verkiezen als het regent.

Colorpoint Shorthair
Siamees

Uiterlijk

KOP: Lang, duidelijk smaller wordend, in een wigvorm; gemiddeld van grootte, een goede verhouding met het lichaam is van groot belang. De snuit is fijn, en vormt ook een wig. De oren zijn opvallend groot, lopen uit op een puntje en zijn breed aan de basis, en vormen dus een wig, in overeenstemming met de schedel en de snuit. De ogen zijn amandelvormig, van gemiddelde grootte, steken niet uit en wijken niet terug; de scheef aflopende ogen zijn in harmonie met de lijnen van de wig die door de kop en de oren gevormd wordt. Over het geheel moet de kop in overeenstemming zijn met de eisen voor de Siamees, waarvan dit ras afstamt.
LICHAAM: Gemiddeld van grootte. Het lichaam valt op door de aangename combinatie van fijne botten en de goede (stevige) spierconstructie. De schouders en heupen moeten niet de fijne lijnen van het lichaam verstoren. De poten zijn lang en rank, waarbij de achterpoten hoger zijn dan de voorpoten; wel allen in proportie met het lichaam. De voeten zijn ovaal en klein, met vijf tenen aan de voorkant en vier aan de achterkant. De staart is lang, dun en loopt uit in een punt.
VACHT: Kort, met een fijne structuur en glanzend; de vacht ligt dicht tegen het lichaam.
KLEUR: De vacht van het lichaam moet regelmatig gekleurd zijn, waarbij delicate ondertonen toegestaan zijn maar een heldere kleur de voorkeur heeft; een contrast tussen de kleur van het lichaam en de haarpuntjes is van groot belang voor de kleur-kwaliteit. Een donkerder vacht is meestal toegestaan bij oudere katten, omdat de kat meestal met de leeftijd donkerder wordt; maar het contrast tussen lichaamshaar en de puntjes moet duidelijk blijven. Colorpoints bij de korthaar zijn: rood, crème, seal-lynx, chocolate-lynx, lila-lynx, rood-lynx, seal-lapjes, chocolate-lapjes, blauw-crème, lila-crème, seal lapjes-lynx, chocolate lapjes-lynx, blauw-crème-lynx, lila-crème lynx en crème lynx. De oogkleur is zonder uitzondering diep levendig bruin.

Onder: *Colorpoint korthaar, rood lynx point.*
Volgende pagina: *Colorpoint korthaar, blauw-crème lynx point.*

Boven: Colorpoint korthaar, rood lynx point.
Volgende pagina: Colorpoint korthaar, blauw lynx point.

Oorsprong De Colorpoint Shorthair is eigenlijk een Siamees met ge-kleurde puntjes die anders van kleur zijn dan die, die worden geaccepteerd door de meeste registers in de Verenigde Staten. In Europa worden katten die Colorpoint kortharen zouden zijn in de Verenigde Staten ook geregis-treerd als Siamees. Deze scheiding ontstond toen lichte mutaties verschenen bij het Siamese ras, die resulteerden in chocolate, blauwe en lilakleurige punten. Eerst maakte men zich geen zorgen, en de meeste registers accepteerden deze bijkomende kleuren. Maar toen kruising met andere rassen (hoewel beperkt in aantal) begon, en de kleurpunten rood, lapjes, en crème ook nog voorkwamen, gingen veel fokkers in de verdediging, wat in de Verenigde Staten leidde tot een apart ras. In Europa worden deze en andere kleuren erkend als Siamees.
Karakter De Colorpoint is nieuwsgierig en actief en weet zichzelf en zijn eigenaar altijd te vermaken. De intelligentie van het ras laat zich bij elke beweging zien. Zijn stem wordt door de praktijk getemperd. De Colorpoint is altijd trots, is vaak niet meegevend tegenover anderen van zijn soort, en deelt liever zijn directe omgeving niet met andere katten (of met de meeste honden).
Mensvoorkeur Een oppassend maar niet veroordelende mens die weg is van de vaak ondeugende, schijnbaar alleswetende manieren van de Colorpoint.
Verzorging De zorg voor de vacht is gemakkelijk; extra aandacht moet echter worden besteed aan de oren, om ze vrij te houden van viezigheid en bezinksel.
Fokken De katten worden vroeg volwassen (meestal met vijf maanden al) en produceren meestal grote worpen (vaak meer dan vijf katjes). Jongen worden meestal bijna wit geboren, en de punten ontwikkelen zich later.
Voedselvoorkeur De ranke kwaliteit van de kat moet worden behouden; daarom moet zowel kwaliteit als kwantiteit zorgvuldig worden afgemeten, en er moet een goede balans worden gevonden tussen vis, gevogelte, vlees, groenten en rijst.
Voorkeuren & vooroordelen Deze katten staan afstandelijk tegenover de mooie werken van Nabokov en Kafka en houden meer van het gebubbel van tropische vissen en doorgetrokken toiletten.

Cornish rex

Uiterlijk

KOP: De kop heeft vriendelijk buigende contouren en is relatief klein en smal (lengte op breedte is een op drie), en vormt een lichte wigvorm; het voorhoofd is rond; de neus aangenaam en niet scherp gebogen. De snuit wordt langzaam smaller richting de ronde achterkant van de schedel. De oren zijn groot en staan hoog op de kop; ze zijn breed bij de basis, en worden smaller en zijn rond op het uiteinde. De ogen zijn middelmatig groot, ovaal, en lopen een beetje scheef naar boven waardoor het dier een enigszins Oosterse uitdrukking krijgt.

LICHAAM: Klein tot gemiddeld van grootte, waarbij de mannetjes meestal groter zijn. Rank gebouwd, de torso is lang en slank, niet rond; de heupen zijn goed gespierd, relatief zwaar in vergelijking met de rest van het lichaam. De rug moet een natuurlijke boog vormen, waarbij de lagere lichaamslijn een opwaartse curve vormt. De poten zijn lang, slank, opvallend recht. Karakteristiek hoog op de poten. De voeten zijn tenger en lichtelijk ovaal van vorm. De staart is opvallend buigzaam, loopt smaller uit, is lang en rank.

VACHT: Opvallend door extreme zachtheid en golving; zijdeachtig van structuur, zonder enige dekharen. De golving van de vacht wordt wel gedefinieerd als een dicht en watergolf-achtig geheel. De vacht ligt dicht tegen het lichaam, waarbij de golf van de bovenkant van zijn kop tot het puntje van zijn staart reikt. De vacht onder de kin en op zijn borst en buik moet kort zijn, maar ook een duidelijke golf hebben.

KLEUR: De Cornish Rex komt voor in erg veel kleuren, zoals eenkleuren, chinchilla, zilver met ondertoon, rookkleuren, talloze tabby's, lapjes, calicos, crèmekleurigen, en tweekleurigen. De oogkleur wordt bepaald door de kleur van de vacht en is meestal goud, maar groen, hazelnoot, blauw, blauw-groen, en oneven ogen (één blauw en één goudkleurig) komen ook voor.

Onder: *Cornish Rex; rood grijs tabby.* **Volgende pagina:** *Kopstudie van Cornish Rex, van harlekijn calico met wit.*

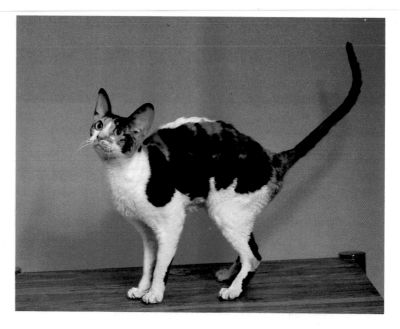

Oorsprong De jongen met gekrulde vacht van de Rex-mutatie zijn geboren op verschillende plaatsen, waaronder Duitsland, Oregon, en Engeland. Analoog met een gelijksoortige mutatie bij het konijn brengt de Rex-mutatie de dekharen terug en creëert een golvende vacht. Engeland wordt genoemd als het vaderland van de Cornish Rex: toen in 1950 een tam exemplaar werd gevonden in Cornwall in Engeland, werd het teruggefokt met zijn moeder om de mutatie voort te zetten, waardoor een variant werd gecreëerd. Uit andere Rex-mutaties werden de Devon, Duitse, en Oregon Rex voortgebracht. Deze varianten worden als verschillende soorten beschouwd, hoewel in de Verenigde Staten de Cornish wordt gekruist met de Duitse, waarbij de naam Cornish Rex wordt behouden. De Cornish Rex is de minst behaarde van de Rex-variëteiten.

Karakter Snel qua geest en lichaam is de Cornish Rex zowel een denker als een sportieveling. Het ras is spontaan en reageert goed, en verheugt zijn eigenaar met handige oplossingen en lenige sprongen.
Mensvoorkeur Een werkelijk aardig mens, al is hij allergisch. Een verfijnde en waarderende wijze, iemand wiens geest regeert en wiens lichaam reageert.
Verzorging De vacht is zijn dekharen kwijtgeraakt en daarmee is de kat voor een groot deel zijn neiging tot verharen ook kwijt. Regelmatig vriendelijk aaien met een doek (flanel of ander materiaal) is voldoende voor de verzorging.
Fokken In de Verenigde Staten is de Cornish Rex met succes gekruist met de Duitse variant. Maar de Devon en Cornish Rex kunnen niet worden gekruist zonder dat er nakomelingen met rechte haren uit voortkomen.
Voedselvoorkeur Schaap en lam, waarbij hij beleefd de mintsaus afslaat. De Cornish Rex vindt vlees heerlijk. Zijn eten moet het dier onderhouden, en niet vetmesten tot hij een eindeloze omvang heeft.
Voorkeuren en vooroordelen Jacht op klein wild en zachtaardige boswachters; kleine maar exacte colleges over Westerse geschiedenis; herhalingen van het avondnieuws.

*Vorige pagina boven: Cornish Rex, calico. **Vorige pagina onder:** Cornish Rex, van harlekijn calico en wit. **Onder:** Cornish Rex, bruin grijs tabby met wit.*

Cymric

Uiterlijk
KOP: Rond; iets langer dan breed. De wangen zijn prominent; de gezichts-
bouw moet zware kaken bevatten, vooral bij volwassen mannetjes. Het
voorhoofd redelijk rond. De snuit goed ontwikkeld, minder breed dan lang,
waardoor het de kat een rond uiterlijk geeft. De oren hebben een brede
basis, worden langzaam smaller en hebben ronde uiteinden. De ogen
moeten groot zijn, rond en vol, waarbij de buitenhoek iets hoger staat dan
de binnenhoek.
LICHAAM: De Cymric is rond en staartloos en stevig gebouwd, gedrongen
en uitgebalanceerd, met goed ontwikkelde spieren. De borst is breed, met
stevige ribben; zijn rug is kort en vormt een lichte, doorlopende boog. De
borst lijkt diep en hij kan behoorlijke flanken hebben. De poten hebben
zware botten, waarbij de voorpoten kort zijn en ver uit elkaar staan,
waardoor de breedte van de borst geaccentueerd wordt; de achterpoten zijn
veel langer. De voeten moeten rond zijn. Ideaal gezien heeft de Cymric een
holte aan het eind van zijn ruggewervels in plaats van het begin van een
staart.
VACHT: Dubbel; half lang, met een geleidelijke groei in lengte vanaf de
schouders tot de achterham. Het haar op zijn achterste, zijn buik, en zijn nek
moet langer zijn dan de rest van de vacht, hoewel de vacht meestal helemaal
vrij lang is; de vacht op de onderkant van de poten en de kop moet korter
zijn. Kwastjes aan de tenen en de oren verdienen de voorkeur.
KLEUR: Over het algemeen worden alle kleuren en kleurcombinaties
geaccepteerd, maar bewijzen van kruisingen, door kleur van de vacht of
andere kenmerken, zijn strikt verboden. De oogkleur wordt bepaald door de
kleur van de vacht, waarbij helder koperkleurig veel voorkomt en groen,
blauw-groen, hazel en ongelijke ogen (één blauw en één koperkleurig) ook
voorkomen.

Onder: *Cymric, rood klassiek tabby met wit.*
Volgende pagina: *Kopstudie van de Cymric.*

Boven: *Cymric.*

Oorsprong De Cymric is een echte Manx, hoewel een langharige versie. Hij kwam voor als een niet-geïntroduceerde variëteit in worpen van Manxen rond de jaren zestig. De eerst vermelde exemplaren verschenen in Canada, waar met voortgezet selectief fokken een echt apart ras werd gecreëerd. Omdat ze werden geweerd door Manx-fokkers, stelden liefhebbers van Cymrics een apart ras vast, en ze kozen de naam Cymric om contact te houden met de Keltische geschiedenis van het vaderras Manx. (De Manx is waarschijnlijk ontstaan op het eiland Man tussen Ierland en Wales, en cymric is het Keltische woord voor de Welse taal en cultuur.) Hoewel er onderzoeken zijn gedaan naar zijn puurheid door liefhebbers van langharige Perzen, kan de Cymric zijn echte Manx afkomst (hoewel de Manx zelf een echte bastaard is) verdedigen met goed gedocumenteerd bewijs van hoe hij gefokt is.

Karakter Over het algemeen is de Cymric een actief, aanhankelijk en vriendelijk dier, maar de Cymric varieert net als de Manx meer in karakter dan andere rassen. Dit komt waarschijnlijk door het uitkruisen dat noodzakelijk is voor deze staartloze rassen.

Mensvoorkeur Kinderen van het bloementijdperk die geen yup zijn geworden, of die er ten minste nog trots op zijn dat ze hun haar lieten groeien. In overeenkomst met de jaren waaruit hij voorkomt, houdt de Cymric van rust en vrede en van iedereen.

Verzorging Het middellange haar is gemakkelijk te onderhouden met redelijke verzorging, hoewel er meer tijd voor nodig is dan voor een kortharige kat.

Fokken Het fokken met de Cymric vraagt om goede kennis van erfelijkheid en genetica; uitkruisingen met de Manx worden gedaan; de problemen die inherent zijn aan het fokken met een dominante (en dodelijke) staartloosheid gen komen voor.

Voedselvoorkeur Men moet de snoepjes en ander figuur- ondermijnend voedsel tot een minimum beperken, maar verder zijn er geen speciale eisen voor het dieet van de Cymric – echte katten-maaltijden, en let op het gewicht.

Voorkeuren & vooroordelen Sjaals, lange polo wedstrijden, Druïde folklore en de late Yeats, lyrische gedichten.

Onder: Jonge witte Cymric.

Devon Rex

Uiterlijk

KOP: Gemiddeld van lengte, driehoekig, vormt enigszins een wig; lengte tot breedte als een tot drie. Drie opvallende buigingen doen de formatie van een wig enigszins teniet. Over het geheel eenzelfde vorm als de Cornish Rex maar met vollere wangen en een kortere neus samen met een opvallender stop, en grotere oren die verder uit elkaar staan. De ogen zijn groot; ze zijn ovaal van voor en lopen naar beneden richting de buitenkant van de oren. LICHAAM: Slank, lang (nogal Oosters) en gespierd. De borst is breed. De poten stevig, dragen het lichaam hoog; de achterpoten zijn iets langer dan de voorpoten. De voeten zijn klein en ovaal. De staart is erg lang en loopt smaller uit, en is bedekt met dun kort haar. VACHT: Van groot belang. De kwaliteit van de vacht van een Devon Rex kan worden geëvalueerd op basis van vier criteria: de dichtheid, de structuur, de lengte en de golving. De vacht is het dichtst op de rug, de flanken, de poten, de staart, het gezicht en de oren; over het geheel is de kat met een flinke vacht bedekt. Het voorhoofd (of de slapen) zijn soms slechts zeer dun bedekt. De structuur van de vacht is vol, zacht en fijn. Hoewel hij dekharen heeft (in tegenstelling tot de Cornish Rex) is de vacht ge'rext', wat betekent dat het lijkt alsof hij geen dekharen heeft. Het haar is kort, en wordt naar boven richting de borst steeds korter. De golving is het meest duidelijk op de romp en de staart, met een rimpelend effect. KLEUR: De kleurcombinaties zijn zeer gevarieerd. Er zijn eenkleurige dieren in wit, zwart, blauw, rood, crème, chocolate, kaneel, lavendelblauw, en bruingeel; bij de meeste eenkleurigen zijn de ogen goudkleurig. Ook tweekleurige gestreepte en gevlekte exemplaren komen voor, hoewel die niet door iedereen bewonderd worden. De Si-Rex is een Rex met Siamese witte kleur.

Onder: *Devon Rex, wit.*
Volgende pagina: *Kopstudie van Devon Rex, zwart.*

316 DEVON REX

Oorsprong In de jaren zestig werkten Engelse kattenliefhebbers aan het creëren van een nieuwe Rex-variëteit. Liefhebbers van de Rex waren onder de indruk toen ze merkten dat het Rex-gen van de Devon anders is dan dat van de Cornish, en toen de twee werden gekruist waren katten met gewone haren het resultaat. Terwijl de vacht van de Cornish geen dekharen heeft, bevat de vacht van de Devon alle drie soorten haren, namelijk dek-, baarden onderharen, maar de dekharen zijn kenmerkend zwak, en de snorharen ontbreken vaak. De basis voor het Devon-ras is klein, wat uitkruisingen noodzakelijk maakt. Door ras-controleurs werd bepaald dat uitkruisen in 1993 afgelopen zal zijn.

Karakter Snelvoetig en levendig. De Devon is een uitstekend huisdier voor de eigenaar die een beweeglijke kat zoekt. Het ras is scherp van geest en van nature vriendelijk, waardoor het goed gezelschap is.

Mensvoorkeur De mens die het boek leest vóór de achterflap, maar nooit de instructies van tandpasta; de mens die niet aan vooroordelen of gratuite overtuigingen doet; de lekker ronde mens (om niet te zeggen dik, hoewel hij soms wel kalend is).

Verzorging Vriendelijk aaien met een zachte doek, daarbij denkend om de zachte dekharen, is in principe voldoende als verzorging. De Devon Rex, die levendig is als hij wordt verzorgd, vraagt soms alle geduld waar de eigenaar over beschikt.

Fokken De grootte van de worp varieert van drie tot zes, met jonge katten die snel alert en beweeglijk worden. Uitkruisingen met Engelse en Amerikaanse korthaarn, Burmezen, Bombay, Siamezen en de Sfynx toegestaan tot 1993. Mag nooit worden gekruist met de Cornish.

Voedselvoorkeur Geplukte gans, fazant, en ander gevogelte, evenals behoorlijke vissen en kleine vlezige hapjes vormen het lievelingsmenu. Vlees is de essentiële component, maar pas op voor overdreven overgewicht.

Voorkeuren en vooroordelen Trampolines en James Bond-films. Alleen de snelste muis ontsnapt (en doet dat ook maar één keer); het zetten van vallen en in de herfst het eten van duiven.

Volgende pagina boven: Kopstudie van Devon Rex, bruin grijs lapjes.
Volgende pagina onder: Devon Rex.

Egyptische Mau

Uiterlijk
KOP: De kop heeft geen vlakke stukken en heeft een voorzichtige wigvorm, enigszins rond. Elegante contouren die beginnen bij de brug van de neus, zijn duidelijk in profiel. De snuit is niet puntig of kort. De enigszins puntige oren van de Mau zijn vrij groot en alert, met een puur roze tint in het binnenoor. De ogen zijn amandelvormig, groot, en lopen scheef af naar de oren; ze zijn niet rond of echt Oosters.
LICHAAM: Redelijk lang, met goede spieren – altijd in aanminnig evenwicht. De poten zijn in proportie met het lichaam; de achterpoten zijn langer dan de voorpoten. De voeten zijn klein, bijna rond. De staart is dik aan de basis, van gemiddelde lengte, enigszins smaller uitlopend.
VACHT: Fijn en zijdeachtig van structuur; een glanzende weerschijn is kenmerkend voor het ras. De vacht is dicht en veerkrachtig, en bestaat uit halflange haren.
KLEUR: Zilver-, brons-, rook- en bronskleurig zijn de kleurvariaties van de Mau. Hoewel ze niet veel voorkomen wordt op het moment ook aan kaneel, blauw, en lila gewerkt. De zilverkleur wordt beschreven als koolkleurige markeringen tegen een bleekzilveren achtergrond. Brons is eigenlijk een chocolate tabby met bruine vlekken op een honinggele achtergrond. Een wit basispatroon met donkergrijze tot zwarte vlekken is de rookkleur. Geelbruin tot bruin met grijze of bruine markeringen is de tinkleur. Het patroon van de Mau, dat bij alle kleuren hetzelfde is, vormt een opvallend contrast tussen de basis en de markeringen. Het voorhoofd is gegraveerd met een duidelijk waarneembare 'M' en fronsmarkeringen; een streep over de rug, een zwaar gestreepte staart, wangen met mascara-streepjes gemarkeerd en een 'vestknoop' op de onderbuik zijn ook altijd aanwezig.

Onder: *Egyptische Mau, zilver.*
Volgende pagina: *Egyptische Mau, zilver.*

Oorsprong Mau: Egyptisch; kat. Welke naam zou de directe band met Egypte en vroeger beter kunnen suggereren? In werkelijkheid is het ras te traceren in Amerika tijdens de jaren vijftig, toen er exemplaren werden geïmporteerd uit Cairo, waarbij ze de Verenigde Staten bereikten via Italië in de koninklijke manden van de verbannen prinses Troubetskoy. De Amerikaanse acceptatie van het ras begon in 1968. Tegenwoordig wordt de Mau van harte erkend in Noord-Amerika en Europa, met de altijd aanwezige uitzondering van Groot-Brittannië. Claims van het ras op de directe afstamming van katten uit het oude Egypte worden betwijfeld, terwijl andere claims hem plaatsen als afstammeling van een wilde Afrikaanse kat.
Karakter Het ras is actief en intelligent, houdt van aandacht en laat zijn devotie voor directe familie niet snel merken. Het is een lenige jager met een vogelachtige stem, en het ras heeft een zeer katachtig karakter.

Onder: *Egyptische Mau, zilver.*

Boven: *Egyptische Mau met de ringen op de staart en de karakteristieke 'M' op het voorhoofd.*

Mensvoorkeur Die persoon die bij zonsopgang opstaat, getuige is van de geweldige zonsopgang en nooit vragen stelt bij de macht van de godin Bastet of bij de belofte van de kat dat het licht de duisternis zal verdrijven.

Verzorging Hoewel de vacht weinig meer nodig heeft dan de gewone verzorging van kortharen, is de Mau wel gevoelig voor plotselinge verschillen in temperatuur.

Fokken Zorgt voor weinig moeilijkheden bij de voortplanting, maar het mannetje en het vrouwtje moeten zorgvuldig geselecteerd worden. De jongen worden vrij langzaam volwassen.

Voedselvoorkeur Met een historische afkeur voor gepreserveerd voedsel, wat hem doet denken aan zijn gebalsemde voorouders, houdt de Mau van een thuisgemaakt maal, in Amerikaanse stijl, en soms van augurken.

Voorkeuren en vooroordelen Een neiging tot liggen in het zachte gras, het maken van vogelgeluiden, en het ont-vleugelen van dat gemakkelijk voor de gek te houden soort.

Europese korthaar

Uiterlijk

KOP: Rond en massief, de kop wordt gemarkeerd door goed ontwikkelde wangen. De neus is kort, recht en gemiddeld van grootte. De kin is stevig en krachtig, evenals de snuit. Een goed herkenbare stop achter de snorhaarkussens. Gemiddelde oren, rond bij de uiteinden en breed bij de basis, altijd ver uit elkaar, maar geheel in harmonie met de rondheid van de schedel. De ogen zijn expressief en groot, en absoluut rond.

LICHAAM: Het lichaam is gemiddeld tot groot, goed geproportioneerd en stevig; de rug is recht; de borst breed en diep. De poten zijn krachtig en gemiddeld tot kort van lengte. De voeten zijn rond en stevig. De staart, die in evenwicht is met het lichaam, is gemiddeld van lengte, dikker bij de basis en smal uitlopend.

VACHT: Kort, veerkrachtig en afstotend – een stevige enkele vacht, nooit wollig.

KLEUR: De soort bestaat uit rode, witte, blauwe, zwarte, crème, chinchilla, rook, tabby's, gevlekte, en tweekleurige exemplaren. De Europese korthaar komt voor in elke mogelijke kleur: lila, chocolate, bruin, rood, blauw klassiek tabby, chocolate en lila en blauw lapjes, wit, en Colorpoint. Streeppatronen worden verdeeld in drie patronen. Het klassieke tabby-patroon wordt gemarkeerd door brede, duidelijk afgescheiden dichte markeringen. De poten zijn gelijkmatig gestreept met banden die hoog doorlopen, tot bij de romp. De staart is regelmatig geringd. De letter 'M' wordt op het voorhoofd gevormd door frons-markeringen. De schoudermarkeringen laten een uniek vlinderpatroon zien. In het grijze streeppatroon vormen contrasterende lichte en donkere banden de basiskleur. Donkere banden om de nek; smalle banden om de poten; een onafgebroken donkere band over de rug; de staart is voldoende geringd. De gevlekte tabby is een duidelijk bruine, zilverkleurige of blauwe tabby met rode en/of crèmekleurige vlekken. Naar gelang de kleur van de vacht kunnen de ogen helder goudkleurig, koperkleurig, groen, blauw-groen of hazelnoot-kleurig zijn. Witte katten hebben blauwe, oranje, of twee verschillende ogen; die oneven ogen zijn saffierblauw en oranje, koper- of goudkleurig. Een éénkleurige witte kat met blauwe ogen die bekend staat als de Europese Albino wordt niet op tentoonstellingen geshowd, hoewel hij wel kan worden geregistreerd; de kleur van deze albino wordt veroorzaakt door recessieve blauwe-ogen genen, en niet door dominante witte genen.

Oorsprong De definitie van de Europese korthaar als ras is problematisch voor de liefhebbers van katten. Sommige mensen beschouwen de Europese korthaar als een gewone tamme korthaar die als huisdier wordt gehouden in Europa; anderen beschouwen het ras als een Engelse korthaar die buiten Engeland leeft (in Europa dus). De geschiedenis van de Europese korthaar lijkt wel op de geschiedenis van de Engelse kat – deze plaagbestrijders worden wel geassocieerd met het Romeinse Rijk, waarvan de soldaten hen door heel Europa brachten om knaagdierplagen te helpen beheersen. De Europese kortharen zijn in principe die katten die niet naar Engeland werden gebracht, waar later een ras-standaard werd aangenomen en hen een nieuwe naam werd toebedacht. Tegenwoordig vallen veel Europese

Boven: *Europese korthaar, rood grijs tabby, gefotografeerd in Parijs door Isabelle Francais in 1990.*

kortharen terug te voeren op de Engelse kortharen aangezien die lijnen het eerst werden gestandaardiseerd.

Karakter De Europese korthaar is stoer en gehard, het zijn temperament-loze katten met een goede beheersing over zichzelf. Ze bezitten zachte stemmen.

Mensvoorkeur Iemand met een vreselijke, vernietigbare muizenbevolking en een afkeer van bulldogs en bepaalde Terriërs.

Verzorging Een makkie. De Europese korthaar heeft sterke verzorgings-instincten en zorgt goed voor zijn vacht. Eigenaars moeten deze katten een keer per week borstelen om de vacht glanzend en schoon te houden.

Fokken Complicaties komen niet veel voor. Kleine worpen komen vaak voor en de jongen worden snel volwassen. Kruisingen met de Engelse korthaar zijn toelaatbaar.

Voedselvoorkeur Vlees en vis – geen frutsels.

Voorkeuren en vooroordelen Hoewel hij kennelijk minder de neiging heeft om in gordijnen te klimmen, kan een echte Europese korthaar het beklimmen van een historisch monument of ruïne (met name in Griekenland of Rome!) niet weerstaan. Houdt niet van katten-tentoonstellingen.

Exotische korthaar

Uiterlijk

KOP: Rond, stevig gevormd en met een erg brede schedel; het gezicht is ook rond en de rondheid wordt geaccentueerd door de neus, die kort en breed is, en de ogen, die rond, groot en vol zijn, ver uit elkaar staan, en glanzend helder zijn. De oren zijn rond op het topje, regelmatig open bij de basis, ze staan ver uit elkaar en zijn laag op de kop geplaatst; ze dragen ook bij tot het algehele ronde beeld van de kop.

LICHAAM: De exotische korthaar is een gedrongen dier, dat laag op de poten staat, die goed ontwikkeld en sterk zijn. De borst is diep; de schouders en de achterham zijn stevig. Over het algemeen is hij gemiddeld tot groot, waarbij kwaliteit belangrijker is dan de grootte. De voeten zijn behoorlijk groot, rond en stevig. De staart is meestal kort maar moet in goede verhouding tot de lengte van het lichaam staan; de staart staat laag op de rug, en is recht, niet gekruld.

VACHT: De vacht is langer dan die van de gemiddelde korthaar, is dicht en pluche-achtig, met een zachte, vrij zijdeachtige structuur. De vacht mag nooit plat zijn of dicht tegen het lichaam aanliggen, en hij mag ook nooit zo lang worden dat hij lijkt te golven.

KLEUR: De exotische korthaar komt in bijna elke bij katten voorkomende kleur voor. De kleuren die bij de meeste tentoonstellingen worden geaccepteerd zijn alle Perzische kleuren evenals alle kleuren van de Amerikaanse korthaar, met de volgende uitzonderingen: goud, de Perzische tweekleur, en Pekinees rood.

Onder: *Exotische korthaar, rood klassiek tabby.*
Volgende pagina: *Exotische korthaar, crème tabby.*

Oorsprong De exotische korthaar is een kruising, die per ongeluk ontstond door kruisingen van de Pers met Amerikaanse kortharen. Gedurende de eerste helft van de twintigste eeuw genoot de Pers een onbeconcurreerde populariteit in Amerika. Met name om de Amerikaanse korthaar een wat 'Perzischer' uiterlijk te geven, begonnen sommige fokkers de rassen te kruisen. Eerst werden deze nieuwe kruisingen beschouwd als kortharen, maar ze kwamen steeds verder van de 'echte' Amerikaanse kat af te staan en fokkers realiseerden zich, vooral toen de zilveren vacht verscheen, dat een scheiding onvermijdelijk was. Onder leiding van verziende liefhebbers kreeg de exotische korthaar de status van een eigen ras aan het eind van de jaren zestig.

Karakter Variërend van betrouwbare onafhankelijkheid tot afhankelijke volgzaamheid. Het ras wil nog wel eens van kat tot kat verschillen, maar hij is wel altijd intelligent en standvastig. Toekomstige kopers hebben weinig te verliezen: of hun jonge kat nu neigt naar de Pers of naar de Amerikaanse korthaar, hun exotische aard zorgt zeker voor geweldig gezelschap.

Mensvoorkeur De gereserveerde maar avontuurlijke mens die houdt van het plezierige gevoel van zijde binnen het veilige huis en van de uitdaging in een groot onbekend land thuis te gaan horen.

Verzorging Regelmatige borstelbeurten houden de vacht gezond en zacht.

Fokken Kruisingen met de Pers en de Amerikaanse korthaar komen voor. De worp bestaat meestal uit vier, en de katjes worden met een donkerder vacht geboren die langzaam oplicht.

Voedselvoorkeur Werkelijk zonder voorkeuren. Wel houdt het ras kennelijk van een enkele maaltijd bij een fast-food restaurant.

Voorkeuren en vooroordelen Slaapt rustig of overdenkt de golvende patronen van handgesponnen wol die ingenieus geweven is.

Exotische kortharen, blauw rook volwassene en seal point jong.

Boven: *Exotische korthaar, lapjes jong.*
Onder: *Exotische korthaar, blauw.*

Havannakat
Havana

Uiterlijk
KOP: De kop is langer dan breed, en vormt min of meer een grote wig, die duidelijker is bij katten uit Europa dan bij die uit de Verenigde Staten. In de Verenigde Staten is het gezicht wat ronder maar heeft nog steeds iets Oosters in zich. Van het grootste belang is de smalle snuit (die bijna vierkant lijkt) en de opvallende buiging in de snorharen; de puntjes van de neus en de kin lijken bijna rechthoekig. De oren zijn groot, rond bij de uiteinden, ovaal van vorm (wat meer amandelvormig in Europa), en staan ver uit elkaar. LICHAAM: Gemiddeld van lengte, strak en stevig gebouwd; dun noch dik, waarbij de mannetjes meestal groter zijn dan de vrouwtjes. De verhoudingen zijn belangrijker dan de grootte. Het ras staat hoog op de poten, die tenger zijn bij het vrouwtje en krachtig bij het mannetje. De voeten zijn ovaal en compact. De staart is in verhouding en loopt iets smaller uit, is dun maar nooit te dun. VACHT: Het haar moet kort zijn en de structuur fijn, met een glanzend uiterlijk. KLEUR: In Europa worden alle tinten kastanjebruin geaccepteerd, op voorwaarde dat de vacht geen onderkleur heeft; zelfs de neus en de snorharen moeten diezelfde uniforme kleur hebben. De kussentjes van de voeten zijn echter roze. In de Verenigde Staten wordt datzelfde basispatroon geaccepteerd, waarbij echter moet worden aangemerkt dat de kleur meer naar rood-bruin of mahonie neigt dan naar zwart-bruin. De ogen zijn groen van kleur.

Onder: *Havana Brown.*
Volgende pagina: *Kopstudie van Havana.*

Oorsprong De eerste Havana's, kortharen die uit zichzelf chocoladebruin geworden zijn, werden in 1954 in Engeland geregistreerd. Hoewel de bruine katten niets nieuws waren in Engeland, was de kruising van een zwarte korthaar met een sealpoint Siamees (die een chocoladekleur gen had) het begin van de creatie van een nieuw ras. Nakomelingen van dit nest werden weer terug gekruist met de Siamees met het chocolate gen, en waarschijnlijk werd een tint Russian Blue toegevoegd om het fokken gemakkelijker te maken. Leden van het ras bereikten al snel de Verenigde Staten, waar het fokken iets anders verliep. Zo is de Britse Havana tegenwoordig meer Siamees dan de Havanakat uit de Verenigde Staten, hoewel ze in principe van hetzelfde ras zijn.

Onder: *Jonge Havana Brown.*

Boven: *Trio Havana Brown jongen. De kleur wordt met de leeftijd donkerder, hoewel alle Havana jongen geheel bruin worden geboren.*

Karakter Op zichzelf is het karakter van de Havana zo opvallend als de kleur van het ras. Nobel maar speels, gereserveerd maar aanhankelijk. De Havana intrigeert een ieder met zijn altijd nieuwsgierige geest.
Mensvoorkeur De aristocraat die houdt van aparte uitstapjes, griezelverhalen, en – onverklaarbaar – van Turkse tabak.
Verzorging Het negeren van deze zeer aantrekkelijke vacht is absoluut onvergeeflijk: de borstels en zachte doeken moeten voorzichtig gehanteerd worden, met de vacht mee.
Fokken Er vallen weinig problemen te verwachten, door de inherente aanleg van het vrouwtje op het gebied van moederlijke zorg. De jongen worden iets lichter geboren, maar zijn wel al geheel bruin.
Voedselvoorkeur De Havana, een vriendelijk dier dat objectief is in zijn ideeën over wat de mond mag binnenkomen, heeft geen specifieke voorkeuren.
Voorkeuren en vooroordelen Hoewel hij nooit een confrontatie vreest met een zeer moerassige baai, houdt de Havanna meer van wat geciviliseerdere uitdagingen.

Himalaya
Colorpoint langhaar, Colorpoint Pers

Uiterlijk

KOP: De kop is behoorlijk massief en heeft een zeer brede schedel, en hij moet ook rond en massief zijn. De snuit is breed; de wangen vol; de neus kort, met een duidelijke stop. De oren zijn klein, met ronde uiteinden, en met een behoorlijke afstand tussen de twee in. De ogen zijn groot, rond, en vol; ze staan ver uit elkaar en steken niet naar voren uit.

LICHAAM: Gedrongen. Een stevige bouw op korte poten met een stevige structuur. Zowel de schouders als de achterham hebben een stevig aanzien van boven gezien. Over het algemeen is de kat gemiddeld tot groot. De voeten zijn groot, rond en stevig. De staart is kort maar wel in verhouding met de lengte van het lichaam; hij wordt lager dan de rug gedragen, is recht en krult niet.

VACHT: Lang, golvend, en van het lichaam afstaand, met volle nekmanen die als een opstaande rand tussen de poten doorlopen, een volle brede staart, en lange oor- en teenkwastjes. De structuur is fijn en glanzend.

KLEUR: De Himalaya is in principe een Pers met Siamese trekken, en komt voor in verschillende point-kleuren, waaronder seal (crème met diep seal bruin), chocolate (ivoor zonder ondertoon met melkchocolate-kleur), blue (koud blauw-wit met wit en een getinte ondervacht), lila (zonder getinte ondervacht, gletscher wit met vries-grijs), flame (crèmig met oranje flame), lapjes (crème-wit met gevlekt seal), blauw-crème (blauw tot crèmig wit met getinte ondergrond, met blauw gevlekt met crème); andere kleuren zijn onder andere geheel chocolate en geheel lila (die worden soms Kashmirs genoemd). De ogen van de point-katten zijn haast zonder uitzondering diep, levendig blauw, terwijl die van de eenkleurige katten meestal helder koper-kleurig zijn.

Onder: *Himalaya katten, flame point en seal point.*
Volgende pagina: *Himalaya, chocolate point.*

Oorsprong Te delicaat om de bergtoppen te kunnen hebben beklommen, werd de Himalaya met zijn opvallend gekleurde haaruiteinden zo genoemd omdat zijn kleuring erg leek op die van het Himalaya-konijn. Het is een kruising tussen de (langharige) Pers en de Siamees; in Groot-Brittannië en in sommige registers in Amerika staat hij bekend als Colorpoint Longhair of Pers. Zelfs vandaag de dag worden fijne Perzen gekruist met Himalaya's om de kwaliteit te verbeteren, hoewel het Himalaya ras zuiver gefokt is sinds het begin van de jaren twintig. De Engelsen vervolmaakten de soort en erkenden het ras in 1955; in de Verenigde Staten werd hij in 1957 erkend.

Karakter Bestudeerd, met een zeker indentiteitsgevoel. Hecht zich erg aan één persoon en erkent andere familieleden op verschillende manieren. Meestal zeer rustig, zelden uitbundig speels; beslist, vol respect en aanhankelijk.

Mensvoorkeur Heeft eigenlijk iemand nodig die aan elke wens en bevlieging toegeeft – elke consistente welwillende oplettende persoon voldoet.

Verzorging De vacht is enorm en heeft dagelijkse verzorging nodig zodat hij niet gaat klitten. Als het dier er aan is gewend, kan hij met redelijk gemak worden gebaad.

Fokken Kleine worpen. De jongen krijgen kleur aan de haaruiteinden als ze zes maanden oud zijn. Kruisingen met de langharige Pers in bepaalde gevallen toegestaan. De mannetjes worden aanzienlijk later sexueel volwassen dan de vrouwtjes, rond hun 18de maand.

Voedselvoorkeur Het liefst een uitgebalanceerd dieet; doet mee met het menselijke eten als hem dat wordt toegestaan – groenten, pasta, graanprodukten etc., in kleine hoeveelheden.

Voorkeuren en vooroordelen Houdt van gezelschap, waarmee hij tijdelijk bevriend raakt. Houdt niet zo van andere katten, en meestal helemaal niet van honden. Houdt van frisse lucht op zijn tijd en een kans zich in het gras te ontspannen.

Vorige pagina: *Himalaya, chocolate point.* **Boven:** *Himalaya, seal point. In Engeland en in sommige Amerikaanse registers wordt de Himalaya erkend als Colorpoint Pers of langhaar.*

Japanse Bobtail

Uiterlijk

KOP: Hoewel er enige variatie bestaat, vormt de kop een duidelijke drie-hoek, met bijna drie gelijke zijden en vriendelijk buigende lijnen. Hoewel hij duidelijk Oosters is, mag hij niet op de Siamees lijken. De snuit is scherp noch stomp, is behoorlijk breed en rond bij de snorharen. De oren zijn groot en breed, staan ver uit elkaar recht op de kop; ze zijn rond aan de uiteinden en worden rechtop gedragen, zeer expressief. De ogen zijn groot, eerder ovaal dan rond, lichtelijk scheeflopend; de kleur is altijd helder en moet overeenkomen met de kleur van de vacht.

LICHAAM: Gemiddeld, waarbij de mannetjes groter zijn dan de vrouwtjes. De torso is goed gespierd zonder gedrongen te zijn en wordt gedragen door lange poten met redelijk stevige botten; de achterpoten zijn duidelijk langer dan de voorpoten, maar zijn zo gebogen dat als de kat ontspannen staat, hij van boven recht loopt. De voeten zijn ovaal. De staart is kenmerkend kort, waarbij wel variatie bestaat; kan ongeveer 12.5 cm. worden, maar wordt vaak beperkt tot korter in tentoonstellings-kringen. De staart is kenmerkend voor het ras en voor elke exemplaar van dat ras; dus zijn er veel soorten staarten en geen enkele verdient de voorkeur.

VACHT: Gemiddelde lengte. Zacht en zijdeachtig van structuur. Korte ondervacht. Weinig verharing.

KLEUR: Favoriete kleuren zijn zwart, wit, en rood, als eenkleur, tweekleur of driekleur, op voorwaarde dat de kleuren scherp zijn en het grootste deel van de vacht wit is; lapjes (zwart, rood en crème) komt ook voor. Siamese en Abessijnse kleuren zijn streng verboden.

Onder: Japanse Bobtail, tweekleurig zwart en wit.
Volgende pagina: Kopstudie 'en profil' van Japanse Bobtail, drie-kleurig rood, zwart en wit.

Boven: Japanse Bobtail, lapjes. **Onder:** Japanse Bobtail, driekleur.
Volgende pagina: Japanse Bobtail met het klassieke driekleur patroon dat vaak de voorkeur geniet, en in Japan bekend staat onder de
naam Mi-Ke.

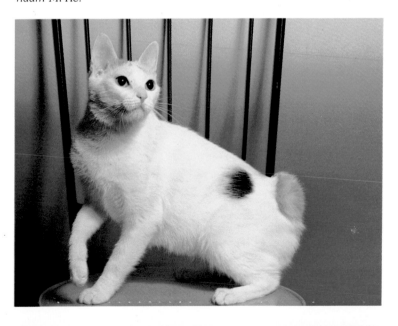

Oorsprong Japanse importen in de Verenigde Staten in 1908 van de Bobtail-katten zijn de eerst bekende exemplaren van het ras in de Westerse wereld. Het is echter bekend, of men denkt, dat kortstaart-katten al eeuwen in het verre Oosten voorkomen. In tegenstelling tot de Engelse Manx gelooft men niet dat de Japanse Bobtail een mutant is, omdat geen genetische afwijking de korte staart veroorzaakt. Hoewel het ras niet veel voorkomt in de Verenigde Staten en helemaal niet bekend is in Engeland, is hij in 1971 in Amerika erkend. Soldaten brachten het ras naar de Verenigde Staten vanuit Japan, waar deze katten werden beschouwd als talismannen die geluk brachten, vooral de driekleurige dieren die Mi-Ke heetten.

Karakter Zeer onderzoekend en nieuwsgierig, houdt van mensen, is slim, meestal extrovert met een duidelijke behoefte opgemerkt en gerespecteerd te worden. Deze kat is niet slechts een versiersel in huis, maar een echte strijder tegen muizen.

Mensvoorkeur Een eerlijke en aandachtige persoon die ontvankelijk is voor een beetje dagelijkse afwijking van het normale en voor plezier.

Verzorging De algehele netheid van de kat kan worden aangevuld met een lichte borstelbeurt.

Fokken Een kruising van Bobtail met Bobtail zorgt voor 100 procent Bobtail nakomelingen; Bobtails met een kat met staart zorgt voor 100 procent nakomelingen met staart.

Voedselvoorkeur Houdt het meest van allerlei zeevruchten; soms schelpdieren, wel in de schelp natuurlijk.

Voorkeuren en vooroordelen Het geluid van een aquarium, het ruisen van de wind. Vindt plagen niet grappig. Heldere vlekken in huis. Het avondnieuws.

Javaanse kat

Uiterlijk

KOP: Qua type kat in principe hetzelfde als de Siamees. Lange kop, van gemiddelde grootte, in goede verhouding met het lichaam, een smaller uitlopende wig vormend. De schedel is plat. De snuit is fijn, ook wigvormig. De hele wig begint bij de neus en gaat zonder onderbreking bij de snorharen, door naar de achterkant van de schedel, waarbij bij het mannetje halskwabben zijn toegestaan. De oren zijn zeer groot; breed bij de basis en puntig aan de uiteinden. De ogen zijn duidelijk amandelvormig; ze liggen niet naar buiten of naar binnen, en staan harmonieus scheef richting neus in de lijn van de wig en de oren. Natuurlijk worden scheel-kijkende ogen niet op prijs gesteld.

LICHAAM: Lang en rank, elegant en van gemiddelde grootte. Net als bij de Siamees is het de aantrekkelijke combinatie van fijne botten en stevige spieren die de kat zo charmant maakt. De poten zijn lang en tenger, waarbij de achterpoten hoger zijn dan de voorpoten. De voeten zijn verfijnd, klein en ovaal. De staart is lang, dun en loopt uit in een punt.

VACHT: In principe hetzelfde als die van de Balinees, behalve de kleur. De vacht van de Javaanse kat is lang, met een fijne, zijdeachtige structuur en geen donzige ondervacht. Het haar op de staart spreidt zich tot een pluim.

KLEUR: Alle kleuren die ook toegestaan zijn voor de Colorpoint korthaar zijn ook toelaatbaar voor de Javaanse kat; deze kleuren zijn: rood, crème, seal-lynx, chocolate-lynx, lila-lynx, rood-lynx, seal-lapjes, chocolate-lapjes, blauw-crème, lila-crème, seal lapjes-lynx, chocolate lapjes-lynx, blauw-crème-lynx, lila-crème lynx en crème lynx.

Onder: *Javaanse kat, seal lynx point.*
Volgende pagina: *Kopstudie van de Javaanse kat.*

Boven: *Javaanse kat, chocolate lynx point.*
Volgende pagina: *Javaanse kat, rode lynx point.*

Oorsprong De Javaanse kat is slechts een spin-off van de vierkleurige Balinees, die lijkt op een danser. De Javaanse kat verschilt alleen van de Balinees qua kleur. Naast de vier geaccepteerde kleuren van de Balinees, komt de Javaanse kat ook voor in nog zestien eigen kleuren. Zo biedt het ras de kleuren van de Colorpoint korthaar in een langharige uitgave. Hoewel de Balinees voor het eerst in het midden van de jaren veertig in de Verenigde Staten als ras werd geïntroduceerd, kwam de uitbreiding naar de Javaanse kat pas veel later, en werd pas in 1987 erkend door de kattenliefhebbers organisatie.

Karakter De Javaanse kat is een rustige, expressieve kat die natuurlijk de baas wordt over het hart en huis van zijn baas. Het zijn werkelijk goede katten met een positieve kijk op het dagelijks leven; wederzijdse affectie en waardering zijn een algemene regel voor deze kat!

Mensvoorkeur Elke mens die van katten houdt en het prettig vindt te worden verwend met aandacht van zijn katten-huisgenoot.

Verzorging Een makkie! In tegenstelling tot andere langharige rassen heeft de Javaanse kat erg weinig ontklitten nodig. Een platte stevige rubber borstel en een kam met fijne tanden zijn meer dan genoeg voor het onderhouden van de kat. Baden zijn niet nodig.

Fokken Sexuele volwassenheid komt vrij vroeg; de grootte van de worp is drie of vier jongen. Toegestane kruisingen zijn die met de Balinees, de Colorpoint korthaar en de Siamees; zulke kruisingen zijn vanaf het midden van de jaren 1990 niet meer nodig.

Voedselvoorkeur Gewoon eetpatroon is acceptabel. Niet lastig of kieskeurig.

Voorkeuren en vooroordelen Bewegende zwabbers, vilten pantoffels; gezelschap wordt positief verwelkomd.

Kashmir

Uiterlijk
KOP: De Kashmir is zeer Perzisch om te zien, en heeft een brede, ronde kop; de botstructuur en het gezicht zijn geheel rond. De neus, met een duidelijke buiging, is kort en stomp. De ogen zijn groot, rond en prominent aanwezig. De oren, die naar voren buigen met ronde uiteinden, zijn klein en staan bij de basis niet erg open. De rondheid van de kop wordt niet onderbroken door de lage plaatsing van de oren. LICHAAM: Laag geplaatst en massief, zeer juist beschreven als gedrongen – maar nooit overdreven. Het lichaam heeft duidelijk stevige botten en een behoorlijke omvang. De spieren zijn goed ontwikkeld zonder de indruk te wekken dat ze te overdreven aanwezig zijn. De voorpoten zijn recht. Alle vier de poten zijn kort en dik. De rug is recht. De voeten zijn rond, stevig, behoorlijk groot, met dicht bij elkaar gelegen tenen. De staart is niet lang, maar wel in overeenstemming met de gehele lengte van het lichaam. VACHT: Lang, vitaal en dik, afstaand en glooiend. De ondervacht is duidelijk wollig en dicht. Het hele lichaam, inclusief de schouders, wordt bedekt door een lange vacht, die een enorme kraag vormt rond de nek en de borst en de voorpoten opvult. Volle vacht en grote kwastjes op de oren en rond de tenen. KLEUR: Hoewel de Pers in een heel spectrum kleuren en colorpoints voorkomt, is de Kashmir qua kleur in principe net als de Himalaya of eenkleurige Colorpoint langhaar. Hij komt het meest voor in een chocolatekleur of lila. De chocolatekleur is zacht bruin, zonder onderkleur; de lila is van een rijke, warme lavendelkleur met een rozige ondertoon.

Oorsprong De Kashmir is de dagdroom van een taxonomist, maar eigenlijk is hij – toegegeven, een schitterend opvallend dier – gewoon een eenkleurige Himalayakat of Pers. Registers die zeggen dat de Himalaya in de regel een Colorpoint is, accepteren deze langharigen niet als Himalayakatten. Registers die de Himalaya inschrijven als een Colorpoint variëteit van de Pers of de langhaar stoppen deze 'Pers' natuurlijk in een groep met de anderen.
Karakter Zelfverzekerd en effen gekleurd heeft de Kashmir de voordelen van de kenmerken van de Pers. Het zijn rustige, lieve katten, met een positieve inslag en ideeën over wie ze zijn, zelfs als de registers dat maar niet kunnen beslissen.
Mensvoorkeur Een mens met zachte hand, die georganiseerd en netjes is, en beslist niet allergisch voor kattehaar.
Verzorging Dagelijkse intensieve borstelbeurten zijn noodzakelijk om de lange vacht van de Kashmir in uitstekende vorm te houden en te vermijden dat de kat haarballen etc. inslikt. Men kan hem regelmatig een bad geven.
Fokken Pasgeborenen zijn zeer fragiel bij de geboorte en hebben zorgvuldige aandacht nodig in de eerste paar maanden. De moeders hebben vaak voedingsupplementen nodig om hun energie op te vijzelen.
Voedselvoorkeur Niet alleen vlees – ook kleine porties rijst en groenten houden de Kashmir fit. Knapperige traktaties worden met gespin begroet.
Voorkeuren en vooroordelen Balkonnen met goed uitzicht; linoleum en leer; effen kleuren; tolereert klunzige mensen maar nauwelijks.

Boven: *De Kashmir wordt gedefinieerd als een effen gekleurde Himalaya. Hoewel de meeste andere registers deze katten gewoon als Perzen beschouwen, erkent de Canadese kattenassociatie ze als Kashmirs.*

Korat

Uiterlijk
KOP: Zijn kop, met sterke wangen en duidelijk een breedte tussen de ogen, wordt wel beschreven als hartvormig. De bogen van de wenkbrauwen vormen de bovenste bogen van het hart, terwijl de rustig gebogen zijden van het gezicht de hartvorm completeren. De snuit loopt wat smaller uit; is puntig noch vierkant. De stop is licht. De oren zijn rond aan de punten, en gewelfd aan de basis; over het algemeen zijn ze groot. De ogen zijn groot, rond en prominent, maar ze geven de suggestie dat ze een beetje Oosters zijn als ze gedeeltelijk of geheel gesloten zijn.
LICHAAM: Niet echt stevig of tenger, met een goede spier-ontwikkeling, kan het best omschreven worden als semi-gedrongen; gemiddeld van grootte. De poten zijn van gemiddelde lengte, de achterpoten iets langer, in verhouding tot het lichaam. De voeten zijn ovaal. De staart is van gemiddelde lengte, heeft een sterke wortel, en loopt smaller uit; rond aan het uiteinde.
VACHT: Kort, zonder ondervacht, dicht tegen het lichaam aan. Is glanzend, zijdeachtig, zacht en fijn van structuur en uiterlijk; de vacht neigt bij de ruggegraat tot 'breken' als de kat in beweging is.
KLEUR: Geheel zilver-blauw, met zilverkleurige 'points', zonder ondertoon of streep-markeringen. Uitgebreide zilverkleur aan het uiteinde van de haren is zeer gewenst; hoe meer, hoe beter. De zilverkleur wordt geaccentueerd als de vacht kort is. De beperking van de zilver uiteinder tot enkel een paar lichaamsdelen is absoluut ongewenst. De neus en lippen zijn donkerblauw of lavendel van kleur. De beste oogkleur is lichtgevend groen maar een amberkleurige hint wordt geaccepteerd.

Oorsprong De zilver-blauwe talisman met staart is een Oosterse kat, genoemd naar het gebied in Thailand dat bekend staat als Cao Nguyen Khorat. Eeuwenlang is het ras al afgebeeld in Thaise gedichten en schilderijen. Vandaag de dag kan in het nationaal museum van Bangkok het katten-gedichtenboek, van Somdej Phra Buddhacharn Buddhasarmahathera, een opdracht van koning Rama de Vijfde, worden bewonderd in de kleinkunst-zaal. Het was Rama die deze knappe kat met zijn zachte vacht zijn naam gaf. In Thailand heet het ras tegenwoordig echter Si-Sawat. De Korat is waarschijnlijk al in de Verenigde Staten sinds het begin van de twintigste eeuw, maar werd pas geaccepteerd in het midden van de jaren zestig. In Engeland werd het ras in 1975 geaccepteerd.
Karakter Snel van begrip en intelligent; benadert onbekenden behoedzaam. Ze accepteren andere katten meestal wel. Expressief, zowel lichamelijk als qua geluid, en warme, milde huisgenoten.
Mensvoorkeur Mensen die houden van knuffelen en aaien, die een rustige avond thuis op prijs stellen.
Verzorging Aaien met een flanellen handschoen om de vacht veerkrachtig en schoon te houden.
Fokken Ouderkatten zijn tijdelijke stellen en helpen mee de jongen op te voeden. De katjes worden langzaam volwassen, pas als ze twee jaar oud zijn.
Voedselvoorkeur Houdt van gevogelte en ander vlees; minder gek op schelp-delicatessen.
Voorkeuren en vooroordelen Een hekel aan rock and roll omdat ze luid lawaai beledigend vindt; verder aan tocht en aan dronkaards.

Boven: *De Korat wordt gekenmerkt door zijn zilver-blauwe kleur met zilverkleurige uiteinden.*

Langhaar Scottish Fold

Uiterlijk

KOP: Rond en breed, met een stevige kin en kaak. De wangen zijn prominent, en de jukbeenderen zijn bij de mannetjes goed ontwikkeld. Het meest opvallende kenmerk van de snuit zijn de goed geronde snorhaarkussentjes. De oren zijn zeer uniek, waarbij een gevouwen, klein, zeer dicht gevouwen oor de voorkeur heeft; de oren moeten naar voren en naar beneden vouwen, als een hoedje, en daarbij de ronde schedel laten zien. De ogen zijn groot, breed, rond en hebben een lieve uitdrukking.

LICHAAM: Gemiddeld van grootte, zeer rond, met kussentjes, gelijkmatig van de schouders tot de heupen; de vrouwtjes zijn vaak iets kleiner. De poten die vaak kort lijken, moeten niet breed lijken of een beperkte beweeglijkheid ten toon spreiden. De tenen moeten goed rond zijn. De staart varieert van gemiddeld tot lang, loopt smal uit en is buigzaam. De staart komt zelden tot volle wasdom; de langere staarten met smallere uitloop hebben de voorkeur; hij moet in goede verhouding staan tot het lichaam. Korte staarten met ronde puntjes worden beschouwd als ernstige gebreken.

VACHT: Vrij lang en golvend, zacht bij aanraking, met bijna net zo'n veerkracht als zijn broer met een kortere vacht, de Scottish Fold. Bontkragen en 'broeken' zijn pluspunten.

KLEUR: Blauw, rood, wit, zwart, crème, chinchilla, rook, gestreept, met vlekken, en tweekleuren. Op chocolate en lila na heeft de Longhair Scottish Fold dezelfde vachtkleuren als de (langharige) Pers. Tabby kleuren kunnen worden verdeeld in drie patronen. Het klassieke tabby-patroon wordt gemarkeerd door brede, duidelijk afgescheiden dichte markeringen. In het grijze streeppatroon vormen contrasterende lichte en donkere banden de basiskleur. De gevlekte tabby is een duidelijk bruine, zilverkleurige of blauwe tabby met rode en/of crèmekleurige vlekken. Naar gelang de kleur van de vacht kunnen de ogen helder goudkleurig, koperkleurig, groen, blauw-groen of hazelnoot-kleurig zijn.

Vorige pagina: *Langhaar Scottish Fold, rood chinchilla tabby met wit.*
Boven: *Kopstudie van langhaar Scottish Fold, bruin grijs tabby.*

Oorsprong Ondanks suggesties dat de langharige versie van de Scottish Fold niet puur zou zijn, werd geen enkele Pers of ander niet-kilt-dragend dier gebruikt bij het creëren van de langharige Scottish Fold. Het wordt in veel fok-literatuur onderschreven dat langharige katjes al lang voorkomen in de worpen van de Scottish Fold. Deze katten werden nooit de standaard, misschien omdat de oren bijna niet te onderscheiden vielen. Deze mutaties gebeurden bij boerderijkatten in hun vaderland; de variant is waarschijnlijk voortgekomen uit kruisingen tussen de Engelse kortharen en andere tamme katten uit Engeland en Schotland. 'Susie', die de oren van de eigenaars William en Mary Ross deed wapperen, is waarschijnlijk de bonafide voorouder van alle Scottish Folds, hoe lang de vacht ook is.

Karakter De langharige Scottish Fold is nieuwsgierig en stoer, een echte charmeur en een dier dat alles altijd overleeft. Het zijn katten die snel van begrip zijn en een eigen wil hebben, en ze hebben de natuurlijke aanleg de onwillende te overtuigen.

Onder: *Langhaar Scottish Fold, bruin grijs tabby.*
Volgende pagina: *Kopstudie van de langhaar Scottish Fold, een rode chinchilla tabby met wit.*

Mensvoorkeur Een politiek geïnteresseerd mens die houdt van een uitdaging; het moet een goede spreker zijn, want deze katten houden van luisteren naar geklets.

Verzorging Regelmatige borstelbeurten zijn essentieel om de vacht schoon te houden en zonder klitten. De haren zijn niet zo lang als die van andere langharigen en heeft aanzienlijk minder verzorging nodig.

Fokken Het gevouwen oor is een simpele dominante genetische mutatie, en heeft dus maar een ouder nodig met die eigenschap. Afwijkingen kunnen voorkomen als gevolg van het fokken met een homozygote drager van het gevouwen oor. Slechts ervaren fokkers mogen ermee werken.

Voedselvoorkeur Hamburgers, puddingen en dikke room; gebakken muis.

Voorkeuren en vooroordelen Papegaaien (in een kooi, natuurlijk); postzegel-verzamelingen; vriendelijke Terriërs; blauwe kamers.

Maine Coon

Uiterlijk

KOP: Vrij lang van vorm met een duidelijke vierkante snuit; gemiddeld van breedte. Een stevige kin en hoog geplaatste jukbeenderen. De oren zijn stevig met behoorlijke beharing, lopen uit op een enigszins puntig uiteinde, en zijn breed aan de basis. De ogen staan ver uit elkaar en zijn groot; een lichte buiging naar de buitenkant van het oor.

LICHAAM: Een brede borst en gespierd gevormd. Qua grootte is de Maine Coon gemiddeld tot groot. Zijn gehele uiterlijk is rechthoekig, en het lichaam lijkt lang en in verhouding met elke anatomische component. De poten worden als aanzienlijk beschreven, en zijn van gemiddelde lengte; de voeten, die kwastjes hebben, zijn groot en rond. De staart loopt smal uit en is lang en breed aan de basis.

VACHT: De zijdeachtig gestructureerde vacht van de Maine Coon is lang en golvend, en geeft het ras een opvallend elegant uiterlijk. Hoewel de vacht dik en ruig is, rust hij heel natuurlijk en zacht op het lichaam. Aanzienlijke kraag die de borst versiert is gewenst; de staart is ook vol en dicht behaard.

KLEUR: De zoveel-en-twintig kleuren van het ras kunnen worden ingedeeld in vijf klasses: effen, tabby's, tabby met wit, meer kleuren en rookkleuren. Wit, zwart, blauw, rood en crème vormen de effen klasse. Tabby-patronen zijn in de klassieke, grijze, en gevlekte patronen. Lapjes en calico zijn maar twee van de mogelijke meerkleurige katten. De rook- (of rest) klasse bestaat uit chinchilla, zilver en ook zwart, blauw, cameo, en lapjes-rook, onder anderen.

Onder: *Maine Coons, jongen en volwassenen.*
Volgende pagina: *Kopstudie van Maine Coon, tabby.*

Oorsprong Dit Amerikaanse katten-ras heeft meer legendes gevormd om zijn oorsprong uit te leggen dan welke andere Amerikaanse kat ook. Hoewel ze niet waarschijnlijk zijn, nemen deze verhalen een unieke plaats in de Amerikaanse cultuur in: de tussen-soort, een paring tussen een tamme kat en een wasbeer; een kruising tussen een tamme kat en de rode lynx; de poging van kapitein Samuel Clough uit Maine om vrede te sluiten met de behoefte van een Franse koning aan zachte, aaibare dingetjes; een transplantatie van de Vikingen; te sociale Noorse boskatten; overtuigende Russische steppekatten, etc. De meest waarschijnlijke maar wel onromantische verklaring is, dat het een kruising is tussen tamme huiskatten uit New England met geïmporteerde Angora's. Angora's worden meestal beschouwd als de eerste langharige katten die de Verenigde Staten binnenkwamen. De 'shags', zoals ze in koloniale tijden werden genoemd, hebben de Darwinistische perikelen overleefd en worden vaak beschouwd als de eerste tentoonstellings-kat van Amerika.

Karakter Stoer en stevig, maar waardig en gereserveerd. Thuis reageren ze goed en vernielen ze nooit veel; buiten kunnen ze tegen een stootje en zijn het inventieve, hard werkende katten.

Onder: *Maine Coon, tweekleurig rood en wit harlekijn.*

Boven: *Maine Coon, wit.*

Mensvoorkeur Een lekker rond mens die net zo houdt van zachte Dixieland-muziek bij hem thuis, als van het beklimmen van een boom of een weekendje kamperen, en onverwachtse excursies laat op de avond.
Verzorging De dikke, volle vacht van het ras heeft menselijke tussenkomst nodig om hem te onderhouden. Regelmatige borstelbeurten verwijderen dode haren en maken de vacht makkelijker te onderhouden. Constante verzorging is niet noodzakelijk.
Fokken De mannetjes bij uitstek dominant; vrouwtjes hebben meestal bemoediging nodig. Er komen twee of drie jongen die niet geheel volwassen zijn tot ze vier jaar oud zijn.
Voedselvoorkeur Veel trek in vlees en vis. Vers gevangen kabeljauw en krab worden nooit geweigerd.
Voorkeuren en vooroordelen Balanceren op zijn achterpoten en kopjes geven aan een instemmende mens zijn duidelijke voorkeur; houdt van buiten zijn, en van lange verhalen op regenachtige avonden.

Manx
Kat van het eiland Man

Uiterlijk

KOP: Goed ontwikkelde wangen domineren de vrij ronde kop van de Manx (de kop is langer dan hij breed is). De jukbeenderen steken behoorlijk uit; ongetwijfeld is de variant zonder opvallende jukbeenderen beter voor het ronde uiterlijk. De buiging van de snorharen valt op. Een sterke kin en prominente snuit. De ogen zijn groot en vol. De oren zijn rond aan de uiteinden, zonder overdreven beharing.

LICHAAM: Een stevige bouw, stevige botten en goede spieren vormen een compact en uitgebalanceerd dier. Een brede borst en uitspringende ribben maken een stevige lichamelijke vorm beter mogelijk. De poten hebben stevige botten en benadrukken de diepte van de borst. De achterpoten moeten veel langer zijn dan de voorpoten. De voeten zijn keurig rond, zoals ze horen te zijn. Staartloosheid is essentieel voor de Manx: 'een duidelijk gat aan het eind van de rug waar bij een kat met staart, de staart zou beginnen' (CFA standaard).

VACHT: De dikke dubbele vacht van de Manx is kort en dik. De ondervacht lijkt in structuur en naar gevoel op katoen. De buitenste vacht is vrij lang en open, niet zijde-achtig, want de gewenste kwaliteit van de vacht is belangrijker dan de kleur of het patroon.

KLEUR:De mogelijkheden van een Manx qua kleur zijn talrijk. Omdat kruising altijd een belangrijke overweging is, is elke kleur of patroon die doet denken aan de Himalaya niet toegestaan; chocolate en lavendel doen in sommige kringen denken aan een kruising en zijn daarom niet toegestaan. Een blik op de Manx-regenboog: wit, zwart, blauw, rood, chinchilla, blauw rook, zilver gevlekt/gestreept, crème tabby, calico en lapjes.

Vorige pagina: *Manx, lapjes met wit.*
Boven: *Kopstudie van Manx, bruin grijs tabby.*

Oorsprong De Olympische zwemmer Samson of de haastig met de deuren slaande Noach zijn vaak gevraagd om de oorsprong van de Manx uit te leggen. De bijbel vertelt geen details over het ont-staarten van de zeevarende kat, die kortere lokken had dan de langharige babylonische kat; evenzo legt de bijbel ook de onopzettelijke amputatie van de ratdodende Manx voor de aankomst in Ararat niet uit. Andere legenden vertellen van Ierse vechters die hun helmen versierden met kattenstaarten (a la Davy Crockett?) en van Phoeniciërs of de Spaanse Armada die deze katten van het Oosten naar het Isle of Man vervoerden. Toch zijn deze 'stubbin' (staartloze) katten al eeuwenlang bekend op het eiland.

Karakter Wel stubbin maar niet stubborn (koppig) is de Manx een stoere en rustige kat, met een goede aanleg om zich aan te passen aan zijn omgeving. Het zijn typisch verlegen, maar wel voorkomende dieren, slim maar dapper. De hel voor muizen en andere kleine knaagdieren.

Mensvoorkeur Een mens met onderscheid die zijn huis wel wil delen; Manx-katten houden van alle leden van de menselijke familie.

Verzorging De vacht is zacht en moet niet te veel geborsteld worden, hoewel regelmatige zorg wel wordt aangeraden.

Fokken De voortplanting heeft te maken met serieuze overwegingen: Manx-katjes kunnen worden geboren met minder of meer staartvorming; voortgezet fokken van staartloze naar staartloze kan leiden tot afwijkingen in de wervels; kruisingen van de Manx met embryonische staarten kan bepaalde potentiële problemen voorkomen.

Voedselvoorkeur Rood vlees en kaas zijn favoriet; houdt niet zo van vis, behalve als hij die zelf vangt.

Voorkeuren en vooroordelen Niet te voorziene reacties op water; Keltische muziek; stoort zich vooral aan dichtslaande deuren.

Vorige pagina: Manx, bruin klassiek tabby. **Boven:** Manx, zwart.
Onder: Manx, tweekleurig zwart en wit.

Nebelung

Uiterlijk
KOP: Wigvormig. De schedel is plat bovenop en lang. De brede plaatsing van de ogen, die rond van vorm zijn, geven het gezicht een breed uiterlijk. De neus is van gemiddelde lengte. De oren zijn groot en breed bij de basis, met schitterend geronde uiteinden. Ze zijn vrij doorschijnend qua uiterlijk doordat de huid dun is en er geen echte beharing aanwezig is. LICHAAM: Zonder een zweem van grofheid is de lijn van het lichaam, elegant ook van vorm. Overal heeft hij fijne botten en is hij lang; de spieren zijn stevig en duidelijk. De poten hebben relatief fijne en lange botten. De enigszins ronde poten zijn klein. De staart begint vrij dik bij de basis en loopt smal uit over zijn duidelijk lange uiterlijk. VACHT: Halflang op het lichaam; de staart is versierd met haar dat niet korter is dan dat van de Pers. KLEUR: Hoewel duidelijk, gelijkmatig, helder blauw natuurlijk de enige kleur is van deze Rus, variëren de tinten ervan van plaats tot plaats. In de Verenigde Staten heeft een lichtere kleur de voorkeur; in Europa wordt vooral een gemiddeld blauw het mooiste gevonden. Een diepgroene oog-kleur is kenmerkend voor het ras, ongeacht de kleur van de vacht.

Oorsprong Het verhaal van de Nebelung is een echt Assepoester-verhaal en begint bij een zwart vrouwtje dat Terri heette, en dat in het begin van de jaren 1980 een worp kreeg van twee zwarte vrouwtjes en een mannetje dat Angora-bloed leek te hebben. Een vrouwtje, dat Elsa heette, werd gekruist met een mannetje dat leek op een Russian Blue. De worp bracht zes effen zwart en blauw gekleurde jongen voort. Een tweede paring met hetzelfde mannetje bracht nog eens zeven jongen voort. Een mannetje (Siegfried) uit de eerste worp en een vrouwtje (Brunhilde) uit de tweede worp werden gekocht door Cora Cobb. Deze beide katten hadden halflang haar en een pluimstaart. Door zorgvuldige paringen van Siegfried met Brunhilde creëerde Cora Cobb het ras dat tegenwoordig bekend staat als de Nebelung. In september 1987 werd het ras erkend door de TICA. Met doorzettingsvermogen en toewijding gaat mevrouw Cobb door met dit veelbelovende ras.
Karakter Vol affectie en liefde. De Nebelung verrukt familieleden met zijn grote vermogen zich aan te passen, zijn intelligentie en zijn algehele prettige gedrag.
Mensvoorkeur De oplettende mens die naar hem glimlacht, hem vriende-lijk aait, en hem warm en liefdevol toespreekt.
Verzorging Zijn vacht raakt niet in de knoop en ruit niet, en vraagt maar weinig tijd van de eigenaar. Een dagelijkse borstelbeurt geeft glans aan de vacht en past bij de basisbehoeftes van het verzorgen.
Fokken Omdat er nog aan het ras wordt gewerkt, moet de Nebelung voorzichtig gekruist worden en moet men zich strikt houden aan de stan-daard van het ras, waarbij men die katten castreert die daar niet aan voldoen. De grootte van de worp varieert van een tot zes, waarbij drie of vier het meest voorkomt.

Boven: *Nebelung, blauw, van Cora Cobb, die dit opwindende nieuwe ras is begonnen. Deze langharige blauwe schoonheid is Romani Pralo van Nebelheim, gefokt door John Hruza. Het mannetje was Nebelheim Loki van Romani ex Nebelheim Zuphie van Romani.*

Voedselvoorkeur Nooit kieskeurig en altijd gemakkelijk, maar het dier houdt wel van variëteit; een enkele menselijk traktatie zal hem niet verwennen.

Voorkeuren en vooroordelen Zomers in Moskou, alle eindeloze muziek van Wagner, Noorse volksverhalen, katten-tentoonstellingen in Chicago.

Noorse boskat
Norsk Skaukatt

Uiterlijk
KOP: Rond en behoorlijk groot. De ogen zijn ovaal en wijzen naar beneden naar de buitenkant van de oren. Het voorhoofd lijkt breed, want de oren staan hoog en ver uit elkaar. De neus is vrij lang. De kin is stevig en staat evenwijdig aan neus en bovenlip.
LICHAAM: De gespierde, breedborstige bouw van deze Noorse kat lijkt op die van de Maine Coon-kat. Hij is gemiddeld van grootte, en de mannetjes worden vrij groot. De poten hebben stevige botten; de voeten zijn groot en rond. De zwaar behaarde staart is lang en meer uitgesproken gepluimd dan die van de Amerikaanse kat.
VACHT: Dik en isolerend, een dubbele vacht gemaakt om te dragen zonder veel onderhoud – een wollige ondervacht, en de buitenste vacht is meestal over het geheel lang, hoewel hij vaak korter is op de schouders. Duidelijke overvloedige kraag aan de voorkant.
KLEUR: Tabby's, effen, twee kleuren en meer kleuren komen allemaal voor Eigenlijk zijn alle kleuren toegestaan. De dikte van de vacht en de stevigheid van de lichamelijke bouw zijn altijd belangrijker geweest dan de kleur.

Onder: *Noorse boskat, blauw lapjes en wit.*
Volgende pagina: *Kopstudie van de Noorse Boskat, bruin klassiek tabby met wit.*

Boven: *Noorse Boskat, blauw lapjes en wit.*
Volgende pagina: *Noorse boskat, bruin grijs tabby.*

NOORSE BOSKAT

Oorsprong Als we de Noorse fabels optellen bij de aantrekkingskracht van de katten-mystiek is de Noorse boskat beslist ouder dan de meeste moderne katten-rassen. De betoverende kat werd voor het eerst erkend in 1930 als de enige kat die thuishoort in Scandinavië. Het ras heeft al eeuwen de harde wildernis en de ijzige winters van zijn vaderland overleefd. Net zoals de Maine Coon-kat wordt de Noorse boskat gesierd door een enorme vacht, die uitvalt als de zomermaanden naderen. Het ras staat niet geregistreerd in Groot-Brittannië en komt maar weinig voor buiten zijn vaderland. Hoewel de mysterieuze oorsprong van de kat werd omhelsd, realiseren gefascineerde liefhebbers zich dat hun eigen land vol zit met beter verkrijgbare katten.

Karakter Scherp van intelligentie is de Noorse boskat zich altijd bewust van zijn omgeving: hij is alert, waakzaam en nooit bang. Voor hen die wat meer een niet gekalmeerd katten-temperament op prijs stellen blinkt het ras uit.

Mensvoorkeur De stoere mens die houdt van de kunst van het indvidualisme maar wel zonder bedenkingen de helpende hand biedt aan zijn getergde buurman.

Verzorging De dichte vacht, die bij warmte ruit, vraagt verrassend genoeg maar weinig menselijke zorg. Hij is eigenlijk zelfverzorgend. Een enkele kambeurt doet hem wel goed.

Fokken Zich al eeuwenlang voortplantend, vaak in het wild, waar het Darwinisme het duidelijkst is, zorgt het ras voor weinig voortplantingsmoeilijkheden.

Voedselvoorkeur De eigenaar moet het dier van een uitgebalanceerd dieet voorzien en niet verbaasd zijn als de boskat dan toch kiest voor een zelfgevangen dier.

Voorkeuren en vooroordelen Schoorsteenmantels, plotselinge tocht, Tannhäuser op zaterdagochtend, en de roep van de papegaaiduiker doen hem allemaal veel plezier.

Ocikat

Uiterlijk

KOP: Een enigszins wigvormige schedel van de brede snuit tot de wangen, die niet te vol moeten zijn. Aanzienlijke lengte en een vierkante kop horen bij de schedel van de Ocikat. De ogen zijn redelijk groot en staan behoorlijk uit elkaar; ze moeten licht naar boven buigen. De oren zijn vrij groot ten opzichte van de schedel, staan altijd rechtop, en staan bovenop het hoofd. Ze staan in een hoek van 45 graden met oorkwastjes die verticaal evenwijdig lopen met de binnenkant van de oren.

LICHAAM: Een atletisch, stevig frame met een behoorlijk lang lichaam, diep en vol – grofheid en te grote omvang moeten worden vermeden. Licht opspringende ribben en een behoorlijk diepe borst; de rug is iets hoger aan de achterkant. De poten zijn vrij lang en behoorlijk gespierd; de voeten zijn ovaal en compact. De staart is vrij lang, dun en loopt smaller uit naar het donker gekleurde puntje.

VACHT: Kort en zacht, ligt vrij dicht tegen het lichaam aan maar is lang genoeg om het gewenste agouti patroon te herbergen. De vacht is fijn van structuur; wollige vachten moeten vermeden worden, want die zijn ongewenst.

KLEUR: Van vitaal belang is het duidelijk gevlekte agouti patroon van de Ocikat. Het gezicht is lichter gekleurd dan de rest van het lichaam; het puntje van de staart is het donkerst. Twaalf kleuren zijn mogelijk, en elke kleur moet duidelijk en aanpasbaar zijn. Het tabby-patroon moet geen overvloeiende vlekken bevatten, maar wel verspreide, duidelijke vlekken over het hele lichaam, die essentieel zijn voor het eigenlijke patroon. Contrast is ook van het grootste belang. Zes zilverkleuren (zilver, chocolate, kaneel, blauw, lavender en geel-bruin); bruin, een bruine streep; chocolate, kaneel, een zachte bruine kleur; blauw; lavendel of lila; en bruin-geel zijn de twaalf kleuren. De ogen kunnen elke kleur hebben behalve blauw; diepe kleuren verdienen de voorkeur.

Onder: Ocikat, zilver. ***Volgende pagina:*** *Ocikat, zilver.*

Boven: *Kopstudie van Ocikat.* **Volgende pagina:** *Ocikat, kaneel.*

Oorsprong De ocikat is een kruising die komt van kruisingen met Abessijnen, Amerikaanse kortharen en Siamezen. De ocikat wed door de CFA in 1987 erkend en is genoemd naar de Amerikaanse wilde kat die ocelot heet, en waar hij op lijkt. Tegenwoordig is de enige kruising die door de registers wordt toegestaan die met de Abessijn, en alle kruisingen moeten vanaf 1 januari 1995 worden stopgezet. Dit fokken met alleen Abessijnen heeft aanzienlijk bijgedragen tot het buitenlandse aspect in het ras, en leidt waarschijnlijk tot een groeiende gelijkenis met de Egyptische Mau. Liefhebbers van Ocikatten hebben zich toegelegd op de toekomst, terwijl de basis van het ras steviger wordt en hun aanhangers groeien.

Karakter De Ocikat is actief en atletisch van lichaam en geest, en is een echte sportieveling, die houdt van frisse lucht en van uitdagingen. Het ras wordt wel beschreven als een aandachtvrager, waarbij hij duidelijk op zijn Abessijnse voorouders lijkt. Siamese kenmerken kunnen worden gezien op de oplettende, aandachtige momenten van het ras.

Mensvoorkeur De persoon die houdt van een volle smaak, koud bier, en room zoals dat vroeger was: niet gepasteuriseerd.

Verzorging Minimale zorg op het gebied van borstelen en kammen, met eenvoudige, regelmatige procedures.

Fokken Om te voorkomen dat de vlekken in elkaar overvloeien, moeten alleen de beste fok-exemplaren worden gebruikt. Net als bij elke 'nieuwe' kruising is een oplettende fokker van het grootste belang.

Voedselvoorkeur Niet kieskeurig, hoewel gestoomde groenten, met voldoende vlees, geserveerd op een licht bedje van rijst de spinnende voorkeur kan hebben.

Voorkeuren en vooroordelen Deze ambassadeur is weg van percussie en grote maskers, zijden waaiers en kussens, slechte grappen over Nixon, boeken over Churchill en gebedsdiensten bij kaarslicht.

Oosterse langhaar

Uiterlijk

KOP: De platte schedel draagt bij tot de lange, smal uitlopende wig van het hoofd; de lijn van de bovenkant van de kop tot het puntje van de neus is recht zonder onderbrekingen, zonder een verhoging bij de ogen of een inkeping bij de neus. De oren zijn heel groot en puntig, waarbij de lijnen de vlakte van de wig doorzetten. De ogen zijn amandelvormig en van gemiddelde grootte, vrij prominent maar niet vooruitstekend. Scheelkijkende ogen zijn niet goed.

LICHAAM: Tenger, lang en gespierd. De buik is strak, de heupen en de schouders dragen bij tot het tengere uiterlijk. De poten zijn dun en vrij lang; de achterpoten langer dan de voorpoten. De staart, die dun is aan de basis, is ook lang, en loopt smaller uit tot een duidelijke punt.

VACHT: Half lang, dicht en veerkrachtig. De staart is behoorlijk gepluimd, hoewel niet zo zeer als bij de Pers.

KLEUR: Deze kat komt voor in effen kleuren, kleuren met een onderkleur, als lapjeskat, rookkleuren en als tabby. De onderkleuren horen bij blauw-crème zilver, cameo, kastanje-lapjes, kaneel zilver, lavendel-crème zilver, en bij andere kleuren. Rookkleuren in blauw, cameo, kastanje, ebbenhout, geel-bruin, lavendel, kaneel en zelfs bont. Alle tabby patronen en mogelijkheden komen voor en zijn acceptabel. De oogkleur is meestal groen en dat verdient ook de voorkeur; witte katten kunnen blauwe of groene ogen hebben; oneven ogen zijn nooit acceptabel.

Onder: *Oosterse langhaar, kastanje gevlekt tabby met ondertoon.*
Volgende pagina: *Oosterse langhaar, bruingeel grijs tabby.*

Boven: *Oosterse langharen, kastanjebruin gevlekt tabby met ondertoon en bruingeel grijs tabby.*

Oorsprong De Oosterse langhaar is kennelijk een nakomeling van de Oosterse korthaar – en een behoorlijk pluizige, overweldigende nakomeling ook nog. Het idee een langharige variant van een kortharig ras te ontwikkelen is niet nieuw voor de katten-liefhebbers, en is al geslaagd bij vele rassen. Het vaakst is de Pers gekruist en gebruikt om de gewenste vachtlengte en -soort te krijgen. Zulke langharige versies zijn beslist elegant en behouden de tengerheid en delicaatheid van hun kortharige familieleden.

Karakter Werkelijk innemend en consistent hoort de langhaar bij de meest gevoelige katachtige medebewoners; soms wordt hij beschouwd als een extremist (in karakter en instincten).

Mensvoorkeur Elk mens met tijd die wel weet hoe het petje van zijn kat staat.

Verzorging Nooit uitgebreid, maar wel meer eisend dan zijn kortharige tegenhanger. Dagelijkse borstelbeurten zijn goed voor hem.

Fokken Kruisingen met de korthaar zijn nog steeds toegestaan. Meestal zitten er drie of vier jongen in een worp.

Voedselvoorkeur De slanke bouw van het ras zorgt voor een noodzaak van Oosters eten met weinig calorieën. Sommige exemplaren van het ras houden van makreel.

Voorkeuren en vooroordelen Late art deco en slechte schetsen van Andy Warhol zijn favoriet; goed geweven kleedjes om op te slapen en een voorbijkomende korthaar om mee te knuffelen.

Onder: *Kopstudie van Oosterse langhaar.*

Oosterse korthaar
Buitenlandse korthaar

Uiterlijk
KOP: Een platte schedel draagt bij tot de lange, uitlopende wig van de kop; de lijn van de bovenkant van de kop tot het puntje van de neus is recht en zonder buigingen, zonder een verhoging boven de ogen of een buiging in de neus. De oren zijn erg groot, opvallend zelfs, waarbij ze de lijnen van de wig voortzetten. De ogen zijn amandelvormig en van gemiddelde grootte, vrij prominent maar niet uitpuilend. Scheelkijkende ogen zijn niet goed. LICHAAM: Recht, tenger, lang en gespierd. De buik is strak, de heupen en de schouders dragen bij tot het tengere uiterlijk. De poten zijn dun en vrij lang; de achterpoten langer dan de voorpoten. De staart, die dun is aan de basis, is ook lang, en loopt uit in een duidelijke punt. VACHT: Dicht tegen het lichaam liggend, kort en fijn van structuur. De vacht moet een glanzend uiterlijk hebben. KLEUR: Deze kat komt voor in effen kleuren, met een ondertoon, lapjes, rook en tabby. In zowel de Verenigde Staten als in Engeland zijn alle varianten acceptabel voor de Oosterse korthaar, behalve de effen, die in Groot-Brittannië worden beschouwd als een apart ras. De effen, blauwe, kastanje, kaneel, crème, ebbenhout, geel-bruin, lavendel, rood, en wit (evenals caramel in Groot-Brittannië) worden buitenlandse kortharen genoemd. De kleuren met een ondertoon komen in blauw-crème zilver, cameo, kastanje-lapjes, kaneel zilver, lavendel-crème zilver, en ook in andere, aangenaam klinkende mooie tinten. Rookkleuren zijn te vinden bij blauw, cameo, kastanje, ebbenhout, geel-bruin, lavendel, kaneel, en zelfs meerkleurigen. Alle tabby-patronen komen voor en zijn ook acceptabel. De oogkleur is meestal groen en dat heeft ook de voorkeur; witte katten mogen blauw dan wel groene ogen hebben; oneven ogen zijn nooit te accepteren.

Onder: *Oosterse korthaar, wit.*
Volgende pagina: *Oosterse korthaar, blauw-crème zilver.*

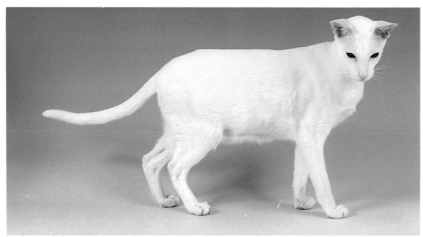

Oorsprong In de Verenigde Staten omvat het Oosterse korthaar ras alle Siamezen die niet als Siamees of als Colorpoint kortharen geregistreerd kunnen worden. In Engeland worden alleen tabby's, lapjes en gevlekte tabby's beschouwd als Oosterse kortharen, want effen Siamezen worden benoemd als andere katten, die allen hun eigen status krijgen. De eerste Oosterse kortharen verschenen in de jaren '50 in Engeland als kleurmutaties van de Siamees, terwijl fokkers probeerden de Havana te fokken. Al snel werd het ras in de Verenigde Staten geïntroduceerd, waar meer mutaties werden toegevoegd aan de rijen steeds groeiende Oosterse registraties.

Karakter Een kat met onderscheid, dat beschrijft het best het karakter van de Oosterse korthaar: hij beschouwt voorzichtig de tijd, de plaats en de persoon die zijn goede humeur, zijn arrogantie, zijn aanhankelijkheid, en zijn minachting mag ontvangen. Het aantal mogelijkheden voor zijn karakter gaat ver het aantal mogelijke kleuren te boven.

Mensvoorkeur Een mens met een sterk karakter, die nooit bang is ongepast te poseren.

Verzorging Zonder moeilijkheden, hoewel het het beste is als de persoon die de kat gekozen heeft alle (wekelijkse) verzorgings-procedures uitvoert.

Fokken Hoewel het moeilijk en/of vermoeiend kan zijn de kleuren duidelijk in het hoofd te houden, zijn er bij dit ras meestal weinig problemen bij het paren of bij de geboorte.

Voedselvoorkeur Een kenner van het Oosterse: zelfgemaakte sushi, zo nu en dan iets dat roergebakken is, en een enkel hapje tahoe worden met gejuich ontvangen.

Vorige pagina: Oosterse korthaar, ebbenhout. **Boven:** *Oosterse korthaar, rood tabby.*

Voorkeuren en vooroordelen Heeft een hekel aan deuren; houdt van schermen en grote insekten; minacht play-backers, Oosterse toko-eigenaars, en alles wat kitsch is.

Pers
Langhaar

Uiterlijk

KOP: Indrukwekkend, breed en rond; de botstructuur en het gezicht zijn absoluut rond. De neus, met een duidelijke buiging, is bijna als die van een Pekinees, kort en stomp. De ogen zijn groot, rond en prominent. De oren, die naar voren buigen met ronde uiteinden, zijn klein en niet erg open bij de basis. De rondheid van het hoofd wordt niet onderbroken door de lage inplanting van de oren.

LICHAAM: Laag geplaatst en massief, zeer juist beschreven als gedrongen – maar nooit overdreven. Het lichaam heeft duidelijk stevige botten en een behoorlijke omvang. De spieren zijn goed ontwikkeld zonder de indruk te wekken dat ze te overdreven aanwezig zijn. De voorpoten zijn recht. Alle vier de poten zijn kort en dik. De rug is recht. De voeten zijn rond, stevig, behoorlijk groot, met dicht bij elkaar gelegen tenen. De staart is niet lang, maar wel in overeenstemming met de gehele lengte van het lichaam.

VACHT: Lang, vitaal en dik, van het lichaam afstaand en golvend. De ondervacht is duidelijk wollig en dik. Het hele lichaam, inclusief de schouders, is bedekt door een dikke vacht, die een grote kraag vormt rond de nek en de borst en voorpoten opvult. Volle vacht en grote kwastjes op de oren en de tenen.

KLEUR: De meest populaire kleuren zijn: effen kleuren in wit, zwart, blauw, rood crème, blauw-crème, en rookkleuren; chinchilla, een witte vacht met donkerder kleuren; rookkleuren in zwart, blauw, cameo, lapjes of blauw-crème; tabby-patronen; tweekleurigen, een kleur met wit; gevlekte vacht-patronen; en colorpoints in chocola, lapjes, lila-crème, flame, seal, blauw en andere kleuren. De ogen kunnen helder koperkleurig zijn, of diep levendig blauw, groen, blauw-groen, of oneven.

Vorige pagina: *Pers, blauw lapjes.* **Boven:** *Pers, blauw-crème.*

Oorsprong Perzen stammen waarschijnlijk af van de langharige Turkse katten die Angora heten. Beiden worden eenvoudigweg als Oosterse katten beschouwd, want de vroege Angora-katten en de Perzen verschillen onderling maar weinig, hoewel de Perzen een dichtere, meer wollige vacht hadden. De Perzen waren favoriet bij de Europeanen om hun vachten, en geconcentreerde fok-praktijken maakten dit ras nog mooier en bracht bijna de langhaar-competitie tot staan. De Turkse katten verdwenen bijna van het toneel tot de twintigste eeuw. De voortdurende groei van de aantrekkingskracht van de Pers heeft ook altijd populaire rassen als de Engelse en Amerikaanse korthaar in hun vaderland aangetast: zo groot is de betovering van de Pers, een ras waar men echt liefhebber van is en die altijd erkend is geweest.

Karakter Hoewel hij consistent is in zijn liefde voor familie en vrienden en ongetwijfeld als de machtigste tamme kat wil gelden, is de Pers waarschijnlijk niet de gemakkelijkste raskat om te adopteren: affectie is soms moeilijk af te dwingen. Intelligent en veeleisend.

Mensvoorkeur Gij die uw hart opent voor de langhaar zult niet onberoerd blijven: hoewel de Pers wel een persoon heeft waaraan hij de voorkeur geeft, laat hij ook de aandacht van andere bewonderaars toe – een tijdje ten minste. **Verzorging** Dagelijkse, stevige borstelbeurten zijn verplicht: te veel ingeslikte haren kunnen de ingewanden van streek maken. Gebruik een natuurlijke borstel en borstel met vriendelijke slagen. Droge shampoos verdienen de voorkeur behalve als een andere methode echt noodzakelijk is. **Fokken** Katjes hebben uitgebreide moederlijke zorg nodig tijdens de eerste 16 weken. Een erg gezond dieet is verplicht voor het vrouwtje tijdens de zwangerschap en na de bevalling, waarbij supplementen aan te raden zijn. **Voedselvoorkeur** Er moet erg goed opgepast worden voor te veel vet en te veel koolhydraten. Een uitgebalanceerd, gevarieerd dieet, met een goede hoeveelheid proteïnen, is het beste voor het ras. Vitamine- en mineralensupplementen zijn vaak nuttig tijdens het eerste jaar. **Voorkeuren en vooroordelen** Ongetwijfeld bij uitstek een binnenhuis/appartement-kat. Het paradijs van de Pers behelst geweven wol, sterke kruiden, en eindeloos dure juwelen.

Vorige pagina: Pers, rook lapjes.
Onder: Pers, tweekleurig zwart en wit.

Ragdoll

Uiterlijk

KOP: Rond, met prominente, goed ontwikkelde wangen. De neus is recht en van gemiddelde grootte en lengte. De oren zijn aan de kleine kant; ze zijn puntig en hebben een hoek van 45 graden naar het uiteinde. De ogen zijn wat rond en kunnen licht naar beneden buigen.
LICHAAM: De neiging van het lichaam om slap te worden als hij wordt aangepakt is geen aanwijzing van gebrek aan gespierdheid. De Ragdoll is vrij lang en behoorlijk stevig, en het is een grote kat met een imposante aanwezigheid.
VACHT: Half lang tot lang is de vacht en zijdeachtig van structuur; de nek wordt gesierd door een grote kraag; de oorkwastjes zijn niet zo imposant als die van de Pers.
KLEUR: Drie 'merken' Ragdoll bestaan er momenteel: katten met witte wanten, katten zonder witte wanten, en twee-kleurigen. De katten met en zonder wanten zijn duidelijk colorpoints. De haaruiteinden kunnen, in tegenstelling tot het patroon, seal, chocolate, blauw, kaneel, vaalgeel, en lila zijn. Twee-kleurigen worden meestal gecombineerd met wit. De ogen zijn blauw van kleur.

Onder: *Ragdoll, blue point met wanten.*
Volgende pagina: *Kopstudie van Ragdoll, ijzig driekleur.*

Oorsprong Zachte onweren van controversiële ideeën hangen boven het ras, gedeeltelijk door de uitleg van zijn slapheid door sommige kattenliefhebbers. Dat het ras terug te voeren valt tot een witte vrouwtjes langhaar Pers die door een auto werd geraakt mag nog wel eens nader onderzocht worden, maar dat zij haar slapheid kreeg door de schok van het ongeluk geeft geen voldoening aan de mensen met een genetisch georiënteerde geest. Op deze slapheid wordt gefokt bij laboratorium-muizen, een kwaliteit die het gemakkelijk maakt voor de wetenschappers om de exemplaren vast te pakken; het is beslist een vreemd kenmerk bij de raskat. Voor zoverre dat bepaald kan worden, werd de Ragdoll waarschijnlijk ontwikkeld in de jaren '60 in Amerika. De exacte componenten van het dier zijn niet gedocumenteerd, wat het proces van erkenning voor het ras aanzienlijk heeft verlangzaamd. Acceptatie door de registers begon pas halverwege de jaren tachtig; niet alle Amerikaanse registers erkennen het ras.
Karakter Selectieve fokpraktijken hebben met de Ragdoll een vriendelijke kat voortgebracht. De kat is mild in manieren en aanhankelijk. Hij is genoemd naar zijn neiging geheel ontspannen te raken als hij wordt geaaid (Ragdoll = lappenpop) – zelfs bij de meest tactvolle stimulerende hand.

Boven: *Ragdoll, ijzig driekleur.*
Vorige pagina: *Kopstudie van Ragdoll, chocolate point.*

Mensvoorkeur Stevige maar niet saaie mensen, die zo rustig en teder zijn als de kat zelf, vormen de favorieten van de Ragdoll.

Verzorging Is zacht met de borstel, elegant als hij geaaid wordt: regelmatige zachte borstelbeurten houden de vacht gezond.

Fokken Omdat hij slap wordt als hij wordt opgepakt, en over het algemeen zacht, is dit ras niet het beste om mee te fokken, maar zolang er goed rekening wordt gehouden met het type en vooral het temperament zullen er weinig moeilijkheden zijn.

Voedselvoorkeur Kan kieskeurig zijn, vooral bij picknicks, waar hij zijn goede manieren nogal eens vergeet; een echte vleeseter, hoewel hij gek is op thee-uurtjes..

Voorkeuren en vooroordelen Weigert op muizen te jagen; wil nog wel eens taarten bespringen die niet in de gaten worden gehouden; gebruik van gevonden voorwerpen en persoonlijke bezittingen kan niet worden uitgesloten.

Russian Blue

Uiterlijk

KOP: Wigvormig. De schedel is plat bovenop en lang. De brede plaatsing van de ogen, die rond van vorm zijn, geven het gezicht een breed uiterlijk. De neus is van gemiddelde lengte. De oren zijn groot en breed bij de basis, met schitterend ronde uiteinden. Ze hebben een vrij doorschijnend uiterlijk doordat de huid dun is en ze niet erg behaard zijn.

LICHAAM: De contouren van het lichaam bevatten geen indicatie van grofheid, en zijn zeer elegant. Over het algemeen heeft het dier fijne botten en een lang lichaam; de spieren zijn stevig en duidelijk aanwezig. De poten hebben in verhouding fijne botten en zijn vrij lang. De enigszins ronde voeten zijn klein. De staart begint vrij dik bij de basis en loopt smaller uit over zijn vrij aanzienlijke lengte.

VACHT: Dicht en zijde-achtig bij aanraking. De vacht is dubbel en zacht, hoewel vrij kort. Veerkrachtig en fijn, staat van het lichaam af.

KLEUR: Hoewel een helder, gelijkmatig, duidelijk blauw natuurlijk de enige kleur is van de Russian Blue, varieert de tint van plaats tot plaats. In de Verenigde Staten heeft men voorkeur voor de lichtere tinten; in Engeland is met name een gemiddelde blauwe kleur de gewenste tint. Een diep-groene oogkleur is kenmerkend voor het ras, ongeacht de tint van de vacht.

Onder: *Russian Blue.*
Volgende pagina: *Kopstudie van Russian Blue.*

Boven: *Russian Blue.*
Volgende pagina: *Een jonge Russian Blue kat poseert met de tsaar.*

Oorsprong Net als de meeste andere katten die tot lang geleden en ver weg zijn terug te voeren, is de exacte oorsprong onduidelijk; de Russian Blue is geen uitzondering. Er wordt gezegd dat het ras werd geïmporteerd naar Engeland door Elizabeth I uit de Russische haven Archangelsk; een tijdlang was het ras bekend onder de naam Archangelsk-kat. Tijdens het begin van de Engelse tentoonstellings-carrière van het ras, was hij bekend als de Foreign Blue. De komst van verschillende blauwe kortharen in de Verenigde Staten valt te dateren in begin 1880; Zweden en Engeland worden genoemd als de exporteurs van de Amerikaanse Russian Blue. Deze knappe en lieve kat wordt in het grootste deel van Europa en Noord-Amerika geaccepteerd.

Karakter Het zijn serene en onafhankelijke katten, die onopvallend maar demonstratief zijn. Snel van begrip, acrobatisch en creatief.

Mensvoorkeur Iemand die in een appartement woont en die net zoveel van zijn onafhankelijkheid houdt als zijn kat dat doet; iemand die begrijpend genoeg is om zijn kat niet op elk moment te storen.

Verzorging De verzorging is minimaal en moet niet overdreven worden; het haar moet worden geborsteld zodat het rechtop staat.

Fokken Pure foklijnen zijn van essentieel belang om de gewenste kleur consistent te behouden; vier jongen per worp is het gemiddelde.

Voedselvoorkeur Waardeert het meeste dat hem geboden wordt, liefst in kleine hoeveelheden; kaviaar is helaas te zout voor deze geboren Rus.

Voorkeuren en vooroordelen Nette appartementen, zachte jazz, een plek om zich te verbergen, houdt niet van onverwachte gasten; is weg van planten en hoge balkonnen.

Scottish Fold

Uiterlijk
KOP: Rond en breed, met een stevige kin en kaak. De wangen zijn prominent, met goed ontwikkelde jukbeenderen bij het mannetje. De kenmerkende karakteristiek van de snuit zijn de ronde kussentjes van de snorharen. De oren vouwen zich op unieke wijze, waarbij kleine en dichtgevouwen oren de voorkeur verdienen; de oren moeten naar voren en naar beneden vouwen, als een hoedje, waarbij de ronde schedel goed zichtbaar is. De ogen zijn groot, breed, rond en 'lief' van uitdrukking: lonkend en vol van vertrouwen.

LICHAAM: Gemiddeld van grootte, behoorlijk rond, met kussentjes, en gelijkmatig van de schouders tot de heupen; de vrouwtjes zijn meestal wat kleiner. De poten, die vaak kort lijken, mogen niet de suggestie van grofheid of beperkte beweeglijkheid in zich hebben. De tenen zijn goed rond. De staart varieert van gemiddeld tot lang, loopt smaller uit en is flexibel, en komt zelden tot volle wasdom; staarten die langer zijn en smaller uitlopen hebben de voorkeur; hij moet in goede verhouding tot het lichaam staan. Korte staarten met ronde uiteinden worden als serieuze fouten beschouwd.

VACHT: Kort, dicht, zacht en veerkrachtig.

KLEUR: Blauw, rood, wit, zwart, crème, chinchilla, rook, tabby, gevlekt, en tweekleurig. De Scottish Fold heeft dezelfde kleuren als de Amerikaanse korthaar. Het klassieke tabby-patroon wordt gemarkeerd door brede, duidelijk afgescheiden dichte markeringen. In het grijze streeppatroon vormen contrasterende lichte en donkere banden de basiskleur. De gevlekte tabby is een duidelijk bruine, zilverkleurige of blauwe tabby met rode en/of crèmekleurige vlekken. Naar gelang de kleur van de vacht kunnen de ogen helder goudkleurig, koperkleurig, groen of blauw-groen, hazelnoot-kleurig of oneven zijn.

Onder: *Scottish Fold, calico.*

Boven: *Scottish Fold, tweekleurig zwart en wit.*

Oorsprong Het beroep van herder heeft hem al van vroegere tijden de tijd gegund voor het observeren van schitterende dingen: een ster in het Oosten, een hond die de kudde met zijn ogen in bedwang houdt, en een boerderijkat met gevouwen oren. Op een boerderij bij Coupar Angas, in het Tayside-gebied van Schotland zag William Ross – een oplettende herder – in 1961 een kat; zijn oren waren naar voren en naar beneden gevouwen. De kat had een dominante genetische mutatie, die door selectieve kruisingen met de Engelse korthaar het ras Scottish Fold creëerde. Export naar Australië en de Verenigde Staten was succesvol, en het ras won al snel de harten van kattenliefhebbers over de hele wereld. Het ras wordt tegenwoordig internationaal erkend en op prijs gesteld, hoewel er nog maar weinig van de soort zijn.

Karakter De Scottish Fold is lief en aanhankelijk, en betovert zijn eigenaar met zijn veerkrachtige aanpassingsvermogen; van de achtertuin van de boerderij tot het balkon van een flat is de Scottish Fold goed gezelschap en weinig eisend – en de eeuwige hindernis voor muizen.

Onder: Scottish Fold, rood grijs tabby.

Boven: *Scottish Fold, driekleur.*

Mensvoorkeur Hoewel de Scottish Fold onbevooroordeeld is en iedereen onvoorwaardelijk accepteert, houdt hij het meest van het herders-type – oplettend en beschermend, een mens tussen de dieren.

Verzorging Naast de normale borstelbeurten voor kortharigen, moet goed gelet worden op normale staart- en voetontwikkeling; onbuigzame staarten, dikke poten en voeten, en brede platte tenen zijn alle serieuze waarschuwings-signalen.

Fokken Katten met rechtop staande oren zijn essentieel voor alle fok-praktijken. De dominante gen voor het gevouwen oor wordt geassocieerd met dysplasie (abnormale weefselgroei) en andere afwijkingen. Kruisingen met de Amerikaanse en Engelse korthaar (waarbij men moet oppassen dat het type kat niet verloren raakt) worden gebruikt. Verwacht niet dat alle katjes gevouwen oren hebben.

Voedselvoorkeur Houdt niet altijd van Schotse gerechten, maar kan een goede haggis die speciaal voor hem is klaargemaakt niet weerstaan.

Voorkeuren en vooroordelen Een muis verslaan is meer dan een spelletje. Een goed gesprek, het geluid van een radiator of een doedelzak, schapen in het gras, natte wol, ruige landschappen.

Siamees

Uiterlijk

KOP: Wigvormig, lang en smaller uitlopend; gemiddeld van grootte, in uitstekende verhouding met het lichaam. De wig vormt vanaf de neus tot aan de oren een perfecte driehoek, zonder buiging bij de snorharen; wat meer prominente jukbeenderen zijn toegestaan bij het mannetje. De nek is elegant. De snuit is fijn, lang, en vloeit langzaam samen met de voorkant van de schedel; hij is wigvormig. De oren staan ver uit elkaar, en zijn groot en breed aan de basis, en lopen smaller uit naar een puntig uiteinde; de oren moeten de lijn van de wig volgen. De ogen zijn Oosters: amandelvormig, en harmonieus naar de neus aflopend met de lijn van de wig en de oren; de afstand tussen de ogen mag niet breder zijn dan de breedte van één oog. LICHAAM: Gemiddeld van grootte; tenger gebouwd (fijne botten, stevige spieren); verfijnd, met smaller uitlopende lijnen. Het lichaam is behoorlijk recht gevormd: de schouders en heupen staan in een lijn met de torso. De poten zijn tenger; de achterpoten zijn langer dan de voorpoten. De voeten zijn verfijnd, klein en ovaal. De staart is lang en dun, en loopt uit in een fijne punt. VACHT: De vacht ligt dicht tegen het lichaam aan, is kort, fijn en glanzend. KLEUR: Pointed; in de Verenigde Staten worden vier kleuren algemeen geaccepteerd; in Engeland worden daarnaast nog acht kleuren algemeen geaccepteerd. In de Verenigde Staten wordt een Siamees van een kleur die wel als Siamees erkend wordt in Engeland maar niet in de Verenigde Staten, benoemd als een Colorpoint korthaar. Effen gekleurde Siamezen worden in de Verenigde Staten erkend als Oosterse kortharen en in Engeland als buitenlandse kortharen. Maar hoewel alle Oosterse kortharen effen ge-kleurde Siamezen zijn, zijn niet alle buitenlandse kortharen Siamezen. De vier kleuren van de Siamees in de Verenigde Staten zijn: seal point (bleek vaalgeel tot crème, met ondertoon in de onderste lichaamsdelen, met diep seal bruin); chocolate point (ivoor zonder ondertoon, met melk chocolate); blue point (blauwachtig wit, met ondertoon wit in de onderste lichaamsde-len, met diep blauw); lila point (gletscher-wit zonder ondertoon, met ijzig grijs met een roze ondertoon). De bijkomende kleuren in Engeland zijn: tabby point, lapjes-tabby point, rood point, seal-lapjes point, blauw-lapjes point, chocolate-lapjes point, lila-lapjes point, en crème point. De ogen moeten altijd levendig blauw zijn.

Volgende pagina: Siamees, blue point.
De vier klassieke Siamese points zijn seal
point, chocolate point, blue point en lila
point. De ogen van het ras zijn, onafhanke-
lijk van de kleur point, altijd diep levendig
blauw.

Links: Siamees, lila
point. **Onder:** Siamees,
chocolate point, volwas-
sene met jong.

Oorsprong Met in zich de zielen van nobelen, beschermden de Siamezen
eeuwenlang spirituele tempels en koninklijke huizen in hun vaderland Thailand (Siam). De Siamees werd vereerd en gewone burgers mochten hem
niet aanraken. De eerste Siamezen die Engeland binnenkwamen waren
waarschijnlijk een presentje van de koning van Thailand aan Owen Gould,
de Engelse consul-generaal. Deze katten bereikten Engeland in het begin
van 1880. Hun uiterlijk dat lijkt op het Crystal Palace zorgde voor aanhou-
dend energiek enthousiasme. De eerste Siamees in Amerika reisde waarschijnlijk langs dezelfde weg: een geschenk van de koning van Thailand aan
de vrouw van de president, mevrouw Rutherford B. Hayes, via consul David
Stickles, in 1878. Met ongebreidelde aantrekkingskracht beheerste de
Siamees de voorkeur van de kattenliefhebber. Kruisingen en selectie voor
kleur-mutaties hebben talrijke andere rassen gecreëerd die aan de Siamees
verwant zijn, inclusief de Colorpoint korthaar, de Javaanse kat, en de
Ocikat, om er maar een paar te noemen.

Boven: *Siamees, blue point. De bouw van de Siamees moet tenger en verfijnd zijn, met dun uitlopende lijnen.*

Karakter Sommige mensen geloven dat het karakter gelijke tred houdt met de kleur, en dus verschilt met de kleuren: de seal point is extrovert; de blue point aanhankelijker; terwijl de chocolate point lichtvoetiger is en van pret houdt. Alle Siamezen zijn oplettende en intelligente dieren; ze zijn wat ze zijn wanneer zij dat willen. (Zoals elke kat u kan vertellen.)

Mensvoorkeur De wereldwijze, culturele en alwetende mens – een veilige, nooit twijfelende en eerlijke mens.

Verzorging Met een neiging tot overvloedige seizoensgebonden rui heeft de Siamees een dagelijkse borstelbeurt nodig om de dode haren te verwijderen en de vacht schoon en mooi te maken.

Fokken De vrouwtjes worden vroeg volwassen (meestal als ze vijf maanden zijn), en de worpen zijn meestal groot. Vroeg of te veel fokken kan de moeder in gevaar brengen. Een slechte gezondheid en slechte lichamelijke conditie mogen in het fokprogramma niet getolereerd worden.

Voedselvoorkeur De voorkeur van de kat voor vis is een overschatte waarheid waar het ras onschuldig genoeg aan heeft bijgedragen. Eten uit de zee, gestoomd of gebakken, geen algemene voorkeur voor schelpdieren, behalve als ze uit de hand gevoerd worden. De Siamees houdt over het algemeen wel van vis, en dat helpt om het tengere figuur van de kat te behouden. Vetten en overvoeding moeten worden vermeden.

Voorkeuren en vooroordelen De geheimzinnige vlinder die op de schedel rust, of het schilderen van een portret daarvan.

Singapura

Uiterlijk

KOP: Een ronde en brede schedel; loopt uit bij de buitenkant van het oog tot een duidelijke buiging bij de snorharen. De snuit is breed; de neus bot, en die vormt een rechte lijn naar de kin. De oren zijn groot, breed bij de basis, enigszins puntig aan het einde; ze staan op een gemiddelde afstand van elkaar op de schedel. De ogen zijn ook groot en enigszins amandelvormig, en ze buigen een beetje naar beneden. Kleine ogen en/of oren worden niet getolereerd.

LICHAAM: Klein tot gemiddeld van grootte, met stevige spier- en bot-ontwikkeling; de mannetjes wegen meestal ongeveer 2.7 kg., terwijl de vrouwtjes gemiddeld 1.8 kg. zijn. De algehele bouw moet vierkant zijn: lichaamslengte en schouderhoogte moeten gelijk zijn. De poten hebben zware botten en sterke spieren. De voeten zijn klein en ovaal. De staart is gerond op het uiteinde, tenger, maar niet te dun; in lengte mag hij niet de schouder bereiken als hij over de rug wordt gelegd.

VACHT: Uitzonderlijk kort, iets langer bij jonge katten. Fijn van structuur, en hij moet licht tegen het lichaam aanliggen

KLEUR: Singapore heeft geen kleurspecificaties voor het ras naar de Verenigde Staten gestuurd; alle Singapura's hebben een ivoren basiskleur met donkerbruin afgewisseld. 'Ongebleekt katoen' moet de kleur volgens de CFA zijn van de snuit, kin, borst, en maag. Neusleertje bleek tot donker zalmkleurig. De opvallende plekken (om de ogen heen, om de neus, tussen de tenen) moeten donkerbruin zijn.

Onder: *Singapura, 'tick' bruin.*

Boven: *Kopstudie van Singapura.*

Oorsprong Voor het eerst erkend in 1988 in Amerika door de TICA en de CFA is de Singapura een heel oud ras dat van oorsprong uit Singapore komt – Singapura is namelijk de Maleisische naam voor de eilandstaat die wij Singapore noemen. Het ras wordt beschouwd als een straatkat, en komt in zijn vaderland in een wijd spectrum aan kleuren voor. Er wordt voorspeld dat het ras zich aan het uitbreiden is en dat meer kleuren binnenkort erkend zullen worden. Hal en Tommy Meadow eisen de eer op als eersten het ras naar de Verenigde Staten gebracht te hebbeb, ze 'vonden' exemplaren in 1974 en brachten ze 'naar huis' in 1975. In 1980 werd nog een Singapura naar Amerika gebracht voor de Singapore SPCA, en dat droeg ook bij tot de Amerikaanse fok-mogelijkheden.

Karakter Vanwege de overbevolkte straten van Singapore, vreest de Singapura de mens absoluut niet, hoewel het ras wel zijn affectie bewaart voor hen die hij goed kent. De kat is een vreemdeling in een vreemd land, hij is nieuwsgierig en gaat steeds weer het geluid van een magnetron of de onderzoekende brom van een stofzuiger onderzoeken.

Mensvoorkeur Een open mens die openstaat voor suggesties, geduldig is en bereid zijn huis en zijn geheimen (lichamelijke en geestelijke) te delen zelfs met de exemplaren die nooit hun excuses aanbieden.

Verzorging Het ras heeft weinig zorg nodig en doet het goed met redelijke borstelbeurten en aaien.

Fokken De Singapura is vriendelijk en past zich gemakkelijk aan, en zorgt dus voor weinig moeilijkheden bij het fokken, hoewel een beperkte basis voor het ras wel logische probleempjes veroorzaakt – voor wat betreft de manier van fokken, de prijzen etc.

Voedselvoorkeur Het ras heeft zo lang geleefd van wat maar voorhanden was dat hij open staat voor de meeste soorten voedsel. Sommige katten hebben zelfs vreemd genoeg een voorkeur voor zucchini ijs ontwikkeld.

Voorkeuren en vooroordelen Het ras houdt erg van kleur, en men gelooft dat hij de ene van de andere kan onderscheiden. Geen vooroordelen bekend; houdt zeer van dwergpoedels.

Volgende pagina: Singapura. Hoewel de belangrijke registers geen andere kleuren toestaan dan gevlekt bruin, komen andere kleuren wel voor bij de Singapura en die zullen ongetwijfeld binnenkort verschijnen in de Westerse wereld.

Snowshoe

Uiterlijk
KOP: Breed, rond en sterk. De wangen zijn vol; de snuit is rond. De kin is sterk en goed ontwikkeld. De oren zijn rond en gemiddeld van lengte; ze zijn breed aan de basis en staan vrij ver uit elkaar. De ogen zijn enigszins rond van vorm, waarbij de buitenste hoek een héél klein beetje naar boven buigt. LICHAAM: Lang en goed ontwikkeld; de poten zijn vrij dik en gemiddeld van lengte; de voeten zijn groot, rond en stevig. De staart is gemiddeld van lengte en staat in goede verhouding tot het lichaam. VACHT: Ondanks zijn noordelijk aandoende naam is de vacht van de Snowshoe kort, en niet dik genoeg om tegen sneeuw en ijs te kunnen. Hij is zijdeachtig qua structuur. KLEUR: De Snowshoe komt in de charmante kleuren van de Himalaya voor, met blue point of seal point. De witte markeringen op de voeten reiken wel tot de enkel op de voorpoten en tot de hak op de achterpoten. De snuit, die ook wit is, is het meest perfect als hij gemarkeerd is met een omgekeerde 'V' – een bles of een witte plek op de kin wordt ook geaccepteerd. De ogen zijn van een diepe marmerkleur tot turquoise.

Oorsprong De Snowshoe wordt beschouwd als een 'experimenteel' ras of een ras in ontwikkeling, en is gecreëerd door een kruising tussen een Siamees en een twee-kleurige Amerikaanse korthaar. De eerste generatie van dit ras had niet de gewenste colorpoints en daarom moest die teruggekruist worden naar een gelijksoortig genotype of naar de Siamees om juist gekleurde nakomelingen te produceren. In het begin varieerde de Snowshoe in uiterlijk tussen zeer Oosters (Siamees) tot de zeer gewone Amerikaanse korthaar. Hard werken en gedisciplineerd fokken hebben veel geholpen om de soort te verfijnen en het ras vooruit te helpen.

Karakter Over het algemeen is de Snowshoe dociel en aanhankelijk, met een neiging tot extrovert gedrag en nieuwsgierigheid, die hij geërfd heeft van zijn Siamese familieleden. Een ontspannen kat die zich gemakkelijk aanpast, en dus goed gezelschap is.

Mensvoorkeur Hoewel de naam en de wanten anders aangeven, is de mens die houdt van thuis zitten de ideale tegenhanger voor het dier.

Verzorging De korte vacht vraagt weinig tijd, en zorgt er dus voor dat er genoeg tijd over is voor affectie en spelen.

Fokken Daar is kennis van de genetica voor nodig en een goed oog. De exemplaren moeten zorgvuldig worden geselecteerd met aandacht voor de genen die het dier heeft en de genen die hij ten toon stelt.

Voedselvoorkeur Hete grog, ijsjes, en andere normale voedings-supplementen.

Voorkeuren en vooroordelen De Oosterse Amerikaan: kleine auto's, goede fototoestellen, en micro-elektronica zorgen ervoor dat zijn oren met interesse omhoog gaan.

Volgende pagina: Snowshoe.

Somali

Uiterlijk

KOP: Enigszins wigvormig, wat gerond, loopt smaller uit naar de snuit. De snuit heeft vriendelijke contouren, in overeenstemming met de vormen van de schedel, nooit erg puntig of kort. De oren zijn groot, breed aan de basis en enigszins puntig aan de uiteinden; ze staan achterop de schedel en worden alert opgehouden. De ogen zijn groot, amandelvormig, helder en expressief; het is belangrijk dat de donkere huid van het ooglid, dat wordt omringd door een lichter gekleurd gebied, de ogen goed accentueert. Boven elk oog moet een korte donkere verticale potloodstreep staan, waarbij een donkere potloodlijn doorloopt van het bovenste ooglid tot het oor.
LICHAAM: Verfijnd maar sterk, gemiddeld van lengte, met een enigszins ronde rug. De ribben zijn gerond. De poten zijn tenger maar stevig en hebben een redelijke omvang; ze zijn qua lengte in proportie met het lichaam. De voeten zijn ovaal en compact. Over het algemeen moet de Somali lichtvoetig, snel en lenig overkomen. De staart is dik bij de basis, en loopt iets dunner uit; hij is bedekt met haar dat een volle staart vormt.
VACHT: Half lang (slechts iets langer dan bij de Abessijn), dubbel, zacht en erg fijn. Dichte vachten hebben de voorkeur, net als kragen en 'broeken'. Mogelijk oorkwastjes.
KLEUR: De Somali wordt vaak vergeleken met de Abessijn en komt voor in de kleuren blauw (zacht blauw-grijs, afgewisseld met lei-blauw; ivoorkleurige ondervacht; de staart heeft een lei-blauw uiteinde; het onderlichaam en de voorpoten zijn crème tot beige); rossig (oranje-bruin afgewisseld met zwart; het onderlichaam en de binnenkant van de poten zijn effen rossig); en rood (rood afgewisseld met bruin; het liefst in diepere tinten). De oogkleur is altijd goud of groen, waarbij rijke en diepe kleuren op prijs worden gesteld.

Onder: *Somali, rossig.*
Volgende pagina: *Kopstudie van Somali, rossig.*

Boven: *Kopstudie van Somali jong.* **Volgende pagina:** *Somali. Fokkers hebben op het moment veel succes met nieuwe kleuren bij het Somali ras. Toch zijn blauw, rood en rossig de enige geaccepteerde kleuren bij de meeste registers.*

Oorsprong In de jaren '60 werd een langharige variëteit van de Abessijn gecreëerd. Net als bij de Balinees (een langharige Siamees) werd er onmiddellijk getwijfeld en geruzied door de liefhebbers. Er wordt door sommigen gezegd maar door anderen ontkend dat er bloed van de langharige Pers werd ingebracht om de Somali te creëren. Afgezien van de politieke verwikkelingen heeft de Somali echter absolute erkenning verkregen sinds hij werd gecreëerd. Somali's zijn zo populair als huisdieren en als tentoonstellings-katten dat potentiële eigenaars op lange wachtlijsten moeten om een exemplaar van het gewenste kattenras te krijgen.

Karakter Van de Somali wordt gezegd dat hij alle gewenste karakteristieken van de Abessijn heeft maar opnieuw is samengesteld met de schoonheid van een lange vacht. De Somali past zich gemakkelijk aan en accepteert veel; ze zijn vaak de keuze van eigenaars van andere katten of huisdieren.

Mensvoorkeur De toegewijde mens, iemand die niet rondzwerft of afdwaalt, en niet zo houdt van kibbelende mensen.

Verzorging De langharige kat met dubbele vacht heeft consistente verzorging nodig om de vacht zacht te houden en zonder klitten.

Fokken De langharige gen is autosomaal recessief. Als hij wordt gekruist met de Abessijn, zullen alle nakomelingen kortharig zijn maar wel de langharige gen in zich dragen.

Voedselvoorkeur De Somali houdt niet zo van cake, en schreeuwt: laat me vlees eten.

Voorkeuren en vooroordelen Doet nooit mee aan het pronken met zijn mooie vacht. De Somali heeft vooral een afkeur van kou en geeft de voorkeur aan de gezellige warmte van het corduroy van zijn baas.

Sphynx

Uiterlijk
KOP: Vrij klein in verhouding tot de grootte van het lichaam, niet te driehoekig. De oren zijn echter wel vrij driehoekig, met een suggestie van rondheid bij de uiteinden. Een duidelijke buiging richting de snuit; de wangen zijn plat. De ogen zijn ovaal en buigen naar beneden aan de buitenkant. De kin is klein en sterk.
LICHAAM: Hij heeft een licht gespierde bouw; het lichaam is over het geheel tenger, maar lijkt dat nog meer doordat hij geen vacht heeft. De poten zijn gemiddeld van lengte, de staart is lang maar loopt niet smaller uit.
VACHT: Een gebrek aan vacht is duidelijk uniek bij dit kattenras. Maar feitelijk geeft heel kort haar op het gezicht, de oren, de poten, de testikels, de ruggegraat en de staart een suède-achtig gevoel bij aanraking. Sommige Sphynx-katten zijn met haar geboren maar kunnen het gen van haarloosheid in zich dragen. Daarnaast heeft het ras in de meeste gevallen ook geen snorharen. Haar op het gezicht kan bij sommige exemplaren langer zijn dan bij anderen; deze katten kunnen ook nog enige vorm van snorharen hebben. Vacht op de staart is bij sommige katten zelfs bij een eerste blik waarneembaar.
KLEUR: Ondanks het duidelijk gebrek aan vacht kan de Sfynx elke kleur hebben – effen, gestreept, of nog anders, omdat pigment nog wel aanwezig is in de cellen van het dier. De ogen kunnen goud, groen of hazelnootkleurig zijn.

Onder: *Sphynxen, tweekleurig zwart en wit en rood en wit.*
Volgende pagina: *Kopstudie van een Sphynx jong.*

Oorsprong Haarloze mutaties hebben de dierenwereld al generaties lang geïntrigeerd – de Afrikaanse zandhond, de Chinese hond, en in 1966 het kattenras Sfynx. In Canada verscheen in een verder normale worp van verder gewone tamme katten, een haarloos jong. De mutatie fascineerde mensen, en fokkers werkten zolang met het ras tot het in Canada erkend werd, maar die erkenning duurde niet lang. Sfynx-katten worden niet geheel zonder haren geboren; vele jonge katten zijn bedekt met kort haar dat uitvalt als hij ouder wordt. Een warme controversie blijft het ras verwarren en samen houden, en het is niet waarschijnlijk dat het ras in de nabije toekomst verdwijnt.

Karakter Net als Adam en Eva voor de fatale appel is de Sfynx speels en schaamteloos, zich niet bewust van zijn naaktheid. Wel behoudt de Sfynx het puur katachtige karakter dat het ras van oudsher favoriet heeft gemaakt bij vele mensen. Zonder schaamte kijkt de Sfynx uit naar een tijd dat de mens zonder vooroordelen de macht heeft.

Onder: *Sphynx.*

Boven: *Sphynx, rood en wit. De sphynx komt voor in elke vachtkleur, ook effen, tabby's en lapjes.*

Mensvoorkeur Open en liefdevol, verlaagt zich nooit tot excuses: de mens die voorkeur verdient is diegene die niet zoekt naar een uitleg wanneer die helemaal niet nodig is.

Verzorging Hoewel hij niet geborsteld hoeft te worden stelt het ras wel eisen in de vorm van speciale zorg voor de huid. Om hem tegen het weer te beschermen, moet een lotion worden gebruikt. Daarnaast moeten beten van muizen en schrammen van ratten ten allen tijde voorkomen worden.

Fokken Omdat het gen voor haarloosheid recessief is, kan hij generaties lang door exemplaren met vacht worden gedragen, waarbij hij dan op een zeer ongewenst moment te voorschijn komt. Er moet verantwoordelijk mee worden omgegaan.

Voedselvoorkeur Geen kunstmatige smaakstoffen voor deze eerlijk-tot-op-het-bot kat; alleen vers vlees dat regelmatig wordt geserveerd valt in de smaak.

Voorkeuren en vooroordelen Exclusieve stranden, truien met Kerstmis en Collies.

Tonkinees

Uiterlijk

KOP: De kop is langer dan breed, en vormt enigszins een wigvorm. De buiging bij de neus is waarneembaar. De jukbeenderen zijn niet prominent; het profiel is vriendelijk met duidelijke contouren. De snuit is bot, met een lichte buiging bij de snorharen. De oren zijn gemiddeld van grootte, met ovale uiteinden, en zijn breed aan de basis. De ogen zijn ovaal, aan de onderkant enigszins rond, en zien er heel open uit; ze staan ver uit elkaar.

LICHAAM: Een mooi geproportioneerde Tonkinees heeft niet het lichaamstype van de tengere, lange Siamees, en weerstaat de gedrongen invloed van de Burmees. Deze perfecte katten-middenweg is uitgebalanceerd en gespierd zonder dat hij grof wordt. De poten zijn behoorlijk tenger; de achterpoten zijn langer dan de voorpoten. De voeten zijn minder rond dan ovaal. De staart loopt dunner uit en is in verhouding met het lichaam van gemiddelde lengte.

VACHT: De vacht is schitterend voor het oog en zijdezacht bij aanraking, ligt dicht tegen het lichaam aan en is half kort van lengte.

KLEUR: Het ras komt voor in vijf minkkleuren: natuurlijk mink, gemiddeld bruin met lichtere tonen, met donkerder punten; champagne mink, vaalgeel

Vorige pagina: *Tonkinees.* **Boven:** *Kopstudie van Tonkinees.*

crème met middelmatig bruine punten; blauw mink, blauw-grijs met lei-
blauwe punten; honing mink, dat wordt beschreven als gouden crème met
een abrikooskleurige buitenkant, met roodbruine punten; en platinum roze,
een lichte zilvergrijze kleur, met tin-grijze punten. Dichte punten, die elegant
overeenstemmen met de basiskleur, moeten aanwezig zijn op het masker,
de oren, de voeten en de staart. De diepe, heldere en klare ogen zijn zonder
uitzondering aqua-kleurig.

Oorsprong De Tonkinees is een Amerikaanse creatie uit de jaren zestig, en is een kruising tussen een Siamees en een Burmees die perfekt de 'betere' punten van beide rassen in zich verenigt. Lichamelijk is hij het gemiddelde tussen de twee, wat gedrongener dan de Siamees en lichter dan de Burmees. Het ras verovert de harten van liefhebbers in heel Noord-Amerika – het ras wordt al erkend in de Verenigde Staten en in Canada. Dit ras is een kruising die snel de erkenning heeft gekregen van liefhebbers van pure raskatten. Maar in Engeland is het ras nog niet erkend, vooral omdat de Burmees en de Siamees er niet zo verschillend uitzien als in Amerika.

Karakter Goede aangepast aan de hen toekomende toetjes, zijn Tonkinezen spontaan en vol vertrouwen. Communicatie met hun mensen is een tweede natuur. Nooit betoverd door hun eigen betoverende uiterlijk, zijn deze katten verleidelijk en lokken ze vaak applaus uit. Zijn capriolen, merkwaardigheden en goede karakter maken hem tot een uitzonderlijk prettig huisdier, dat bijna nooit begeleiding of een standje nodig heeft.

Mensvoorkeur Een flexibel, nuchter mens, die niet meedoet aan dagelijkse routines of normaal doen; oprechtheid met hier en daar wat lol verdient de voorkeur.

Verzorging Regelmatige of onregelmatige borstelbeurten. Als een Tonkinees zichzelf verwart in toffee of taartjes, moet u niet aarzelen hem een goed bad te geven (met of zonder zijn toestemming).

Fokken Als gekruist ras produceert de Tonkinees worpen met varianten, dus katjes met puntige oren en witte of bijna witte vachten, of zelfs effenkleurige vachten. Deze niet-mink-kleurige varianten zijn verder volledig normaal, maar hoeven niet mee te doen aan tentoonstellingen.

Voedselvoorkeur Een uitgebalanceerd katten-dieet met daarnaast zelf gevangen sorbets en tropische toetjes.

Voorkeuren en vooroordelen Acrobatische kronkelingen zijn de norm; sommige propaganda over het ras beweert dat Tonkinezen zich gedragen als haviken – wij weten helaas uit de eerste hand dat Tonkinezen niet kunnen vliegen.

Links: *De Tonkinees komt voor in vijf mink-tinten, die alle met points en bijzonder mooi zijn.*

Boven: *Tonkinees.*

Turkse Angora

Uiterlijk

KOP: Wigvormig, smaller uitlopend naar de kin in een rechte lijn, waarbij jukbeenderen zijn toegestaan bij het mannetje. De neus is recht, en vormt een ongebroken lijn met de voorkant van de schedel. De oren zijn van goede lengte, breed aan de basis, met een puntig uiteinde; de oren staan hoog en worden alert opgehouden. De ogen zijn groot, amandelvormig, en buigen iets naar beneden richting de neus.

LICHAAM: Gemiddeld, met fijne botten, en de mannetjes zijn iets groter. De torso is lang en uitgebalanceerd, waarbij de achterham iets hoger staat dan de schouders. De poten zijn lang, en de achterpoten zijn langer dan de voorpoten. De voeten zijn klein en rond. De staart is lang en loopt smaller uit; hij wordt lager dan het lichaam gedragen maar sleept niet over de grond; hij wordt over het lichaam gedragen als hij in beweging is, waarbij hij bijna de kop raakt. De staart is altijd overvloedig behaard.

VACHT: Halflang op het lichaam; lang bij de kraag. De nek, de buik en de staart hebben een dikke vacht. Kwastjes aan de oren. De structuur is fijn en zijdeachtig. In tegenstelling tot de Pers is er geen ondervacht.

KLEUR: Traditioneel puur wit, maar de Angora wordt geaccepteerd in een variëteit aan kleuren. In Engeland zijn alle kleuren die worden geaccepteerd voor Oosterse kortharen, ook geaccepteerd bij de Angora. Veel voorkomende Angora-kleuren zijn onder andere: zwart, blauw, chocolate, lila, rood, lapjes en calico, crème, blauw lapjes, chocolate lapjes, lila lapjes, tabby (alle kleuren), rookkleuren en tweekleurigen. De oogkleur hangt af van de kleur van de vacht en is onder andere amber, blauw, groen, hazelkleurig en oneven (een blauw en een amber); amber is de meest voorkomende oogkleur.

Onder: *Turkse Angora, wit, trots op zijn goed geweven voorouders.*
Volgende pagina: *kopstudie van Turkse Angora, tabby.*

Boven: *Turkse Angora, wit.*

Boven: *Turkse Angora.*

Oorsprong Het oude Angora-ras stamt af van de Pallas-kat die tam werd gemaakt door de Tartaren en Chinezen, en later werd geperfectioneerd in Ankara, Turkije – vandaar de naam Angora. Deze fijne langharige katten zijn de voorouders van het altijd populaire langharige Perzische ras. Men gelooft dat onzorgvuldige kruisingen tussen de Angora en de Pers hebben geleid tot een gebrek aan puurheid in het eerstgenoemde ras. Gelukkig heeft de dierentuin van Ankara in Turkije een lijn van het ras voortgezet, en het daarmee puur gehouden. De katten werden in Engeland in de vijftiger jaren ingevoerd en geperfectioneerd en ongeveer tien jaar later raakten daardoor ook de Verenigde Staten geïnteresseerd.

Karakter Deze aardige en vriendelijke katten houden van tijd doorbrengen met hun eigenaar. Hoewel sommige exemplaren van het ras verlegen en afstandelijk zijn, zijn andere duidelijk spontaan en sociaal.

Mensvoorkeur Een uitgebalanceerd mens die ruimte heeft in zijn leven (en in zijn huis) voor een aanhankelijke kat.

Verzorging Dagelijkse verzorgingssessies, enigszins uitgebreid, zijn verplicht om deze schitterende vacht zacht en zijdeachtig te houden.

Fokken De vacht van jonge katjes komt pas tot volle bloei als ze twee jaar zijn. Er is een zekere aanleg voor doofheid bij witte katten met blauwe ogen, net als bij de Pers.

Voedselvoorkeur Commercieel geprepareerd kattenvoedsel is het meest geschikt voor deze goed aangepaste moderne kat. Sommige hebben een voorkeur voor het melk van de mohair-geit.

Voorkeuren en vooroordelen Haalt zijn neus op voor domme praatjesmakers en onoprechte vrienden – deze echte kat staat niet tolerant tegenover mindere karakters; houdt van de komische opera's van Mozart, gymnasten, en het geluid van een afwasmachine.

Turkse Van

Uiterlijk

KOP: Wigvormig, loopt smaller uit naar de kin in een rechte lijn. De oren hebben een goede lengte, zijn breed bij de basis, en puntig aan het uiteinde; de oren zijn goed bedekt met haar en hebben een typische roze-achtige gloed. De ogen zijn groot en ongeveer amandelvormig.

LICHAAM: Fijne botten en gemiddeld van grootte, waarbij de mannetjes iets groter zijn. De torso is lang en uitgebalanceerd, waarbij de achterham iets hoger staat dan de schouders. De poten zijn lang, de achterpoten langer dan de voorpoten. De voeten zijn klein en rond. De staart is lang en loopt smaller uit; hij wordt lager dan het lichaam gedragen maar sleept niet over de grond; hij wordt over het lichaam gedragen als hij in beweging is, waarbij hij bijna de kop raakt. De staart is overvloedig behaard.

VACHT: Halflang op het lichaam; lang bij de kraag. De nek, buik en staart (die vol is) hebben een dikke vacht. Kwastjes aan de oren. De structuur is fijn en zijdeachtig. In tegenstelling tot de Pers heeft dit ras geen ondervacht.

KLEUR: Krijtwit geeft de basiskleur aan van de Turkse Van. Roodbruine markeringen boven de ogen (op het voorhoofd) onderbreken een verder effen gekleurd wit lichaam; de staart is ook roodbruin, en versierd door lichtere en donkerdere ringen. De ogen zijn meestal amberkleurig, maar blauw komt ook voor. Een crèmekleurige of net niet witte basis hoort er altijd bij, hoewel het ras nog niet is geaccepteerd.

Onder: Turkse Van. **Volgende pagina:** *Turkse Van.*

Boven: *Kopstudie van de Turkse Van.*

Oorsprong Hoewel hij niet echt werd gefokt in het Vanmeer gebied in Turkije, kwamen de eerste twee exemplaren van het ras wel uit dat gebied. Twee toeristen, Laura Lushington en Sonia Halliday, brachten de twee basis-katten in 1955 mee naar huis in Engeland. Deze twee witte katten met bonte markeringen stamden af van de Turkse angora's en werden gefokt om hun vacht-patroon vast te leggen in een kattenras. Vandaag de dag is men het niet geheel eens over wat het perfecte Van-patroon is; de meeste mensen zijn het eens dat minder dan 25 procent bonte vlekken gewenst is. Het fokken van katten in Turkije is nooit zo specifiek geweest als in Amerika en Engeland.

Karakter Zeer onafhankelijk en toch zeer afhankelijk naar alle mensen toe. Dit is een slimme maar niet opschepperige kat die houdt van spelen zonder de controle te verliezen.

Mensvoorkeur Een gereserveerd mens; demonstratieve personen zijn vaak favoriet.

Verzorging Dagelijkse borstelbeurten zijn noodzakelijk om de vacht in goede conditie te houden.

Fokken Hoewel het niet geweldig makkelijk fokken is met dit ras, zullen er niet vaak echte moeilijkheden boven komen drijven, behalve in het behouden van de gewenste kleuring.

Voedselvoorkeur Een natuurlijke voorkeur voor vis maar zullen zonder veel aandringen ook een goede kwaliteit vlees accepteren.

Voorkeuren en vooroordelen Deze ex-meer-bewoners, die soms 'zwemmende katten' genoemd worden, zijn verliefd op het water, maar zijn niet allemaal echte zwemmers voor de lol; druppende kranen en teiltjes water zijn vooral favoriet.

Onder: Het is glashelder hoe de 'zwemmende kat' aan zijn naam komt. Dit is een vier maanden jonge kat die tussen de lelies zwemt in de vijver van zijn eigenaar.

Appendix I:
De Langharigen

Naam van het ras	Oorsprong	Registers
Amerikaanse Curl (langhaar)	Verenigde Staten	C.C.A., T.I.C.A.
Balinees	Verenigde Staten	C.C.A., T.I.C.A., C.F.A.
Birmaan	Verre Oosten	C.C.A., T.I.C.A., C.F.A., G.C.C.F.
Colourpoint langhaar	Groot Brittannië	G.C.C.F.
Cymric	Noord-Amerika	C.C.A., T.I.C.A., C.F.A.
Exotische langhaar	Canada	C.C.A.
Himalaya kat	Groot-Brittannië	C.C.A., T.I.C.A., (G.C.C.F.)
Javaanse kat	Verenigde Staten	C.F.A.
Kashmir	Canada	C.C.A.
Langhaar	Midden Oosten	G.C.C.F.
Langhaar Scottish Fold	Verenigde Staten	T.I.C.A.
Maine Coon	Verenigde Staten	C.C.A., T.I.C.A., C.F.A.
Nebelung	Verenigde Staten	-
Noorse boskat	Noorwegen	T.I.C.A.
Oosterse langhaar	Verenigde Staten	T.I.C.A.
Pers	Midden Oosten	C.C.A., T.I.C.A., C.F.A., (G.C.C.F.)
Ragdoll	Verenigde Staten	C.C.A., T.I.C.A.
Somali	Verenigde Staten	C.C.A., T.I.C.A., C.F.A.
Turkse Angora	Turkije	C.C.A., T.I.C.A., C.F.A., G.C.C.F.
Turkse Van	Turkije	T.I.C.A.

C.C.A. Canadian Cat Association (Canada)
C.F.A. Cat Fanciers' Association (Verenigde Staten)
T.I.C.A. The International Cat Association (Verenigde Staten)
G.C.C.F. Governing Council of the Cat Fancy

Haakjes rond de letters van een bepaalde katten-vereniging betekenen dat hij wel wordt erkend door dat register, maar onder een andere naam.

Balinees aan de telefoon met de C.F.A.

Cymric.

Himalaya.

Maine Coon.

Pers.

Pers.

Noorse boskat.

Somali.

Appendix II:
De kortharigen

Naam van het ras	Oorsprong	Registers
Abessijn	Egypte/Ethiopië	C.C.A., T.I.C.A., C.F.A., G.C.C.F.
Amerikaanse Curl (korthaar)	Verenigde Staten	T.I.C.A.
Amerikaanse korthaar	Verenigde Staten	C.C.A., T.I.C.A., C.F.A.
Amerikaanse Wirehair	Verenigde Staten	C.C.A., T.I.C.A., C.F.A.
Bengaal	Verenigde Staten	-
Bombay	Verenigde Staten	C.C.A., T.I.C.A., C.F.A.
Engelse korthaar	Groot-Brittannië	C.C.A., T.I.C.A., C.F.A., G.C.C.F.
Burmees	Verre Oosten	C.C.A., T.I.C.A., C.F.A., G.C.C.F.
California Spangled	Verenigde Staten	-
Chartreux	Frankrijk	C.C.A., T.I.C.A., C.F.A.
Colorpoint korthaar	Verenigde Staten	C.C.A., C.F.A.
Cornish Rex	Groot-Brittannië	C.C.A., T.I.C.A., C.F.A., G.C.C.F.
Devon Rex	Groot-Brittannië	C.C.A., T.I.C.A., C.F.A., G.C.C.F
Egyptische Mau	Verenigde Staten	C.C.A., T.I.C.A., C.F.A.
Europese korthaar	Midden-Europa	-
Exotische korthaar	Verenigde Staten	C.C.A., T.I.C.A., C.F.A.

Oosterse korthaar	Groot-Brittannië	G.C.C.F.
Havana Brown	Groot-Brittannië	C.C.A., T.I.C.A., C.F.A., G.C.C.F.
Japanse Bobtail	Japan	C.C.A., T.I.C.A., C.F.A.
Korat	Thailand	C.C.A., T.I.C.A., C.F.A., G.C.C.F.
Maleisische kat	Verre Oosten	-
Manx	Isle of Man	C.C.A., T.I.C.A., C.F.A., G.C.C.F.
Ocikat	Verenigde Staten	C.C.A., T.I.C.A., C.F.A.
Oosterse korthaar	Groot-Brittannië	C.C.A., T.I.C.A., C.F.A., (G.C.C.F.)
Russian Blue	G.O.S.	C.C.A., T.I.C.A., C.F.A., G.C.C.F.
Scottish Fold	Groot-Brittannië	C.C.A., T.I.C.A., C.F.A.
Siamees	Thailand	C.C.A., T.I.C.A., C.F.A., G.C.C.F.
Singapura	Singapore	C.C.A., T.I.C.A., C.F.A.
Snowshoe	Verenigde Staten	-
Sphynx	Canada	T.I.C.A.
Tonkinees	Verenigde Staten	C.C.A., T.I.C.A., C.F.A.

C.C.A. Canadian Cat Association (Canada)
C.F.A. Cat Fanciers' Association (Verenigde Staten)
T.I.C.A. The International Cat Association (Verenigde Staten)
G.C.C.F. Governing Council of the Cat Fancy

Haakjes rond de letters van een bepaalde katten-vereniging betekenen dat hij wel wordt erkend door dat register, maar onder een andere naam.

Abessijn.

Amerikaanse korthaar.

Bombay.

Chartreux.

Manx.

Scottish Fold.

Singapura.

Register

REGISTER 447